CW00382403

*quaerere mortem ...*

Oliver Kohl

# Die fauligen Felder

Thriller

Auflage (soweit nicht erste Auflage)

Herausgeber: Oliver Kohl
Autor: Oliver Kohl
Umschlaggestaltung, Illustration: Coverdesign Catrin Sommer
(www.rausch-gold.com)
Lektorat, Korrektorat: Volker Maria Neumann
www.krimi-lektorat.de, Tredition.de
Übersetzung: Vorname, Name oder Institution
weitere Mitwirkende:

Verlag & Druck: tredition GmbH, Halenreie
40-44, 22359 Hamburg

978-3-347-08199-4 (Paperback)
978-3-347-08200-7 (Hardcover)
978-3-347-08201-4 (e-Book)



Bibliografische Information der Deutschen
Nationalbibliothek:
Die Deutsche Nationalbibliothek verzeichnet diese Publikation in der
Deutschen Nationalbibliografie; detaillierte bibliografische Daten sind
im Internet über http://dnb.d-nb.de abrufbar.

# Prolog

Er hatte sie zwischen Vergebung und Rache wählen lassen, doch ihre Antwort war Vergeltung gewesen. Ein Wort, das unter seinesgleichen nicht existierte, denn es gab nur Hass, Gewalt und Strafe. Sie weinte und schluchzte, als sie begriff, was gerade um sie herum passiert war. Ihre zarten Hände hielten das Objekt der Verderbnis fest umklammert. Sie starrte es widerstrebend an. Kalter Ekel kroch ihren Rachen hoch, als sie mit ihren Fingern in die kalten, dunklen Höhlen stach und dabei die zähe Masse berührte, in die zwei glitschige Augäpfel eingebettet waren. Sofort bekam sie eine Gänsehaut. Es roch nach Fäulnis und Tod. Erschrocken zog sie die Finger zurück und zitterte. Die Dinger glotzten sie verstohlen an, nur darauf bedacht, sie erneut zu verhöhnen, wic sie es zu Lebzeiten getan hatten. Angsterfüllt hielt sie sich die Hände schützend vors Gesicht, bis der makabre Spuk vorbei und die Dinger nur noch tot und leer waren. Für einen kurzen Moment schloss sie die Augen, wollte all das Schreckliche nicht mehr sehen. Ihre Hände, das Blut, die Schandtat an Mutter und Vater. Sie war zu müde und hielt den Kopf gesenkt, erinnerte sich an vergangene Zeiten voller Freude und Liebe. Eines Tages war etwas passiert und hatte Besitz von ihr ergriffen. Man hatte ihr gezeigt, dass es Mitmenschen gab, die es nicht gut mit ihr meinten, die bei jeder Gelegenheit ihre Boshaftigkeit zeigten. Diese Niedertracht zerfraß ihre Familie von innen heraus und gab sie einer Gesellschaft preis, die das in allen Einzelheiten auszuschlachten wusste. Von einem Tag auf den nächsten zerbrach ihre heile Welt in tausend Splitter. Sie wurde verletzlich, angreifbar, war allein. Ihr Bruder Lucas war ihr Fels in der Brandung gewesen. Er hatte stets versucht, sie zu retten. Doch als er nicht mehr da war, fiel sie. Sie hatte versucht zu kämpfen, doch verloren. Haltlos trieb sie im Leben voran, ohne je das andere Ufer zu sehen. Alle hatten sie verraten. Mum, Dad und Liam, ihr Freund. Er und Nina Masterson waren wie die Pfaffen und die Schule ihre Bühne gewesen. Sie hatten sie verraten, sie mit ihren Auftritten verhöhnt und das Volk jubelte. Das durfte nicht ungesühnt bleiben. Jetzt saß sie hier und hielt den abgetrennten Kopf ihrer Mutter in den Händen, aus deren Höhlen sie die Augen des Vaters anstarrten, so bleich wie junger Schnee. Mit dem Ärmel der linken Hand rieb sie sich den Rotz aus dem Gesicht und fuhr durch das dunkle Haar der Mutter. Sie erinnerte sich gerne an die Momente, wenn Mum ihre Haare frisierte und mit Locken spickte. Nun würden sie vergilben und verrotten, wenn der leere Körper erst einmal in der Kiste lag und begraben war. Ein hämisches Grinsen umspielte ihre trockenen Lippen und sie hob den Kopf, starrte in die Richtung der dunklen Küche, wo die Kreatur stand und sie beäugte. Ihr Griff um den Schädel verkrampfte sich und Tränen liefen über ihre Wangen. Sie ballte ihre Hände zu Fäusten, dass die Knöchel weiß hervortraten und schrie. Sie fuhr auf und presste die Fäuste an ihre Schläfen, machte dem Druck in ihrem Innern Platz. Polternd rollte der Schädel von ihren Oberschenkeln die letzten Stufen hinab und verlor dabei die Augäpfel, die sich ihren Weg über die Dielen bahnten, bis vor die Füße eines jungen Mannes, der entsetzt an der Eingangstür stand. Es war Lucas.

Die Kreatur hatte gewütet und mit unbeschreiblicher Brutalität ihr unvorstellbares Werk an den Boshaften verrichtet. So wie es ihr aufgetragen worden war.

„Sophie?" Lucas' Stimme war von Entsetzen gezeichnet.

Sie sah auf, zitterte, schrie. Lucas ließ seinen Rucksack fallen und rannte auf seine Schwester zu, nahm sie in die Arme, presste sie an sich und ging auf die Knie.

Sie erlebte einen wahren Albtraum und spürte die Finsternis, die sie frösteln ließ, wie taube Nässe an kalten Wintertagen. Sie hatten den Wind gesät und Sturm geerntet. Sie waren die Hauptverantwortlichen in diesem Kammerspiel gewesen und mussten nun für ihre Taten zahlen. Bald würde es vorüber sein.

Die Zeitungen übertrafen sich gegenseitig mit ihren Schlagzeilen über diese Tragödie, die in den elitären Reihen der guten Bürgerschaft der Stadt für reichlich Furore gesorgt hatte. Schnell geriet die Tochter ins Fadenkreuz der Ermittler, als die Abgründe innerhalb der Familie ans Licht gezerrt wurden. Der strenge Vater, der Lucas zu früh aus dem Haus getrieben hatte, die Scharade einer ach so glücklichen Ehe und die Lügen hatten Sophie vereinsamen und von ihren Eltern entfremden lassen. Nun war Sophie die einzige Überlebende des Massakers und plötzlich schien das Umfeld ihr alles zuzutrauen. Plötzlich wussten alle um sie herum Bescheid und machten sich mitschuldig. Schulden, die irgendwann gesühnt werden mussten. Das Netzwerk des Todes war gesponnen.

So war der Urteilsspruch deutlich und der Hammer des Richters schwer, der sie mit jedem Schlag auf das Pult zusammenschrecken ließ. Nichts konnte sie jetzt noch davor bewahren, ein

Opfer der Justiz zu werden. Die Handschellen lagen eiskalt um ihre Handgelenke. Sie hatte alles verloren und sollte nun dafür büßen. Trotzig war sie den Männern begegnet, die sie fortbringen sollten, doch die Kälte kehrte zurück und offenbarte das Unfassbare. Denn einer der Männer hatte andere Pläne mit ihr. So erreichte der Transport am Ende sein Ziel nicht und sie verschwand spurlos.

Ihr Name war Sophie und sie galt als Monster.

## Kapitel 1

*Ein Jahr später ...*

Aufdringlich trommelten die Wassermassen auf das Dach des Lincoln. Seit Stunden peitschte der Wind die Regentropfen gegen die Scheiben des Fahrzeugs. Auf den Straßen war es menschenleer, niemand würde bei diesem Wetter freiwillig einen Fuß vor die Tür setzen. Aus einer Seitengasse trat eine in schmutzige Lumpen gekleidete Gestalt auf die Hauptstraße und schob einen überfüllten Einkaufswagen vor sich her, der vor Unrat nur so strotzte. Die ausgeleierten Laufräder verdrehten sich bei jeder Bewegung. Nachdem sie einen Moment einfach so dagestanden hatte, bewegte sich die Gestalt langsamen Schrittes die Straße nach Süden hinunter und kam dabei auch an einem schwarzen Lincoln vorbei, in dem zwei Männer saßen. Diese beachteten die Gestalt mit dem Einkaufswagen nur kurz, bevor sie wieder die Ferngläser an die Augen setzten. Schon bald verschwand die dreckige Lumpengestalt in der Finsternis.

„Barnes hier ... was? Nein, wir warten ... nein ... Zugriff nur auf meinen Befehl ... ja ... Ende!"

Der Polizist mit dem Fernglas führte den Kaffeebecher unsicher zum Mund. Ohne seinen Kollegen anzusehen, fragte er: „SWAT?"

Barnes nickte und legte das Mobiltelefon wieder auf das Armaturenbrett.

Detektive Pescar lächelte. „Eddie und seine Jungs können es wohl nicht abwarten!"

Barnes' Miene blieb ernst. „Er wird so lange warten müssen, wie ich es sage."

„Du verstehst das nicht, ich meine sieben Männer in kompletter Montur, eingepfercht in einen engen Transporter, in dieser lauen Sommernacht?"

Barnes grinste. „Sie werden dieses Jucken noch etwas unterdrücken müssen. Wir können uns jetzt keinen Fehler leisten!"

Pescar nickte und schaute wieder nach draußen. „Was wissen wir eigentlich über diesen
Raymond Philips?", fragte er Barnes.

„Unser Raymond ist ein ganz perfider Junge." Er blätterte durch das Dossier. „Seine Vergehen decken die ganze Palette menschlicher Entgleisungen ab. Rauschgifthandel, unerlaubter Waffenbesitz, Entführung, Misshandlung, versuchter Raub und Prostitution."

Pescar verzog das Gesicht. „Nett, was noch fehlt, ist Mord!"
Barnes nickte und seine Miene blieb ernst. „Vor zwei Monaten hat er seine Freundin fast zu Tode geprügelt, weil sie vergessen hatte einzukaufen."

Pescar schüttelte den Kopf. „Was für Frauen lassen sich denn mit so einem ein?"

Barnes zuckte mit den Schultern.

„Was für ein Drecksack. Dem würde ich gerne mal in die Eier treten."

„Vielleicht bekommen wir heute noch Gelegenheit dazu", ergänzte Barnes.

Pescar ballte unmerklich eine Hand zur Faust, so dass die Fingerknöchel weiß hervortraten. „Heute Abend ist der Typ fällig ...

Warte mal!“ Er lächelte und zeigte Zähne, als wäre er sich seines Sieges bereits sicher.

Plötzlich erlosch das Licht im zweiten Stock des Hauses, und Barnes, der noch ins Dossier vertieft war, schaute auf. „Verdammt!“ Er griff zum Mobiltelefon.

Die Tür im Erdgeschoss öffnete sich, und ein Mann mit Lockenkopf in einem Parker erschien. Zunächst war nur der Rauch seiner Zigarette zu sehen, er selbst blieb im Halbdunkel.

„Hier Barnes, Zielobjekt mobil, jetzt in Sichtweite. Bereithalten!“

Pescar legte das Fernglas ab und kontrollierte sein Holster.

Barnes beobachtete den Haupteingang. „Alle Mann bereithalten. Niemand unternimmt etwas, bevor ich es sage!“ Sein Mund klebte förmlich am Mobiltelefon.

Der Mann im Halbdunkel schnippte die Zigarette weg, stülpte sich die Kapuze seines Parkers über den Lockenkopf und trat vorsichtig an den Rand des Bordsteins. Nur kurz war sein blonder Haarschopf zu sehen.

Pescar runzelte die Stirn, dann umspielte ein Grinsen seine Mundwinkel. „Der sieht ja wirklich aus wie der Typ aus meinem Lieblingscomic!“

Barnes legte das Dossier ab und überprüfte seine Smith & Wesson. „Er darf uns auf gar keinen Fall sehen.“

„Wo will der denn hin?“, fragte Pescar und sah zu Barnes, der die Straße nicht aus den Augen ließ.

„Vielleicht noch einkaufen!“

Sein Kollege runzelte die Stirn. „Bei dem Sauwetter?" Barnes zuckte mit den Schultern. „Da hinten an der Ecke ist ein Gemischtwarenladen. Ich denke, das ist sein Ziel."

Pescar folgte dem Blick. „Wie gehen wir vor?", fragte er.

Es knackte wieder im Mobiltelefon und Barnes gab neue Anweisungen. „Bereithalten, alle. Zielobjekt bewegt sich, voraussichtliches Ziel ist ein Laden an der Straßenecke. Beobachten, nicht eingreifen!"

Von den anderen Kollegen, die ebenfalls an diesem Einsatz als Verstärkung teilnahmen, kam das OK.

Philips hatte sich indes in Bewegung gesetzt, achtete aber darauf, immer im Halbdunkel zu bleiben. Dabei bewegte er sich so langsam, dass man ihm dabei die Schuhe hätte besohlen können.

Barnes verengte die Augen. „So ein Scheißwetter, und das ausgerechnet heute. Siehst du ihn noch?", fragte er.

Pescar schüttelte den Kopf und versuchte mit der Hand die beschlagenen Fenster freizumachen. „Ich sehe gar nichts mehr", antwortete er.

Barnes nickte. Dann griff er nach hinten auf die Rückbank.

Pescar drehte sich zu ihm um. „Was hast du vor?"

Da zog Barnes seine Jacke bereits über und die Kapuze tief ins Gesicht. „Wonach sieht es denn aus? Hier herumzusitzen bringt gar nichts, ich gehe jetzt da raus!"

Pescar war irritiert. „Aber wenn er uns jetzt sieht, war alles umsonst!" Die beiden Männer sahen sich einen Moment lang an. Ihr Instinkt in solch einer Situation bestärkte sie darin, das Richtige zu tun und Raymond Philips heute Nacht einzukassieren.

Pescar zögerte kurz, dann zuckte er mit den Schultern und schlüpfte etwas unbeholfen in seine Jacke. „Also gut, gehen wir!", erwiderte er.

Barnes aktivierte wieder das Mobiltelefon. „Es geht los! Eddie, wir brauchen euch!"

Als die beiden Männer ausstiegen, flutete Regenwasser in das Innere des Lincoln. Sie achteten darauf, dass die Innenbeleuchtung ausgeschaltet blieb. Barnes schaute sich um; sein Kollege war bereits klitschnass, da Pescars Jacke keine Kapuze besaß. Seine nassen Haare glänzten im trüben Schein der Straßenlaternen, und er fluchte leise. Um sie herum war niemand zu sehen.

„Verdammt, wo ist der Dreckskerl abgeblieben?", fragte Pescar und blinzelte in das Unwetter.

„Scheiße!", rief Barnes.

Da hob Pescar die Hand und zeigte die Straße runter.

„Was ist?"

„Vielleicht ist er tatsächlich zu diesem Laden an der Ecke gegangen?" Barnes sah sich ein letztes Mal um, seine geschulten Augen verengten sich zu Schlitzen, an denen das Regenwasser abperlte. Entweder war die Theorie von dem nächtlichen Einkauf tatsächlich richtig gewesen oder Philips versteckte sich immer noch zwischen den Schatten und wartete auf den richtigen Moment, um ihnen den Garaus zu machen.

In diesem Moment näherte sich ein Kastenwagen ohne Scheinwerfer. Es war Eddie mit seinem mobilen Einsatzteam SWAT. Der Kastenwagen war komplett in Schwarz gehalten. Die letzten Meter rollte der Wagen mit ausgeschaltetem Motor heran. Eddie stand in schusssicherer Weste und Helm neben dem Fahrer, wie ein Ticketverkäufer bei einer Stadtrundfahrt. Seine Miene wirkte angespannt und ernst.

Eddie war Ende dreißig und bereits seit mehreren Jahren bei SWAT. Ein Mann, den die beiden Polizisten an diesem Abend auf gar keinen Fall missen wollten.

Barnes machte eine Handbewegung. Er signalisierte den Männern des Sondereinsatzkommandos, einmal um den Block zu fahren, um die Rückseite abzusichern.

Eddie nickte kurz zurück, und der Kastenwagen rollte dahin. Am Ende der Straße verlangsamte er seine Fahrt und setzte zwei Beamte ab, bevor er um die Ecke bog und verschwand. Mit den Waffen im Anschlag sicherten die beiden Männer den Eingang zum Gemischtwarenladen.

Barnes und Pescar, der bereits bis auf die Knochen durchnässt war, zogen ihre Waffen aus den Holstern und gingen den beiden SWAT-Beamten entgegen, die jede dunkle Ecke absicherten. Das Vordach des Ladens war ein breit gespanntes Leinentuch, das unter den Fluten des Unwetters bereits an einigen Stellen aus der Verankerung gerissen worden war und durchhing. Die beiden SWAT-Beamten standen zu beiden Seiten des Eingangs an die Wand gepresst und nickten den Polizisten kurz zu, als diese wie Schatten aus der Finsternis traten. Die Anspannung war allen Beteiligten anzusehen.

Der Eingang war eine einfache Gittertür, über der eine verbeulte Klingel in Form eines Glöckchens angebracht worden war, um dem Besitzer zu signalisieren, dass jemand den Laden betrat. Die Glühbirne in einer alten und verdreckten Lampe flackerte noch etwas und warf ein trübes Licht auf den Eingangsbereich.

Mit gezogenen Waffen betraten zuerst die SWAT-Leute den Laden. Danach folgten Barnes und Pescar, der zusätzlich nach hinten absichern sollte. Eine junge, dunkelhaarige Frau am Zeitschriftenregal zuckte zusammen, und Barnes zeigte ihr an, dass sie nichts zu befürchten hatte.
Das kleine Glöckchen über der Ladentür wurde von Pescar sicherheitshalber aus der Verankerung gezogen, damit kein Lärm entstand. Die Frau stand stocksteif vor ihnen, ihre Augen waren geweitet und sie nickte stumm. Auf ein Zeichen von Barnes führte sie einer der SWAT-Beamten nach draußen. Als die Frau in Sicherheit war, setzten sie sich wieder in Bewegung und teilten sich auf, damit ihnen Unheil von den Seiten erspart blieb. Es war eine klaustrophobische Stimmung, denn die Ladenregale standen teilweise so dicht beieinander, dass man vom Eingang den Kassenbereich nicht einsehen konnte. Aus den Augenwinkeln bewegte sich Pescar nach rechts und der SWAT-Mann nach links. Barnes folgte Pescar durch die Reihen. Endlich näherten sie sich einem trüben Lichtkegel, der den Kassenbereich erhellte. Dahinter kauerte ein fröstelnder Asiate, der ganz bleich war. Er sah aus, als hätte er gerade den Teufel höchstpersönlich gesehen. Die Anspannung wurde zur Zerreißprobe.

Der Asiate zitterte und zeigte auf eine Nebentür, wohinter sich der Lagerbereich befand.

Barnes nickte Pescar zu. Langsam und bedächtig näherten sie sich der Tür.

Barnes spürte die Unruhe, irgendetwas stimmte hier nicht. Mit einer bedachten Drehbewegung öffnete er die Tür und ließ sie nach innen aufgleiten. Der Raum dahinter lag in absoluter

Finsternis. Barnes schaute in die Richtung des Asiaten und dieser nickte zustimmend.

„Im hinteren Bereich gibt es eine Wendeltreppe, die nach unten zu einem rückwärtigen Ausgang führt“, gab er den Polizisten zu verstehen.

„Gibt es da drinnen Licht?“, fragte Barnes, doch der Asiate schüttelte den Kopf. „Der Mann, den Sie suchen, hat alle Deckenlampen zerschlagen!“, fuhr der Asiate fort, und die Beamten schauten sich kurz an.

„Seien Sie bitte vorsichtig, der Mann ist bewaffnet! Er hat sich die Feueraxt aus einem Kasten an der Wand genommen!“

Barnes Muskeln spannten sich und seine Nackenhaare richteten sich auf.

Dann gab er dem anderen SWAT-Mann ein Zeichen, den fröstelnden Asiaten ebenfalls nach draußen zu bringen.

Doch der Beamte hatte noch eine Frage. „Soll ich Verstärkung rufen, Sir?“

„Nein, die anderen müssten ja bereits in Stellung sein. Philips wird hier so oder so nicht rauskommen", antwortete Barnes. „Aber sagen Sie Ihrem Kollegen Bescheid, dass wir Sie beide noch brauchen.“

„Unsere Kollegen sollen sich um die Zivilisten kümmern“, ergänzte Pescar.

Der SWAT-Beamte nickte und schob den Asiaten vor sich her in Richtung Ausgang.

Pescar blickte wieder zu Barnes. „Also gut, gehen wir es an, bereit?“

„Bereit!“, antwortete Barnes.

Pescar holte daraufhin eine Leuchtfackel und eine Taschenlampe aus der Innentasche seiner Jacke heraus. Er knickte das Neonröhrchen in der Mitte und warf sie in den Lagerbereich. Ein greller, roter Lichtschein erhellte jetzt den Innenraum.

Barnes war hochkonzentriert. Das Pochen seines Herzens verstärkte sich. Alles sah nach einer Falle aus, sie mussten jetzt sehr vorsichtig sein.

Der Lagerraum war vollgestopft mit allerlei Lebensmitteln und anderem Krimskrams. Zu beiden Seiten standen zudem Regale, die mit Kleidungsstücken, Zeitschriften und Konserven bestückt waren. Die feuerrote Fackel tauchte das Gut in ein teuflisches Licht. Die Waffen im Anschlag näherten sie sich der Wendeltreppe, die der Asiate angesprochen hatte.

„Warum muss es immer nach unten gehen?", fragte Pescar.

Barnes verzog abermals das Gesicht. „Das ist das Klischee. Es muss eben so sein." Er machte eine Pause und rieb sich die schwitzende Hand an der Hose ab. Dann sah er wieder zu Pescar. „Hast du noch so eine Fackel?"

Pescar nickte und holte eine weitere Fackel heraus, knickte sie und warf sie über das Geländer in die Finsternis. Der Schein flammte kurz auf, dann erlosch er plötzlich. Die beiden Männer sahen sich an. „Was soll das jetzt wieder?", fragte Barnes.

Pescar hob die Schultern. „Ein Blindgänger."

„Toll, aber wir haben ja noch die Taschenlampen", antwortete Barnes.

Hintereinander stiegen die beiden nun die Wendeltreppe hinab, die bei jedem Schritt quietschte und leicht zu schaukeln begann. Mit der Taschenlampe in der einen Hand und der Waffe in der anderen kamen die beiden Beamten nur langsam voran. Für einen plötzlichen Angriff aus dem Hinterhalt waren sie jetzt verwundbar. Am Fuß der Treppe angekommen, sahen sie am Ende eines weitläufigen Flurs eine Tür, die offen stand und ins Freie führte.

„Verdammt, er ist entkommen!", kommentierte Pescar die Situation.

„Das wissen wir noch nicht. Wenn die anderen draußen warten, müssen wir damit rechnen, dass er sich hier noch irgendwo versteckt hält!", antwortete Barnes.

Pescar sog tief Luft ein, dann sagte er: „Also gut, weiter!"

Näher und näher rückten sie zur offenen Tür vor.

Pescar kniff die Augen zusammen, dann lief er vor zur Tür und zeigte auf den Schließmechanismus. „Schau dir das an, dass Schloss wurde aufgebrochen!"

Barnes rieb sich am Kinn. „Dafür hat er die Axt benutzt."

„Soll ich die anderen rufen?", fragte Pescar.

Barnes machte eine Handbewegung. „Einen Moment noch."

Vorsichtig traten die Beamten ins Freie. Die Gasse mündete in einen kleinen Hinterhof, der von einer Mauer und einem gut und gerne zwei Meter hohen Maschendrahtzaun umgeben war. Zu beiden Seiten standen zahlreiche Müllcontainer, aus denen es vermodert roch.

„Wo ist der Mistkerl?", fragte Pescar und hielt die Waffe nah an seinem Körper.

Barnes flüsterte: „Wo bist du, Raymond?"

Pescar holte sein Mobiltelefon aus der Innentasche seiner Weste und hielt es sich ans Ohr.

Genau in diesem Moment tauchte eine Gestalt blitzschnell aus dem Halbdunkel auf, in den Händen eine rote Feueraxt. Die Klinge funkelte im diffusen Licht, und viel zu spät nahmen sie diese wahr, denn da holte Philips bereits aus. Barnes wurde zur Seite geschleudert, unfähig zu reagieren oder gar zu schreien. Beim Sturz verlor er seine Dienstwaffe und die Taschenlampe.

Pescar hatte weniger Glück. Er hatte keine Zeit mehr, denn Raymond Philips zielte genau auf die Mitte seines Brustkorbs, die aber von der Weste geschützt wurde. Der Angreifer fletschte die Zähne und sein Hieb war unmenschlich. Der erste Schlag war so massiv, dass es Pescar von den Füßen hob und er zu Boden ging. Seine Weste federte einen Teil des Schlages ab. Doch Raymond war bereit, noch einmal zuzuschlagen. Der zweite Schlag traf genau die gleiche Stelle, drang dieses Mal durch die Weste in die Brust ein und nagelte Pescar buchstäblich auf dem Boden fest. Mit ausgestreckten Armen blieb der Beamte liegen. Aus der klaffenden Wunde spritzte Blut.

Von dem plötzlichen Überfall komplett überrumpelt, rappelte sich Barnes benommen wieder auf. Nur wenige Meter von ihm entfernt sah er seinen Kollegen am Boden liegen und über ihm Raymond Philips, der gerade versuchte, die Feueraxt aus dem Brustkorb des Beamten zu reißen.

Barnes entdeckte seine Dienstwaffe zwischen den stinkenden Müllcontainern. In diesem Moment drehte sich sein Gegenüber zu ihm herum und fletschte wieder die Zähne. Aus einer Hosentasche zog er ein gezacktes Messer und ließ von der Axt ab.

Barnes schrie Philips an: „Was hast du getan?“

Philips kicherte. „Woher habt ihr es gewusst?“

Doch Barnes schüttelte den Kopf. In seinen Augen sammelten sich Tränen. „Was? Ich verstehe nicht!“, antwortete er.

Im Mobiltelefon seines Kollegen knackte es.

Barnes sah sich in dem Hof nach einer Möglichkeit um, sich gegen diesen Wahnsinnigen zur Wehr zu setzen.

Philips Gesicht glich einer Fratze. „WOHER?“, schrie er. Seine vom Regenwasser durchnässte Gestalt in der Kapuzenjacke wirkte bedrohlich. Langsam drehte er den Kopf unnatürlich zur Seite und kam weiter auf Barnes zu.

Dieser hob abwehrend die Hände. „Bleib, wo du bist, Raymond!“

Doch Philips lachte ihn nur aus. „Ich war doch so gründlich!“, schrie er wieder. Dann blieb er plötzlich stehen und schlug sich mit beiden Händen an die Schläfen. „So gründlich, verstehst du? Aber ihr Scheißbullen müsst eure Scheißnasen ja überall reinstecken!“

Barnes verstand noch immer nicht, was der Irre da von sich gab.

Philips wiederholte die Schläge noch ein paar Mal, bevor er wieder zu dem leblosen Körper am Boden schaute. Es dauerte einen Moment, dann fuhr sein Kopf blitzschnell herum, zurück zu Barnes. Philips runzelte die Stirn, und kurz sah es so aus, als spräche er mit sich selbst. „Offensichtlich hast du keinen Schimmer davon, was? Aber egal, Alter, ich mach dich sowieso kalt. Siehst du das hier?“ Er hob das gezackte Messer.

Plötzlich peitschte ein Schuss durch die Nacht.

Genau diesen Moment nutzte Barnes zum Angriff auf seinen Widersacher aus.

Einer der SWAT-Beamten trat mit der Waffe im Anschlag ins Freie. „WAFFE RUNTER!", schrie der Mann.

Philips machte einen Ausfallschritt, und Barnes Angriff ging ins Leere. Mit einer flinken Handbewegung griff Raymond nach dem Arm des SWAT-Mannes und riss diesem den Waffenlauf nach unten. In einer zweiten Bewegung stach er dem Mann mit der Klinge durch den Gesichtsschutz zwischen die Augen. Der Getroffene ging sofort zu Boden. Aus der Ferne ertönte das Klappern von schnellen Stiefelschritten, die eilig die Wendeltreppe herunterkamen. Der zweite SWAT-Mann näherte sich. Doch ehe er reagieren konnte, schoss ihn Philips mit der Waffe des ersten SWAT-Mannes nieder. Leblos blieb auch der andere Mann tot im Flur liegen. Philips jaulte in den Nachthimmel hinein und warf die Waffe weg. Dann schwang er herum und warf den Kopf in den Nacken. Sein schauderhaftes Lachen erschütterte Barnes in seinen Grundfesten. „Haha, drei auf einen Streich! Was sagst du jetzt, Bulle. Lernen eure Jungs denn heute überhaupt nichts mehr?" Philips hob das gezackte Messer wieder auf, und seine Augen klebten förmlich daran.

Diesen Moment der Ablenkung nutzte Barnes, um zu den Müllcontainern zu robben, wo er die Smith & Wesson wieder an sich nahm.

„Ich war so gründlich, wie man nur sein kann."

Philips war noch immer abgelenkt, doch plötzlich stutzte er, und sein Kopf suchte nach Barnes. Er sah wieder zurück und zuckte zusammen.

Barnes überprüfte gerade das Magazin.

„Los Bulle, erschieß mich!“ Philips hatte die Arme weit von sich gestreckt und den Kopf dem Himmel zugewandt, wo die Regentropfen sein Gesicht bombardierten.

Barnes dachte an seinen Kollegen, der immer noch reglos am Boden lag, mit der Axt als Mahnmal in seiner Brust und wurde jetzt so richtig wütend. „Mit Subjekten wie dir diskutiere ich nicht!“, schrie er Philips an, hob die Waffe und zog den Abzug durch doch die Smith & Wesson klemmte.

Philips jaulte wieder auf und hüpfte von einem Bein auf das andere. Dann hielt er wieder inne und glotzte Barnes aus dunklen Augen an. „Es war ein Fehler, mir zu folgen! Ihr hättet das nicht tun dürfen!“, knurrte er. „Ihr wisst ja gar nicht, was ihr damit entfesselt habt!“

Barnes mühte sich noch immer mit der Waffe ab. Er musste Philips hinhalten, bevor dieser auf andere Ideen kam. Wo blieben bloß die anderen? Sie mussten doch die Schüsse gehört haben! „Was soll dieser Scheiß?“ Er musste den Irren provozieren, irgendwie Zeit gewinnen.

Philips Augen verfinsterten sich. „Dieser Scheiß ... DIESER SCHEISS?“ Er äffte Barnes' Stimme nach. Seine Augen wirkten jetzt dämonisch. „Sie werden euch töten! Ich werde euch alle töten!“

Barnes bekam eine Gänsehaut. Er ließ die nutzlose Waffe fallen. „Wenn du mich töten willst, dann tu' es, aber quatsch mir hier nicht die Ohren mit deinem Psychomist voll!“, schrie Barnes zurück.

Ein diabolisches Grinsen erschien in Philips Gesicht. Er hob sein Messer empor und betrachtete die Rinnsale, die das Wasser auf der glänzenden Oberfläche hinterließ. „Ist es nicht wunderschön? Mein Freund hier lechzt nach einem neuen Opfer." Er sah an der Klinge vorbei zu Barnes hinüber und schloss kurz die Augen. „Ich rieche deine Angst, Bulle. Mach dich auf schreckliche Schmerzen gefasst, denn wenn ich mit dir fertig bin, wird auch ein Gebissabdruck nicht zur Identifizierung beitragen!"

Barnes Blick fiel dieses Mal auf die Waffe seines Kollegen.

Philips öffnete wieder die Augen und kam langsam, fast tänzelnd auf Barnes zu. Er wägte ab, wie sich sein Opfer entscheiden würde, wie er vielleicht fliehen könnte. In einer Hand rotierte das Messer. Geschmeidig, fast liebevoll ließ er es kreisen und Speichelfäden der Vorfreude sammelten sich an seinen Lippen.

Plötzlich schlug hinter ihnen ein Blitz ein. Müllcontainer explodierten und wirbelten umher.

Philips zuckte zusammen, dann griff er an.

Barnes wich dem tödlichen Angriff aber geschickt aus und entkam nur knapp dem Hieb des Messers. Flink rutschte er unter Philips Hand hindurch und schlidderte über den Boden.

Philips hingegen schwang herum.

Barnes zögerte keine Sekunde, bekam die Waffe seines Kollegen zu fassen und zielte nun erneut auf den Irren. „Jetzt bezahlst du, Bastard!", schrie er in das Unwetter hinein.

Philips kicherte und ließ das Messer fallen. „Du kannst mich nicht erschießen, ich bin wehrlos!", antwortete er.

Doch Barnes zog den Abzug durch und eröffnete das Feuer.

Philips Augen weiteten sich, als die ersten Kugeln seine Brust durchschlugen. Weitere Kugeln trafen ihn am Hals. Durch den Rückstoß riss es ihn von den Beinen und warf ihn nach hinten.

Wieder knackte es im Mobiltelefon.

Mit der Waffe im Anschlag nahm Barnes den Anruf entgegen. In diesem Moment war der Regen das Einzige, was zu hören war. „Eddie ...? Was ...?“ Er hielt sich die Hand mit der Waffe an sein Ohr. „Nein, kommt einfach her, Officer am Boden, benötige sofortige Hil...“ Weiter kam er nicht, denn aus dem Augenwinkel sah er, wie sich Philips wieder erhob, kerzengerade wie von unsichtbaren Fäden gezogen. Zu spät kam seine Reaktion, als Philips ihm schon das Messer in den Unterleib rammte. Barnes wollte zurückwanken. Doch Philips hielt ihn an der Schulter fest, bevor er erneut zustieß, dieses Mal bis zum Ansatz des Griffs. Der Irre fletschte ihn an. Schmatzend zog er die Klinge wieder heraus und für einen kurzen Moment schien die Zeit stehengeblieben zu sein. Philips betrachtete genüsslich das Blut an der gezackten Klinge. Er drehte den Kopf, als Barnes zurücktaumelte und sich die klaffende Wunde hielt.

„Du bist zu schwach, Bulle. Jetzt siehst du, was du angerichtet hast. Warum hast du es so hinausgezögert? Komm, bringen wir es zu Ende!“

Gerade als er Barnes den Rest geben wollte, raste ein Kastenwagen heran. Philips stand plötzlich im Scheinwerferlicht. Er drehte sich gerade noch einmal um, als der Kastenwagen durch den Maschendrahtzaun brach und Philips vom Kühlergrill erfasst wurde. Der Aufprall war hässlich. Doch der Wagen war zu schnell und prallte gegen die Wand des Hauses. Philips wurde dabei zwischen Grill und Betonwand zerquetscht. Das Geräusch der brechenden Knochen und des gequetschten Fleisches konnte Barnes auch gegen den Regen hören. Die Kreatur kreischte unmenschlich. Wimmernd hob und senkte sich sein Kopf, die verdrehten Augen, die blanken Knochen und der gebrochene Schädel zeugten ein letztes Mal von der grässlichen Zerstörung, bevor er mit dem Gesicht nach vorne auf die Motorhaube fiel und starb. Aus dem Führerhaus torkelte Eddie. Sein Kopf blutete und er hielt sich den Brustkorb, sein Gesicht schmerzhaft verzerrt. Schon waren die anderen Mitglieder des Sondereinsatzkommandos bei ihm und leisteten Soforthilfe. Auch die anderen Beamten näherten sich flink mit gezogenen Waffen. Schnell waren sie auch bei Barnes, der röchelnd am Boden lag und wie ein abgestochenes Schwein blutete. Zwischen all den helfenden Händen, die um sein Leben kämpften, wanderte sein Blick hinauf zum Himmel. Mehrere Beamte redeten auf ihn ein. In der Ferne schrillten bereits die Sirenen der Krankenwagen. Barnes war jetzt eins mit der Stille, ehe ihn gnädige Dunkelheit von seinen Schmerzen erlöste.

## Kapitel 2

*Haus des Stadtratsvorsitzenden Carner*

Peter Carner konnte nicht schlafen; irgendwie rumorte der Fleischfladen in seinem Magen und er war sich sicher, dass dieses Essen, das er sich am Nachmittag auf dem Weg zur Arbeit gekauft hatte, wohl nicht ganz frisch gewesen war. Sollten diese Schmerzen irgendwann weg sein, würde er ein ernstes Wort mit dem Besitzer des Standes führen. Er erinnerte sich daran, dass er darauf bestanden hatte, dass ihm die junge Frau hinter dem Tresen keinen Fladen aus der Auslage verkaufte. Vielmehr hatte er sie darum gebeten, diesen frisch zuzubereiten, was angesichts der Schlange an Kunden hinter ihm im Grunde eine Frechheit war. Nach langem Hin und Her hatte sie die Augen verdreht und ihm seinen Wunsch erfüllt. Alles war frisch und gekühlt gewesen, dachte er zumindest.

Peter verzog das Gesicht. Ein unangenehmes Druckgefühl machte sich in seinem Innern breit. Also erhob er sich ächzend aus dem Bett. Neben ihm lag seine Frau Elena. Sie schlief tief und fest, und ihre Atemzüge waren gleichmäßig und friedlich. Zuerst hatte er überlegt, sie zu wecken, doch was sollte sie anders machen? Nein, lass sie ruhig weiterschlafen, sagte Peter zu sich. In der Dunkelheit suchte er nach der Wasserflasche, die immer neben seinem Bett stand. Als er sie fand, bemerkte er, dass sie leer war. Flüsternd schimpfte er mit sich selbst.

Durch die Gardinen drang das bleiche Mondlicht ins Schlafzimmer. Peter wartete einen Moment, bis sich seine Augen an die

Dunkelheit gewöhnt hatten. Dann stand er auf und wankte, die Arme voraus, durch den Raum auf die Zimmertür zu. Fast lautlos drückte er die Klinke herunter und öffnete die Tür einen Spaltbreit. Im Flur dahinter gähnte die Schwärze der Nacht. Es war totenstill. Er überlegte, das Licht einzuschalten, doch er entschied sich dagegen.

Peter und Elena Carner hatten drei Kinder. Deren Zimmer lagen den Flur weiter hinunter, direkt hinter dem Bad, das Peters Ziel für heute Abend war. Er wollte mit dem Licht keines seiner Kinder wecken, außerdem würde dann der Hund zu bellen anfangen. Doch auch der hatte ein Problem mit der Verdauung, hatte wohl irgendetwas Falsches gefressen. Wie sein Herrchen. Peter und seine Frau hatten daher entschieden, dass der arme Kerl heute mal zur Abwechslung draußen in der Hundehütte schlief. Für den Hund war es nicht ungewöhnlich, die Nacht im Garten zu verbringen. Sollte es dem armen Tier allerdings am nächsten Tag nicht besser gehen, würde Peter mit ihm zum Tierarzt fahren. Vielleicht hatte der auch eine Spritze für das Herrchen.

Mit langsamen Schritten bewegte sich Peter in Richtung Bad. Dabei horchte er immer wieder in die Finsternis hinein. Es war komisch, wie still die Nacht sein konnte, trotz so vieler Menschen im Haus. Mit einem Mal bemerkte er einen leichten Luftzug. Peter Carner wunderte sich darüber, sollten doch gerade nachts alle Fenster geschlossen sein. Er drehte den Kopf und sah am anderen Ende des Flurs ein offenes Giebelfenster. Peter schloss das Fenster und schlurfte zurück zum Bad. Er öffnete die Tür und trat ein. Als seine nackten Füße die kühlen Kacheln berührten, zuckte er kurz vor Schreck zusammen. Nachdem er die Tür hinter sich geschlossen hatte, ging er direkt zum Waschbecken und wusch sich das Gesicht mit kaltem Wasser ab. Ohne sich abzutrocknen öffnete er den Spiegelschrank darüber und suchte nach entsprechender Medizin. Das Aspirin war gegen seine ständigen Kopfschmerzen, obgleich seine Frau das nicht guthieß, wusste sie doch, dass das Bad von allen benutzt wurde, und bekanntlich waren Kinder und Medikamente keine gelungene Symbiose. Da Peter kein streitlustiger Mensch war, hatte er nachgegeben und sich ein anderes Versteck für die Pillen ausgedacht.

Die Schmerzen in seinem Innern wurden fast unerträglich. Er zog die Hose aus und setzte sich auf die Toilette. Nach einer geschlagenen Ewigkeit schien sich der Prozess herumgedreht zu haben, denn der Pfropfen in seinem Innern war weg. Dann kam die Übelkeit, und er erbrach sich ins Waschbecken. So in etwa musste sich eine Lebensmittelvergiftung anfühlen, dachte er sich. Wieder wusch er sich das Gesicht ab und entschied sich kurzerhand, eine heiße Dusche zu nehmen, auch um den Kreislauf wieder anzuregen. Peter Carner verbrachte so die halbe Nacht damit, seiner Gesundheit wieder auf die Sprünge zu helfen. Aus einem Wäscheschrank nahm er sich einen frischen Bademantel und warf die anderen Klamotten in die Wäschebox. Er drapierte sich die Haare zu einem Italoscheitel und sprach in einem tiefen Tonfall zu sich selbst. Die Uhr auf dem Fensterbrett zeigte 3.45 Uhr. Peter hatte jegliches Zeitgefühl verloren, als sich sein Magen plötzlich knurrend zurückmeldete. So überlegte er, ob noch etwas Passendes im Kühlschrank für ein Mitternachtsmahl war. Zumindest konnte frisches Mineralwasser jetzt bestimmt nicht schaden. Er sah sich um und versuchte, mit wenigen Handgriffen das Badezimmer in den Urzustand zurückzuführen, da seine Frau sonst am Morgen ausflippen würde. Dann trat er durch die Tür zurück in den dunklen Flur und wandte sich nach links. Seine Nachtaugen führten ihn schnell zum oberen Treppenansatz. Zügig bewegte er sich die Treppenstufen hinab zum Entrée des Hauses.

Das schmucke Einfamilienhaus der Carners lag in einer beliebten Wohnsiedlung, wo ausschließlich Familien mit Kindern lebten. Es gab einen Kindergarten und eine Grundschule. In der Nähe gab es außerdem gute Einkaufsmöglichkeiten und viel Natur, was wichtig für die Kinder war.

Vom Entrée führte ihn der gewohnte Weg am Gästebad auf der linken und am Eingang zum Keller auf der rechten Seite vorbei zur Küche, die zum Garten hin gelegen war. Von hier aus gelangte man schnell auf die Terrasse und ins Wohnzimmer. Mit dem Öffnen der Kühlschranktür fiel etwas Licht in die Küche und auf sein Gesicht. Kurz presste er die Augen zusammen und sah nur blaue und rote Streifen hinter den Lidern. Als er die Augen wieder öffnete, überflog er kurz den Inhalt des Kühlschranks.

Elena hatte reichlich eingekauft. Immerhin stand das Wochenende vor der Tür, und sie waren eine große Familie. Schnell entschied er sich für Salat mit Putenbruststreifen und eine Dose Coke. Der Kühlschranktür verpasste er einen sanften Tritt mit dem rechten Fuß. Dadurch wurde es wieder dunkel in der Küche. Peter fröstelte etwas; von irgendwoher kam schon wieder ein Luftzug. Er stellte das Essen auf eine Küchenzeile in der Mitte des

Raums, feuchtete einen Finger an und hob diesen in die Luft, als könnte er damit der Ursache auf den Grund gehen.

Auf einmal hatte er das komische Gefühl, nicht mehr allein zu sein. Auf seinen Armen bildete sich eine Gänsehaut. Er sah sich um, lauschte abermals in die Dunkelheit hinein, so wie er es vorher auf dem Weg zum Bad schon getan hatte. Doch auch dieses Mal empfingen ihn nur die endlose Schwärze und die Stille der Nacht. Für einen kurzen Moment überlegte er, den Hund ins Haus zu holen, entschied sich allerdings dagegen, da er ja wusste, dass auch das Tier nicht ganz fit war. Was, wenn der arme Hund dann noch in die Wohnung schiss. Es dauerte wieder einen Moment und Peter Carner zuckte mit den Schultern.

Um sich etwas Wärme zurückzuholen, schaltete er die LED-Lampe über der Kochnische an und setzte sich dann an den Tisch. Als er bemerkte, dass der kleine Flur noch immer im Dunkeln lag, verrückte er den Stuhl so, dass er mit dem Rücken zum Fenster saß. Er öffnete eine Box mit kalten Putenbruststreifen, ging zur Mikrowelle und stellte die Zeitschaltuhr ein. Als das Klingeln ertönte, nahm er das Essen heraus, verteilte es auf einem Salat und setzte sich zurück an den Tisch. Er öffnete zischend die Dose Coke, nahm einen Schluck und begann dann, seinen Heißhunger zu stillen.

Leider sah Peter Carner dieses Mal nicht auf, denn sonst hätte er die massige Gestalt bemerkt, die im trüben Licht des dunklen Flurs stand und in seine Richtung glotzte, das Gesicht zu einer dämonischen Fratze verzogen.

Das gelbe Absperrband der örtlichen Polizei war in breiten Streifen kreuz und quer über die Eingangstür zu Raymond Philips Tür gespannt worden. Jedweder Zutritt war nur Mitgliedern der ermittelnden Behörden erlaubt. Unbefugter Zutritt war also eine Straftat.

Agent Wilson zerschnitt die Streifen mit einer handlichen Schere, die er in den Untiefen seiner Jacke bis eben versteckt gehalten hatte. Während noch die letzten Reste des Absperrbandes zu Boden glitten, öffnete er bereits die Tür. Er sah zu Barnes hinüber. „Nach Ihnen!“, sagte er.

Barnes zögerte, was früher nie seine Art gewesen war, doch plötzlich kostete es ihn viel Überwindung, in die Wohnung des Mannes einzutreten, der noch vor Kurzem so hässlich über ihn und seine Leute hergefallen war. Barnes erinnerte sich an den Moment, als die Feueraxt das Leben aus seinem Kollegen getrieben hatte, ohne eine Chance zur Gegenwehr. Er dachte an Eddie, ohne den er jetzt nicht hier stehen würde. Dieser Einsatz hatte Spuren und tiefe Wunden hinterlassen und ihn seines Schlafes beraubt. Doch letztendlich hatte er riesiges Glück gehabt, und Philips Messer hatte keine Organe getroffen, die lebenswichtig waren. Drei Wochen hatte Barnes im Krankenhaus gelegen und um sein Leben gekämpft. Als er dann wieder vor seinem Chef stand, war dieser nicht erfreut, pochte er doch auf Barnes vollständige Genesung. Doch als Barnes von der Wohnungsdurchsuchung gehört hatte, wollte er unbedingt dabei sein.

Auf dem Weg hierher hatte Agent Wilson ihn über die kargen Ermittlungsfortschritte aufgeklärt, und es zeigte sich wieder einmal, dass sie im Grunde nichts hatten, was den Fall voranbrachte. Wilson war ein hagerer Mann Mitte dreißig mit kurzem Haar und schmalen Koteletten. Seine typische Uniform glich der des FBI, schwarzer Anzug, weißes Hemd.

Barnes konnte über den Mann nicht viel sagen, hatte er ihn doch erst auf der Herfahrt kennengelernt. Nach dem Desaster mit dem Polizeieinsatz hatte man entschieden, das FBI hinzuzuziehen, da Raymond Philips auch in deren Akten kein Unbekannter zu sein schien.

Wilson zuckte mit den Schultern, als er Barnes' Zögern bemerkte, und betrat die Wohnung als Erster. Barnes folgte zögerlich. Er wusste, dass hier keine Gefahr mehr zu erwarten war, doch war er gespannt darauf, was sie finden würden. Was ihm zuerst auffiel, war der tadellose Geruch der Räumlichkeiten; erst im Wohnzimmer und in der Küche überraschte ihn die zwanghafte Ordnung und die Sauberkeit in der Wohnung, die Philips vielleicht irgendwie dabei geholfen hatte, seine Störungen zu kompensieren. Bücher, Zeitschriften, Teller, Tassen, alles war nach Größen, Formen und Farben sortiert. Die Wohnung war so akribisch aufgeräumt und gewienert worden, dass man glauben konnte, niemand hätte je darin gewohnt. Schon gar nicht so ein Irrer wie Raymond Philips. Barnes ging zu einem der Fenster und sah hinaus auf die Straße. Der kalte Schauer kehrte zurück. In der Nacht, als das Unwetter getobt hatte, hatte die Umgebung wie eine aufgewühlte See mit vielen Seitenarmen gewirkt. Jetzt am Tag sah alles so friedlich, fast schon normal aus.

Als Agent Wilson ihm eine Hand auf die Schulter legte, zuckte Barnes erschrocken zusammen und drehte sich unwillkürlich herum.

Wilson zwinkerte. „Bitte entschuldigen Sie, ich wollte Sie nicht erschrecken."

Barnes schüttelte den Kopf und machte eine entsprechende Handbewegung. „Lassen Sie uns einfach an die Arbeit gehen!", entgegnete er. Dann hielt er einen Moment lang inne, bevor sein Blick über Regale, Beistelltische und den Esstisch bis in die entlegensten Ecken wanderte.

Wilson hatte sich derweil Gummihandschuhe übergestreift und verschwand in Richtung Flur. „Ich nehme mir das Schlafzimmer und das Bad vor, Sie das Wohnzimmer und die Küche, okay?" Als Barnes nicht antwortete, blieb Wilson im Flur stehen und sah zurück. Barnes stand immer noch am Fenster und hatte die Hände in der Jackentasche vergraben, die Schultern aufgestellt. Wilson runzelte die Stirn.

Schlagartig kehrte Barnes aus seinen Gedanken zurück in die Wirklichkeit und hob den Kopf. „Was? Ja, okay."

„Ist alles in Ordnung mit Ihnen?"

Barnes nickte. „Machen wir uns an die Arbeit." Er fragte sich, ob alle Wahnsinnigen so einen Fimmel für Ordnung hatten. Es schien, als hätte Philips nie vorgehabt, etwas zu verstecken - außer seiner unbeschreiblichen Lust an Gewalt. Eine morbide Vorstellung, und vielleicht hatte er deswegen auch seine Freundin fast zu Tode geprügelt, weil sie vielleicht nicht in sein perfektes Muster passte.

Trotz alledem gaben sich die beiden Männer viel Mühe und nahmen sich die Zeit, jeden Winkel der Wohnung genauestens unter die Lupe zu nehmen. Sie machten Fotos und Notizen. Die anfänglich vorgesehene Durchsuchungszeit wurde bei Weitem überschritten, da die Inhalte von Schubladen und Schränken im Detail das Bild von Raymond Philips' Vorlieben und Interessen mit Inhalt füllten. Erst als sie glaubten, wirklich nichts Wichtiges mehr zu finden, stolperte Barnes über die geordneten Zettel auf einer Magnetwand am Kühlschrank. Dabei entdeckte er so etwas wie eine Stellenanzeige, die irgendwie seltsam war. Er rief den Kollegen zu sich. „Agent Wilson? Können Sie mal kommen?"

Wilson erschien im Flur. „Was ist? Haben Sie was gefunden?", fragte der Agent und wischte sich mit dem Handrücken den Schweiß von der Stirn.

Barnes nickte und zeigte auf den eben gefundenen Zettel.

Wilson trat näher heran und runzelte die Stirn. „Was ist das denn? Eine Stellenanzeige?", fragte er und sah zu Barnes.

Dieser nickte. „Eigentlich nichts Ungewöhnliches, aber eine Sache stört mich." Er zeigte wieder auf den Zettel.

Wilson zwinkerte, da die Schrift sehr klein war. „X-BAY? Wo liegt das denn?"

Barnes zuckte mit den Schultern und entgegnete: „Vielleicht ein versteckter Hinweis?"

„Worauf?"

„Dass Philips doch ein Geheimnis hatte", antwortete Barnes.

„Würde man ein Geheimnis so offen an die Kühlschranktür heften?", fragte Wilson.

„Da haben Sie natürlich recht. Andererseits könnte das auch ins Muster passen."

„In was für ein Muster?", hakte Wilson nach.

„Dass Philips im Grunde wie ein offenes Buch war, nur hat sich nie jemand die Mühe gemacht, genauer hinzuschauen. Er hielt es für unwahrscheinlich, dass ein Fremder jemals seine Wohnung betreten würde."

„Außer eben dieser Freundin." Wilson kratzte sich am Hinterkopf.

Barnes nickte. „Natürlich. Aber diese Beziehung währte ja nur kurz."

„Ach, Sie meinen, weil sie nicht in sein Muster gepasst hat?"

Barnes nickte zustimmend.

„Das ergibt Sinn", antwortete Wilson.

„Also, warum sollte er etwas verstecken?"

Wilson zog sich die Handschuhe aus und verschränkte die Arme vor der Brust. „Das nennen Sie verstecken? Hätte sich vielleicht was Besseres überlegen sollen, z.B. hinter einer Wand, einem Buch oder unter einer Bodendiele."

Barnes sah den Agenten an und grinste. „Sie sehen zu viel fern."

Wilson zuckte mit der Schulter. „Vielleicht ist das so, aber was machen wir jetzt?"

Barnes holte aus seiner Hosentasche eine Pinzette und eine kleine Plastiktüte heraus. Dann zupfte er den Zettel von der Magnetwand und ließ diesen in die Tüte fallen.

„Sie glauben wirklich, das bringt uns weiter?"

Barnes sah sich um und nickte. „Ich denke, wir sind hier fertig."

*An einer Busstation*

Sein gieriger Blick fing die junge Frau ein, die völlig überladen mit ihren vielen Taschen durch eine der Glastüren in den überfüllten Wartebereich der Busstation stolperte. Reisende sahen vereinzelt auf, wie die alte Schachtel, die ihm direkt gegenübersaß. Sie hatte ihn die ganze Zeit angeglotzt, das geile, alte Stück, aber solche Omis standen derzeit nicht auf seinem Speiseplan. Er leckte sich über die Lippen, als er die zarte und gut trainierte Figur der jungen Frau wahrnahm, doch sein Verlangen verebbte jäh, als ihr ein junger Mann in einem Sweatshirt der *Boston University* seine Hilfe anbot und sie sich schließlich neben dem Typen niederließ. Die alte Schachtel schaute wieder in seine Richtung und lächelte. Zwischen ihren spröden Lippen lugten vergilbte Kunststoffzähne hervor, die sie eindeutig als eine Prothesenträgerin auswiesen. Angewidert hob er das Käseblatt, in dem er gerade langweilige Schlagzeilen verfolgte, und löste sich damit endgültig aus ihrem Sichtfeld. Vorsichtig drehte er den Kopf und sah an der Seite der Zeitung vorbei zu der attraktiven Lady, die mit ihrem Knackarsch gerade Platz genommen hatte. Ihrem Gesicht nach zu urteilen genoss sie die Anwesenheit des jungen Mannes, so wie sie ihn augenscheinlich anhimmelte.

Die tiefstehende Nachmittagssonne schickte ihre Strahlen durch die breite Fensterfront der Busstation, an der ein reges Kommen und Gehen herrschte.

Der Mann sah auf die Uhr an seinem Handgelenk und rückte seine Sonnenbrille zurecht. Neben ihm grunzte ein fetter Typ im Schlaf, und auch die alte Frau ihm gegenüber war endlich eingedöst. Er lächelte und faltete die Zeitung zusammen. Aus seiner Jackentasche zog er eine Plastikflasche mit einer warmen Brühe Mineralwasser. Sein Blick war zielgerichtet und haftete förmlich an der jungen Frau, die in ihren Sachen kramte und sich dabei räkelte. Beim Anblick einer solchen Göttin lief ihm das Wasser im Mund zusammen, und er stellte sich vor, was man mit ihr so alles anstellen könnte. Er spürte den Druck in seiner Hose und den Drang, dieses junge Geschöpf in seinen Besitz zu bringen.

Vom Lärm der kläffenden Stimme eines Stationsbeamten aus seinen Gedanken gerissen, fuhr er hoch. Ein Bus fuhr gerade vor und hielt am Haupteingang. Die alte Frau tat sich schwer mit ihrem Koffer und lächelte ihn wieder an. Doch er machte eine abwehrende Handbewegung und ignorierte sie. Die Alte schüttelte den Kopf und stemmte die Hände in die Taille, als ein Teenager diesen Job übernahm. Der Mann mit der Sonnenbrille blickte auf die junge Frau, die noch immer neben dem Typen der *Boston University* saß, der gerade im Begriff war, das Feld zu räumen. Er lächelte und leckte sich wieder über die Lippen, konnte sich aber einen Kommentar im Vorbeigehen nicht verkneifen. Der Typ sollte endlich verschwinden. „Verpass bloß nicht deinen Bus, Casanova!"

Der junge Mann drehte den Kopf in seine Richtung. „Wie war das?" Seine Stimme klang provozierend.

Das Lächeln der jungen Frau erstarb.

Der Mann mit der Sonnenbrille lächelte immer noch, hatte aber gerade große Lust, dem jungen Kerl das Fell zu gerben. Er drehte sich zu ihm um und starrte ihn einschüchternd an. Doch sein Gegenüber war ein gut trainierter Sportler, wer weiß, zu was der fähig sein konnte.

„Du stehst mir im Weg, Jüngelchen!“, mahnte er ihn, doch der Typ lächelte ihn nur an, stand aber weiterhin zwischen ihm und seiner neuen Flamme.

Sie wirkte verunsichert und fasste den jungen Mann am Arm, vielleicht um ihn zu beruhigen, vielleicht um ihn ein letztes Mal zu berühren, vielleicht auch, um ihn daran zu erinnern, dass er seinen Bus nicht verpasste.

Der Mann mit der Sonnenbrille funkelte den jungen Mann weiter an, so als wollte er den Rivalen aus seinem Territorium verscheuchen.

„Lassen Sie den Kerl. Sie dürfen Ihren Bus nicht verpassen“, meinte die junge Frau.

Der Mann mit der Sonnenbrille zeigte gelbe Zähne. „Genau Jüngelchen, geh‘ schon, die Dame und ich müssen zu unserem Bus!“, rasselte er.

Der junge Mann warf der Frau neben sich einen ernsten, aber seltsamen Blick zu. „Wenn Sie der Lady hier was tun, lernen Sie mich kennen!“

Der Mann mit der Sonnenbrille grinste wieder und ballte die Hände zu Fäusten, als einer der Busfahrer hereinkam. Schnell entspannten sich seine Hände und er verschwand zu den Toiletten.

Als er zurückkehrte, hatte sich der Wartebereich deutlich geleert, doch weder die junge Frau noch der Typ von der *Boston University* waren zu sehen. Außer ihren Taschen in vielfältiger Form. Trotzig zog er sich ein Bier aus einem der Getränkeautomaten und ließ sich neben dem Taschenhaufen nieder. Ein älteres Ehepaar ihm gegenüber verengte die Augen.

„Was ist?", fragte er und nippte an seinem Bier. Das Ehepaar deutete auf die Taschen und dann zur Tür, durch die gerade die junge Göttin zurückkehrte. Auf dem Gesicht des Mannes mit der Sonnenbrille machte sich ein Grinsen breit. Er war wieder im Geschäft und den lästigen Rivalen los.

„Ich kann Ihnen hierbei helfen, wenn es Ihnen nichts ausmacht!" Dabei tippte er mit seinen schmierigen Fingern auf ihre Taschen und das Handgepäck.

Die Frau schüttelte den Kopf.

„Fahren Sie denn häufiger mit dem Bus?", hakte er nach und fuhr sich gleichzeitig mit der Zunge über die rauen Lippen.

„Lassen Sie mich einfach in Ruhe, ja?"

Er grinste schief. „Warum denn so unhöflich?", fragte er sie und glotzte ihr in den Ausschnitt.

Sie reagierte nicht, nahm ihre Sachen und setzte sich um.

„Wollen Sie am Fenster oder im Gang sitzen?" Er folgte ihr. „Mir ist das ehrlich gesagt egal."

Ein zweiter Bus kam heran und hielt genau vor dem Wartebereich. Durch die breite Fensterfront sah sie das Ziel des Busses. „Oh, ich glaube, das ist mein Bus!" Sie erhob sich und packte ihre Sachen. Als sie sich auf den Weg nach draußen machte, sprang der Mann mit der Sonnenbrille auf und packte ihren Arm. Ihr

Kopf fegte herum und sie funkelte ihn an. „Lassen Sie mich sofort los, Sie Stalker. SOFORT!"

„Sei doch ein bisschen netter zu mir, wir haben noch eine lange Fahrt vor uns!", zischte er. Er rückte näher an sie heran und sah ihr tief in die Augen. „Du hast da übrigens einen sehr schönen Anhänger!"

Wie im Reflex fasste sie sich an den Hals.

„Darf ich den mal sehen?"

Sie schüttelte den Kopf. „Die Kette ist ein Glücksbringer."

„Soso, was stellt der denn eigentlich dar?"

„Das ist Pan ...", stotterte sie.

Der Ehemann des Paares ihm gegenüber tippte ihm auf die Schulter. Genervt drehte er sich herum. „Was ist los, Opa? Die Lady und ich unterhalten uns gerade und jetzt zieh Leine."

„Sie lassen die junge Frau jetzt in Ruhe, Mister, oder ..."

„Oder was?"

„Gibt es hier ein Problem, Miss?", fragte ein uniformierter Mann. Der Busfahrer war groß, gut trainiert und dunkelhäutig. Er klang besorgt und drückte viel Gewicht in seine Worte. „Hat Sie der Mann hier etwa belästigt?" Der Blick des Busfahrers überflog den Mann mit der Sonnenbrille wie ein Bomber sein Zielgebiet und seine Miene war ernst, fast wie eine Drohgebärde.

„Könnte ich vielleicht während der Fahrt vorne bei Ihnen sitzen?", fragte sie ihn hilfesuchend.

Der Busfahrer lächelte sie an.

„Ja natürlich. Aber sagen Sie mir sofort Bescheid, wenn Ihnen der Mann hier nochmal zu nahekommt." Er machte eine Pause.

„Vielen Dank!", entgegnete sie.

Der Busfahrer nickte dem Ehepaar zu und funkelte den Mann mit der Sonnenbrille an. Sofort wusste dieser, dass die neue Störung ein ernst zu nehmendes Problem darstellen könnte, und er zog sich zurück. Doch der Farbige ließ nicht locker und packte ihn am Revers, was er ganz und gar nicht leiden konnte.

„Wenn Sie sich noch einmal unerlaubt der jungen Frau hier nähern, fliegen Sie aus dem Bus und ich rufe die Polizei, haben wir uns da verstanden, Mister!" Sein kräftiger Zeigefinger tippte ihm empfindlich gegen die Brust.

Der Mann mit der Sonnenbrille schnalzte mit den Lippen. Für diesen Verrat sollte sie büßen.

„Haben Sie mich verstanden, Sir!" Die

Stimme des Busfahrers wurde lauter.

Der Mann mit der Sonnenbrille sah auf. „Ja, ja schon klar, es tut mir leid, es war nicht so gemeint!"

## Kapitel 3

*Unterwegs mit dem Bus*

Er beobachtete ihre theatralische Art, wie sie die Männer um den Verstand brachte, und schenkte ihr dafür nur Verachtung. Bei der Vorstellung ihres hübschen und entblößten Körpers kehrte der unbändige Trieb in ihm zurück. Er schloss die Augen und blieb weiter hinter den Sitzreihen versteckt, lehnte sich zurück und fuhr sich genüsslich mit der Zunge über die Lippen. Die junge Frau hatte sich verzogen, sich auf dem Platz neben dem Busfahrer in scheinbare Sicherheit begeben, doch aus den Augen hieß nicht aus dem Sinn.

Draußen versank die Welt im Chaos dunkler Nacht. Der *Stop and go* war mörderisch, für ihn sogar eine Belästigung. Vielleicht sollte sich diese Reise weiter wie Kaugummi ziehen oder gar niemals enden. Erst letzte Woche hatte er nachts im Fernsehen einen seltsamen Film gesehen, in dem eine Gruppe von Menschen in einem ebensolchen Bus durch einen Zeitwirbel im Nichts verschwunden waren. Er schüttelte den Kopf und ärgerte sich wieder über diesen Mist. Das junge Pärchen direkt vor ihm - sie hatten sich ihm als Lisa und Scott vorgestellt - schaute ständig genervt zu ihm zurück. Diese Lisa war schon echt eine scharfe Braut. Immer wenn sie den Kopf drehte, hatte er versucht, sie in seinen Bann zu ziehen, und sie mit wilden Blicken überschwemmt. Doch ihre Antwort war nur Abscheu und Ekel gewesen.

Nach einer ellenlangen Zeit in stockendem Verkehr bog der Bus endlich vom Highway ab und erreichte die Landstraße. Im Bus war es ruhiger geworden, da die meisten Fahrgäste schliefen und nur noch wenige mit ihren Mobiltelefonen spielten.

Doch er war wach und aufgeregt. Lag wie ein Raubtier auf der Lauer. Hatte sein Opfer wieder im Blick, ergötzte sich an ihr, wie sie immer wieder ängstlich in seine Richtung sah. Doch dort, wo er lauerte, war nur Schwärze. Selbst die Notleuchten waren nicht imstande, sein Versteck zu verraten. Dieser Bus war ihr Gefäß, das sie gemeinsam zu einem Ort im Nirgendwo transportierte, vielleicht weit ab von jeglicher Zivilisation, wo die Flucht mit ihr sicher und schnell verlaufen könnte. Er hätte sie dann nur für sich allein und konnte dann alles mit ihr anstellen, was sein krankes Hirn zu bieten hatte. Plötzlich wurde er aus seinen Gedanken gerissen, als der Bus bremste und langsamer wurde. Er sah aus dem Fenster und entdeckte einen Rastplatz für Autos, Busse und Lastkraftwagen. Es war ein einsamer heller Fleck Zivilisation. Das Mikrofon krächzte und schmerzte in seinen Ohren, da er sich direkt darunter befand. Die Stimme des Busfahrers informierte die Fahrgäste über den Aufenthalt und die Möglichkeit, sich die Beine zu vertreten oder aber im Restaurant etwas zu sich zu nehmen. Schnell schwand die Stille um ihn herum, als die Leute wieder wach wurden und nacheinander gähnend aus dem Bus stiegen. Doch er zog sich zurück in seine Schwärze und glotzte die junge Frau aus der Ferne an, jetzt wo die Reihen sich lichteten und er einen besseren Blick auf die Fahrerkabine hatte.

Er sah sie miteinander reden, klebte förmlich an ihren Lippen und hatte für die anderen Fahrgäste, die sich jetzt zu ihr gesellten und sie schließlich in ihre Mitte nahmen und fortbrachten, nur Verachtung übrig. Nur diese Lisa sah immer wieder in seine Richtung zurück, wusste sie vielleicht um die Gefahr, die hier lauerte und auch ihr zuteilwerden könnte. Ihr Mann, dieser Scott, war ein Waschlappen, der ihm niemals das Wasser reichen konnte. Doch zu ihrem Glück stand heute Abend jemand anderer auf seiner Speisekarte. Aus den Augenwinkeln bemerkte er den Busfahrer, der langsam in seine Richtung kam und durch die Sitzreihen sah. Als das Licht im Bus aufflammte, war er bereits verschwunden und die Jagd eröffnet.

Eine Zeit lang trieb er sich auf dem Parkplatz herum, füllte seine Lungen mit Sauerstoff und glotzte ab und an in parkende Autos, in der Hoffnung, irgendwo verbotene Dinge zu sehen; doch die Autos waren leer oder ihre Haustiere hatten ihn in die Flucht geschlagen. Als seine Blase drückte, kehrte er in den Rasthof zurück, als er die junge Frau entdeckte. Sie hatten anscheinend das gleiche Ziel. Seine Zeit war endlich gekommen.

Als sie kurz danach die Tür öffnete, stand er plötzlich vor ihr und lächelte sie mit seinen gelben Zähnen an, in deren Zwischenräumen noch Reste des Salats hingen, den er erst vor einer Weile verspeist hatte. Beim Geruch seines fauligen Atems verzog sie das Gesicht und zog sich rasch wieder auf die Damentoilette zurück, nicht ahnend, dass er ihr nachstellte und einen Fuß in die Tür setzte. Dadurch konnte sie die Tür nicht mehr schließen. Mit aller Kraft drückte er sie ins Innere des Toilettenraums, wodurch sie gegen das rückwärtige Waschbecken prallte. Sie schrie auf und er schnellte vor, packte sie am Hals und drückte sie gegen die Kacheln, hielt ihr mit der anderen Hand den Mund zu und leckte grinsend über ihre linke Wange. „Schön dich wiederzusehen, Süße. Jetzt wird dir niemand helfen." Sein Grinsen war dämonisch. Sie konnte kaum atmen, der Gestank seiner Hände war unerträglich.

„Riechst du mich?" Er keuchte erregt. „Gefällt dir, was?" Er verstärkte den Druck seiner Hand auf ihrem Mund.

Sie versuchte sich seinem Griff zu entziehen, doch er hielt sie weiter gegen die Wand gedrückt. Die Kacheln schmerzten in ihrem Rücken.

„Gleich wirst du ihn auch spüren, du Miststück!" Er flüsterte und genoss die Macht über sie. „Ihr Weiber seid doch alle gleich!" Seine Augen glänzten. Dann löste er den Griff und packte sie im Nacken. Dabei fiel sein Blick auf ihren Ausschnitt und auf den silbernen Anhänger um ihren schwanengleichen Hals. Als er danach greifen wollte, kam sie ihm zuvor und hielt schützend eine Hand davor.

Er grinste schief und beugte sich näher zu ihrem Gesicht.

Sie drehte sich angewidert weg und versuchte, ihre Handtasche zu greifen, aber der Griff ging ins Leere. Klappernd ging der Inhalt zu Boden.

„Hier drinnen ist es mir zu hell." Er packte sie brutal bei den Haaren, so dass sie laut aufschrie. Er lachte und roch an ihren Haaren. „Ich werde es genießen, dich zu genießen. Los jetzt, wir gehen nach draußen und suchen uns eine Ecke, wo uns keiner stört. Dort kannst du schreien, so viel du willst!"

Als er sie vor sich hertrieb, begegneten sie Scott, der ebenfalls gerade von der Toilette kam. Sofort wurde beiden Seiten klar, was hier vor sich ging.

Doch der Mann mit der Sonnenbrille war schneller und schlug Scott mit der Handkante gegen die Schläfen, wodurch dieser zu Boden ging. Zweimal trat er ihm noch in die Rippen.

„Hören Sie auf, Sie Scheißkerl", brüllte sie ihn an.

Er fuhr herum und schlug der Frau die Lippen blutig. „Halt dein Maul, du Dreckstück! Gleich werde ich dir dein Maul schön stopfen! Hahahaha!" Er stieß ein verächtliches Lachen aus. Dann brach er das Schloss auf, das den Hintereingang sicherte und zerrte sein Opfer hinter sich her in die Nacht hinaus. Sie wehrte sich immer vehementer, schlug um sich, kreischte aus Leibeskräften und versuchte sich erneut seinem Griff zu entreißen, da sie um ihr Schicksal wusste. Mit ihrem rechten Fuß trat sie ihrem Peiniger gegen das linke Knie, wodurch sich sein Griff für den Bruchteil eines Augenblicks lockerte. Diesen Moment nutzte die Frau und rannte los. Leider kam sie nicht weit, denn er streckte sie der Länge nach hin. Humpelnd kam er näher, sein Gesicht zu einer hässlichen Fratze verzogen, und trat ihr hart in die Seite, sodass sie einen heiseren Schrei ausstieß.

„Du verdammtes Dreckstück. Ich wollte es dir leicht machen, aber du willst es ja nicht anders." Er packte sie wieder bei den Haaren, nur dieses Mal riss er förmlich an ihr und wunderte sich plötzlich, warum sein Opfer eine Perücke trug. „Wenn ich mit dir fertig bin ..." Er stockte. „Warum hast du eine Perücke ... wirst du ... Aaargh." Er schrie schmerzerfüllt auf, seine Augen drangen aus den Höhlen hervor. Entsetzt hielt er sich die Brust und fiel nach vorne auf den braunen Kies. Zwischen die Beine der am Boden liegenden Frau. Er sammelte sich kurz, dann riss er ihr den Anhänger samt Kette vom Hals und kam wieder auf die Beine.

Seine Augen zeigten blankes Entsetzen, als er die Klinge sah, die wie ein Stachel aus seiner Brust ragte und im Mondlicht glänzte. Er hob den Kopf zum Nachthimmel und schrie schmerzverzerrt.

Die Frau erhob sich und robbte auf allen Vieren zurück. Ihr Gesicht veränderte sich plötzlich zu einer teuflischen Fratze, als sich eine Gestalt aus der Dunkelheit schälte. Es war der junge Mann mit dem Sweatshirt der *Boston University*. Er grinste breit.

„Hey Curn, endlich bist du da!“ Sie lächelte teuflisch.

Ihr Peiniger sah, wie sich die beiden küssten und erschrak innerlich, als sich das Blatt zu wenden schien. Als ihr Kopf plötzlich zu ihm herumfuhr, zuckte er zusammen. Als sie die Zähne fletschte, fröstelte er.

Curn legte einen Arm um sie. „Hey, Pan, Süße, ich habe mich verzehrt nach dir!“

Sie warf ihm einen imaginären Kuss zu. Dann legte Curn den Kopf in den Nacken und heulte wie ein Wolf.

Der Mann mit der Sonnenbrille spuckte Blut. Seine Miene zeigte blanke Wut. Ihr Name war Pan, wie dieser ominöse Anhänger um ihren zarten Hals. Er hatte gedacht, Spiele mit ihr zu spielen. Doch sie hatten ihm eine Falle gestellt, und er war darauf hereingefallen.

Pan ging in die Knie. „Oh, haben wir Schmerzen?“ Sie legte den Kopf schief.

„Du wolltest dich an mir vergehen? AN MIR? Du verdammter Scheißkerl. Du hast keine Ahnung, wem du hier über den Weg gelaufen bist!“ Sie spuckte ihm ins Gesicht.

Curn lächelte böse.

„Weißt du, Curn ist schon den ganzen Tag versessen darauf, in deinem Blut zu baden und dir deine Eingeweide rauszuschneiden!"

Der Mann mit der Sonnenbrille röchelte. „Ich ... hätte dich gleich t ...töten ... sollen!"

„Wie bitte?" Pan sah zu Curn. „Curn, ich glaube, der Herr hier hat Sehnsucht nach Schmerzen!" Sie erhob sich. „Wir werden dich schlachten, bis nichts mehr von dir übrig ist und glaube mir, wir werden es sehr genießen." Sie lachte und leckte sich die Lippen. „Gleich wirst du erfahren, wie ein Schwein sich fühlt, wenn es zur Schlachtbank getrieben wird!" In ihrer Stimme tobte der Irrsinn.

Ihr ehemaliger Peiniger glotzte sie an, zitterte, flehte aber nicht um sein Leben.

Pan drehte den Kopf zu Curn, der zwei Messer in den Händen hielt. Mit einem schnellen Ruck fuhr Pan herum und schlitzte ihrem Opfer die Kehle auf. Der Blutschwall war gewaltig.

Der Mann mit der Sonnenbrille sah die blitzschnelle Klinge, dann wurde ihm eiskalt, als sein Leben entrann. Er spürte die schwindenden Kräfte und sah durch trübe Augen zwei Wesen, die in seinem Blut badeten, und er verfluchte den Gedanken, Macht über dieses Scheusal haben zu können. Er hatte sich geirrt und dieser Umstand würde ihn nun teuer zu stehen kommen. Er wusste, dass er heute Nacht sterben würde, langsam und qualvoll, so wie er es schon seit langer Zeit verdient hatte, und senkte den Kopf. Da spürte er erneuten Schmerz, als Curn hinter ihn trat und ihm seine Klinge genüsslich durch die Eingeweide trieb. Er spürt die Klingen zwischen seinen Organen, bis sie vorne wieder austraten. Curn keuchte und zog die Klingen zurück.

Er sah zu Pan, sah, wie das Scheusal grinste und sich die Finger leckte. Ein letztes Mal hob er den Kopf und sah Curn direkt in die Augen. Sie waren schwarz, wie die eines Dämons, ausdruckslos. Curn glotzte ihn an und heulte wie ein wildes Tier in die Nacht, bevor seine Klingen seinem Opfer den Garaus machten. Das Blut spritzte aus dem Körper heraus und gab "Curn, dem Blutigen" seinen wahren Namen.

## Kapitel 4

*Haus des Stadtratsvorsitzenden Carner*

Peter Carner stand am Fenster zum Garten und beobachtete die am Straßenrand stehenden Streifenwagen, deren Blaulichter die Nacht und seinen Vorgarten in grelles Licht tauchten. Dutzende schaulustiger Nachbarn hatten sich zu dieser späten Stunde hinter den gelben Absperrbändern der Polizei versammelt und waren wohl neugierig zu erfahren, was sich in seinem Haus vergangene Nacht zugetragen hatte. Sein Blick wanderte über die unzähligen Polizisten, die den Tatort sicherten oder in Gesprächen mit besorgten Nachbarn waren, als zwei Männer der Gerichtsmedizin einen Zinksarg nach draußen trugen und in einen Leichenwagen verstauten. Er wusste sofort, wer dort jetzt ruhte …

Hinter ihm, im Wohnzimmer, saß seine sichtlich mitgenommene Gattin auf dem Sofa und warf den beiden Detektives einen genervten Blick zu. Haushund Tito schnarchte unter dem Couchtisch und die Spurensicherung tobte sich im Hintergrund aus. Peter kehrte augenblicklich zu seiner Frau zurück, als einer der Beamten zu einer Frage ansetzte.

„Also gut, Mr. Carner, noch einmal fürs Protokoll. Sie haben uns erzählt, dass Sie nicht schlafen konnten, und sind in die Küche gegangen, um etwas zu essen. Sie wissen schon, dass das ungesund ist!“, ergänzte er. Der Polizist war mittleren Alters mit deutlichen Krähenfüßen an den Augenwinkeln.

Ein zweiter Beamter stand neben dem Sofa und hatte einen Notizblock in der Hand. Er war etwas jünger und auch seine Augen wirkten nicht mehr ganz so frisch.

Mr. Carner legte seiner Frau einen Arm auf die Schulter und verzog keine Miene. Er war der Vorsitzende des Stadtrats und ein viel gerühmter Sponsor zahlreicher karitativer Projekte der Stadt. Mit dem Bürgermeister spielte er Golf und er war auch für den Polizeipräsidenten kein Unbekannter. „Sie sind nicht mein Ernährungsberater“, antwortete er in scharfem Tonfall und war verärgert darüber, dass seine Familie in dieser Nacht wohl keinen Schlaf mehr finden würde.

Mrs. Carner machte ein trotziges Gesicht, ihre Augen waren rot angelaufen. „Wir hatten einen Einbrecher im Haus. Mein Mann hat nur seine Pflicht getan und uns beschützt. Stellen Sie sich vor, ich wäre mit den Kindern allein im Haus gewesen!“ Sie schniefte hörbar in ihr Taschentuch.

„Ich bitte um Entschuldigung, Mrs. Carner, ich habe selbst eine Familie und respektiere, was Ihr Ehemann unternommen hat, um Sie zu schützen. Aber wir müssen genau wissen, was sich letzte Nacht zugetragen hat.“

Mrs. Carner drehte sich zur Seite und schniefte theatralisch weiter.

„Nehmen Sie es meiner Frau nicht übel, Detektive. Wir sind alle aufgebracht", antwortete Mr. Carner und versuchte die Wogen zu glätten, die sich zwischen seiner Frau und der Polizei gerade auftaten. Er verengte die Augen und strich seiner Frau durchs Haar.

Die Beamten sahen einander an. „Natürlich, Sir", erwiderten sie.

Plötzlich erhob sich Mrs. Carner und wischte sich die Tränen aus den Augen. An ihren Mann gewandt sagte sie: „Lass dich von diesen Leuten nicht verurteilen, Peter, versprich mir das!"

Ihr Mann sah zu ihr auf und nickte stumm.

„Ich sehe mal nach den Kindern!" Trotzig und ohne die Beamten eines weiteren Blickes zu würdigen, entfernte sie sich.

„Mach das, Liebes", rief er ihr nach. Dann lehnte er sich auf dem Sofa zurück und fasste sich an die Stirn, um darüber nachzudenken, was in den letzten Stunden eigentlich passiert war. Vielleicht realisierte er es jetzt erst ganz genau.

„Zurück zum Protokoll, nach dem Essen, was ist dann passiert?", setzte der Beamte wieder an.

So viel Höflichkeit und Verständnis hatte Peter Carner bei noch keinem Beamten der Polizei erlebt. Nun, die Männer machten nur ihren Job, einen Job, den eigentlich keiner machen wollte, aber es war gut, dass es Menschen gab, die ihm diese Arbeit abnahmen. Sicherlich lag es auch an dem Umstand, dass niemand so recht wusste, wer hier das Opfer und wer der Täter war. Ein Mann war in sein Haus eingedrungen, zielsicher, mit der Absicht, eine Tat zu begehen, ob nun Mord oder Raub oder gar etwas Schlimmeres, wer wusste das schon. So oft hatte er in der Zeitung gelesen, dass irgendein Familienvater Amok lief oder dass Unbekannte in Häuser eindrangen, um schreckliche Taten an den Bewohnern zu verüben. Carner hätte nie gedacht, dass es ihm einmal selbst passieren könnte. Schon seit Jahren setzte er sich für mehr Sicherheit und neue Praktiken gegen das Verbrechen ein. Nur gut, dass er in seinem Fall eine Waffe besessen hatte.

„Woher hatten Sie die Waffe?", fragte der Beamte weiter.

„Die Waffe gehört mir", erwiderte Carner.

Der Beamte nickte. „Haben Sie einen Waffenschein?"

„Eine Besitzkarte, ja. Ich kann damit umgehen, ich war früher in der Army."

Der Polizist nickte, der andere notierte. „Aber die Waffe stammt nicht aus dieser Zeit, oder?"

Carner schüttelte den Kopf. „Nein, natürlich nicht. Ich habe die Waffe vor ein paar Jahren legal erworben. Das sind die Gesetze unseres Landes."

Der Polizist sah wieder auf. „Sie wollen mich doch jetzt sicherlich nicht über die Gesetze in diesem Land belehren, oder?", entgegnete der Beamte.

Mr. Carner schüttelte erneut den Kopf.

Der zweite Polizist meldete sich zu Wort. „Es geht hier aber um eine Schrotflinte, eine Waffe, die nicht jeder in seinem Haushalt aufbewahrt."

„Das stimmt, aber ich gehe manchmal mit ein paar Freunden zum Jagen", gab Carner zu Protokoll.

„Sie jagen mit einer Schrotflinte?" Der zweite Beamte schaute ungläubig.

Mr. Carner nickte zaghaft, auch weil er wusste, dass diese Antwort jetzt unpassend war. „Manchmal, ja." Er zögerte. „Ich habe auch dafür einen Jagdschein, falls Sie jetzt wieder fragen."

Die Beamten machten sich Notizen. „Sie haben uns erzählt, dass ein Unbekannter ins Haus eingedrungen ist. Soweit wir wissen, deutet nichts darauf hin. Warum haben Sie ihn dann nicht einfach überwältigt? Oder haben Sie das in der Army nicht gelernt?"

„Ich kann mir das selbst nicht erklären, wie der reingekommen ist", antwortete Carner gelassen.

„Sie haben doch einen Hund, warum hat der nicht angeschlagen?"

Carner streichelte seinen Hund unter dem Tisch. „Tito geht es gerade nicht sehr gut. Das arme Tier hat eine Magenkolik, vielleicht deswegen?" Er sah die beiden Beamten nacheinander fragend an.

„Wo bewahren Sie die Waffe denn auf?", wollte ein Beamter nun wissen.

„Ich verstecke das gute Stück in einem geheimen Fach unter dem Wandschrank, wegen der Kinder, verstehen Sie?", erwiderte er, auch vielleicht deswegen, weil er die Aussage mit der Schrotflinte wiedergutmachen wollte.

„Weiß Ihre Frau davon?"

„Im Grunde weiß sie von der Waffe. Es hat oft Ärger deswegen gegeben. Aber von dem Versteck habe ich ihr nichts erzählt."

„Verständlich. Also weiter, was ist dann passiert?"

„Als ich aus der Küche kam, um wieder ins Bett zu gehen, hat er mich von hinten gepackt", erwiderte Carner und ahmte den Angriff kurz nach. Dann schob er den Bademantel zur Seite und zeigte den beiden Beamten den großen blauen Fleck an seiner Schulter.

„Sieht schlimm aus, okay, was dann?"

„Der Typ war bärenstark. Er warf mich auf den Boden und dann sah ich das Messer. Seine Augen durch die Maske waren wild, da wusste ich, der wollte uns töten." Carner machte eine Pause und trank einen Schluck Wasser. „In der Army lernt man neben dem Töten auch ein paar brauchbare Handgriffe, um sich im Fall einer direkten Auseinandersetzung von einem Angreifer zu befreien."

„Soso, das ist Ihnen dann auch gelungen."

Mr. Carner nickte wieder. „Ich konnte mich irgendwie befreien und habe mich dann versteckt. Ich musste irgendwie an die Waffe kommen. Ich wusste, wenn der mich findet, sticht der mich ab."

„Der Einbrecher hatte also ein Messer und trug eine Maske. Beschreiben Sie uns bitte, wie das Messer aussah?", fragte der andere Beamte wieder.

Mr. Carner überlegte kurz und versuchte sich an die Details zu erinnern. „Es war gezackt, wie ein Kampfmesser. Keine Ahnung, aber es war groß und lag dem Kerl gut in der Hand."

Die Beamten machten sich wieder Notizen. „Sie hätten auch etwas anderes als Waffe nehmen können." Der Einspruch des Beamten verfehlte seine Wirkung.

Mr. Carner lächelte kalt. „Sie haben diesen Kerl nicht gesehen, er war ein Tier. Was hätte ich tun sollen, die Polizei anrufen? Ihn niederschlagen? Wir kennen das aus dem Kino. Das geht immer schief."

Die beiden Beamten verzogen keine Miene.

Mr. Carner fuhr fort: „Nur mit der Schrotflinte hatte ich eine echte Chance. Ich schlich also zum Wandschrank und holte die

Waffe aus ihrem Versteck. Als ich sie durchlud, überraschte er mich wieder, dieses Mal wohl noch entschlossener, mich zu töten. Plötzlich erschien meine Frau oben an der Treppe. Sie war wohl von dem Lärm wachgeworden. Mir blieben nur Sekunden, mich zu entscheiden. Also schoss ich." Er machte wieder eine Pause, seine Miene war besorgt. „Es war ein Reflex, verstehen Sie, ich konnte nicht zulassen, dass er meiner Familie etwas antut ..." Mr. Carner senkte den Kopf.

„... also schossen Sie ihm direkt ins Gesicht!", beendete einer der Beamten den Satz und Carner nickte.

„Der Flur war dunkel, ich konnte nur die Umrisse des Kerls sehen, zum Zielen blieb keine Zeit. Außerdem war es die einzige Möglichkeit, den Kerl auszuschalten. Ich denke, niemand hat in so einer hitzigen Situation die Nerven, um zu entscheiden, welches Körperteil über Sieg oder Niederlage entscheidet."

Ein Mann von der Spurensicherung meldete sich zu Wort. „Wir sind dann erst einmal soweit."

„Ah, gut, Mr. Carner. Ich schlage vor, Sie und Ihre Frau verbringen die nächsten Stunden in einem Hotel, bis der Tatort komplett gesichert wurde."

Mr. Carner nickte wieder.

„Ich möchte Sie zudem bitten", sagte der Beamte mit einem Blick auf seine Uhr an seinem rechten Handgelenk, „morgen Mittag noch einmal ins Präsidium zu kommen, um die Aussage zu unterschreiben. Unser Chief hat diesbezüglich sicher noch ein paar Fragen an Sie."

Mr. Carner zögerte einen Moment, dann nickte er. „Wir werden da sein!"

Mr. Safetti saß wie ein stolzer Feldherr hinter seinem großen Schreibtisch. Seine speckige Haut glänzte und sein Bauch war mächtig, was wohl von zu viel Bier und italienischer Pasta herrührte. Von der Statur her ähnelte er einem Walross, das sich schwerfällig in der Raumdimension bewegte. Missmutig schaute er drein, musterte sein Gegenüber von Kopf bis Fuß und erklärte diesem gerade die Spielregeln seines neuen Jobs. „Ein Clown zu sein, das kriegt heute jeder hin. So eine Figur erst entstehen zu lassen, dazu gehört schon eine Menge mehr, verstehst du?"

Sein Gegenüber antwortete: „Schon als Kind wollte ich immer ein Clown werden."

Mr. Safetti kicherte und zeigte auf seinen pausbäckigen Wangen ein schiefes Grinsen. Er war Italiener durch und durch und betrieb schon seit Jahren ein sehr erfolgreiches Geschäft zur Vermittlung von Künstlern und Schauspielern. Optisch zwar abstoßend, war er in der Szene aber sehr beliebt und geschätzt. „Das glaube ich dir ja, aber hast du denn schon einmal als Clown gearbeitet. Bist du witzig?", fragte Mr. Safetti.

Sein Gegenüber zuckte mit den Schultern.

„Wenn du keine Referenzen hast, wird es schwer."

Sein Gegenüber überlegte kurz.

„Unsere Kunden sind sehr wählerisch, musst du wissen, und sie gehören der elitären Gesellschaft an. Im Grunde alles Menschen wie du und ich, aber sie halten sich für bessere Menschen, weil sie ihre Leiber in Luxuskarossen verstecken oder sich hinter hohen Mauern verbarrikadieren." Mr. Safetti stopfte sich ein

Stück Pizza hinter die dicken Backen. Am Rand seines Unterhemds hatten sich Schweißflecken gebildet. Um den Hals trug er eine goldene Kette mit einem Kreuz, so wie es sich für echte Italiener gehörte. „Hast du denn vielleicht noch andere Qualitäten?" Mr. Safetti war genervt, musste er dem Typen doch alles aus der Nase ziehen.

Sein Gegenüber sah auf. „Wie meinen Sie das?"

„Kannst du witzig sein?", wiederholte Mr. Safetti.

„Klar ...", antwortete der andere.

„Ich könnte Ärger wegen dir bekommen, wenn du eine Niete bist!"

Die Augen seines Gegenübers verengten sich. „Ich bin aber keine Niete", verteidigte er sich und Mr. Safetti breitete die Arme aus.

„Beweise es mir ..."

Sein Gegenüber zog eine Grimasse.

„Nicht schlecht, kannst du jonglieren?"

„Ich kann alles sein, was Sie wollen."

Mr. Safetti rülpste und nahm einen Schluck von seiner Coke. Dann tätschelte er sich die fette Wampe. Sein Gegenüber war echt unprofessionell, aber Mr. Safetti hatte trotzdem seine Freude an ihm. „Wie wäre es mit Bällen?"

Sein Gegenüber nickte und entnahm einer Kiste zwei Bälle. Dann warf er sie in die Luft und jonglierte damit, während er einen überaus lustigen Witz erzählte und von einem Bein auf das andere hüpfte.

Mr. Safetti klatschte in die Hände und freute sich wie ein Kind. „Hey, halt, Stopp!"

Sein Gegenüber hielt inne.

„Kannst du singen?“ Mr. Safetti wollte das gesamte Repertoire sehen.

„Wenn ich Ihnen ein Chanson vorsinge, bekomme ich dann den Job?“, konterte der Typ.

Mr. Safetti lachte. „Willkommen im Team. Wie heißt du eigentlich?“

„Ich heiße Tobe, ganz einfach nur Tobe!“ Dabei grinste er schief.

„Okay Tobe, ganz wie du willst! Wann kannst du anfangen?“

*Im Polizeipräsidium*

Chief Rawson machte ein ernstes Gesicht und schien sich Sorgen um seinen besten Mann zu machen, der gerade erst einen Kollegen und einen guten Freund verloren hatte. Zu viele Worte, der Verweis auf einen misslungenen Einsatz oder gar Tadel waren derzeit unangebracht, auch das wusste Rawson. Unter den gegebenen Umständen konnten sie aber auch einen Erfolg verbuchen. Raymond Philips war ausgeschaltet worden.

„Hören Sie, Jack, ich würde Sie liebend gerne wieder in den Dienst zurückholen, aber ich mache mir ehrlich gesagt Sorgen.“

Barnes saß einfach da. „Ich weiß das zu schätzen, Sir, aber ich kann nicht einfach nur zu Hause rumsitzen und darüber grübeln, was wir hätten anders machen sollen.“

Rawson nickte. „Dann fahren Sie doch zu Ihrer Schwester nach Kalifornien oder besuchen Sie Ihre Eltern.“

Barnes verschränkte die Arme vor der Brust. Ein Schmerz durchzuckte seinen Körper und er verzog kurz das Gesicht. „Das könnte ich natürlich tun, aber ich will meine Familie nicht mit Dingen nerven, die ihnen vielleicht eines Tages zum Verhängnis werden könnten.“ Er atmete tief durch. „Ein Verlust reicht mir schon“, antwortete er.

Rawson sagte kein Wort. Er wusste von Barnes‘ Frau Elly, die zusammen mit ihrem Kind bei der Geburt gestorben war. Jack hatte lange gebraucht, dies zu verwinden - wenn er überhaupt je darüber hinwegkommen würde. „Wie meinen Sie das, Jack? Wenn es hier um Elly geht, dann ...“

Barnes fiel ihm ins Wort, seine Mundwinkel bebten. „Lassen wir Elly ruhen, okay?“, fuhr er fort.

Rawson nickte. „Wenn es um Ihren Kollegen Pescar geht, dann ...“

Barnes schüttelte den Kopf. „Ich habe Albträume, Chief“, unterbrach er seinen Chef und Rawson sah auf.

„Was? Sie?“

Barnes nickte. „Ich dachte immer, ich sei einer von der harten Sorte, denen nichts auf der Welt Angst machen kann.“ Er machte wieder eine Pause und faltete die Hände wie zum Gebet.

Rawson rückte den Stuhl zurecht, so dass er sich auf der Lehne abstützen konnte. „Wollen Sie darüber reden?“

Doch Barnes machte eine abwehrende Handbewegung. „Ich kann einfach nicht mehr abschalten. Ständig gehen mir Szenarien durch den Kopf, wie ich meine Kollegen hätte retten können.“

Rawson erhob sich und legte Barnes väterlich eine Hand auf die Schulter. „Manchmal müssen wir uns eingestehen, dass wir vielleicht nur eine Schlacht schlagen, aber eben keinen Krieg gewinnen können. Das, was an jenem Tage in diesem Hinterhof geschehen ist, war nicht Ihre Schuld. Auch Sie, Barnes, hätten damals fast Ihr Leben verloren." Er machte wieder eine Pause. „Vielleicht nehmen Sie sich doch mal eine Auszeit. Ich kann das regeln. Oder Sie suchen Dr. Brown auf."

Barnes drehte den Kopf. „Die Psychotante?", fragte er.

„Warum nicht?", antwortete Rawson.

Barnes schüttelte den Kopf. „Auf gar keinen Fall. Ich bin doch nicht verrückt."

„Glauben Sie, das weiß ich nicht? Aber manchmal werfen uns simple Dinge, Ereignisse oder Traumata zurück. Es ist wie bei Soldaten und dem posttraumatischen Belastungssyndrom, wenn diese aus Krisengebieten zurückkommen." Rawson wollte nur helfen.

„Der einzige Weg, der mir helfen kann, ist meine Arbeit, Sir. Bitte lassen Sie mich wieder an den Fall", bat ihn Barnes.

„Ich weiß nicht, Jack." Rawson stemmte beide Arme in die Hüften.

„Wir haben diese Stellenanzeige, Chief. Ich muss wissen, was es mit diesem X-Bay auf sich hat."

„Raymond Philips ist tot, Jack!"

„Das weiß ich, aber ich glaube, dass an dieser Sache einfach mehr dran ist. Es geht hier um Gerechtigkeit, Chief. Mehr verlange ich nicht. Ich habe als Polizist einen Eid darauf geschworen!" Die Stimmung war emotional.

Rawson schnaubte hörbar.

Es klopfte an der Tür.

„Ja bitte?“, rief Rawson.

Die Tür zum Büro öffnete sich und ein Deputy erschien. „Sir?“

„Was ist denn, Peterson?“, fragte Rawson genervt.

„Sir, die Männer vom FBI sind da.“

„Ah, danke, Deputy. Einen Moment noch.“

Der Deputy nickte und verließ das Büro.

Barnes fasste Chief Rawson am Arm. „FBI, Sir?“

Rawson nickte. Dann hielt er kurz inne, kaute auf der Unterlippe und fuhr herum. „Also gut, Jack. Ich sehe schon, ich kann Sie wohl nicht umstimmen.“ Er machte wieder eine Pause. „Vielleicht könnte Ihr Einsatz doch hilfreich sein. Aber wenn man Sie wieder niederschießt, dann sind Sie für eine lange Zeit raus, versprechen Sie mir das? Um Ellys willen!“

In Barnes kam Hoffnung auf. „Also bin ich noch im Boot, Sir?“

Rawson nickte. „Ja, Jack, aber für die weiteren Ermittlungen ist das FBI sehr wichtig. Rein zufällig sind heute zwei Agenten hier, die Informationen für uns haben sollen, die so brisant sind, dass wir niemanden einweihen können.“

Barnes nickte. „Worauf warten wir dann noch?“

***

Wenige Minuten später betraten zwei Männer in schwarzen Anzügen das Büro des Chiefs. Einer der beiden war adrett und diszipliniert, der andere sah aus, als wäre er förmlich einem Comic entsprungen.

Rawson stand auf und gab beiden Männern nacheinander die Hand. Dann bot er jedem einen Platz an. „Meine Herren, darf ich

Ihnen Jack Barnes vorstellen? Jack? Das hier sind die Agenten Clober und Jacobs vom FBI!“

Die Männer gaben sich die Hände.

Ein Deputy kam herein und stellte zwei große Wasserflaschen und eine Kanne Kaffee mit Tassen auf den Tisch. Im Hinausgehen signalisierte Rawson dem Deputy, dass sie für die nächsten Stunden nicht gestört werden wollten.

Clober holte aus einer Aktentasche ein DIN-A4-Kuvert heraus. Er legte es vor Rawson und Barnes auf den Tisch, damit die beiden Männer es besser lesen konnten. Die FBI-Agenten bedauerten anschließend den Verlust von Barnes' Kollegen, verwiesen aber darauf, dass der Fall noch weit mehr bereithalte. Jacobs öffnete das Kuvert und holte eine Mappe daraus hervor. Er entfernte das Gummiband und legte den Inhalt offen vor den beiden Polizisten ab.

„Was ist das hier?“, fragte Rawson interessiert.

Clober räusperte sich. „Haben Sie schon einmal von Philipe du Mont gehört?“

Rawson und Barnes schüttelten den Kopf.

„Wer soll das denn sein?“, fragte Barnes und schaute sich noch einmal die Fotos an. „Moment, das kann doch nicht wahr sein!“, entfuhr es ihm.

Rawson sah ihn an. „Was haben Sie?“, fragte er.

Die beiden Agenten vom FBI nickten. „Sie liegen richtig, Mr. Barnes. Philipe du Mont und Raymond Philips waren ein und dieselbe Person!“

„Wie bitte? Das gibt es doch nicht.“ Chief Rawson schüttelte den Kopf.

„Wer war dieser du Mont?", hakte Barnes nach.

„Philipe du Mont war ein französischer Staatsbürger, der vor gut zehn Jahren in die USA ausgewandert ist. Vorher hat er in der Nähe von Paris gelebt", antwortete Clober.

„Was hat dieser du Mont angestellt?" Barnes hatte plötzlich viele Fragen.

„Haben Sie schon mal von „Philipe, dem Reißer" gehört?", legte Jacobs nach.

„Er war ein Serienkiller?" Barnes war überrascht.

Die beiden Agenten nickten. „So ist es. Philipe du Mont war in Frankreich sehr aktiv, in den USA hingegen gar nicht. Die Frage ist nun, warum?"

„Wie - warum?" Der Blick des Chiefs ging hin und her, wie bei einem Pingpong-Spiel.

„Nun, die französische Polizei geht davon aus, dass du Mont in der Zeit von 1993 bis 2004 insgesamt zwölf Frauen entführt, gefoltert und anschließend getötet hat. Seinen Spitznamen hat er bekommen, weil er den Opfern die Augen herausgerissen hatte."

Barnes rieb sich die Augen. Er konnte es nicht fassen, was er da hörte.

Rawson legte beide Hände auf den Mund. „Oh, mein Gott."

Jacobs nickte. „Das FBI und Homeland schätzen die Zahl der inaktiven Serienkiller derzeit auf etwa 280, 500 dagegen sind aktiv. So zumindest die aktuellen Angaben des Amts für Bundesstatistik. Wie Sie vielleicht schon wissen, werden Serienkiller in Kategorien oder Level eingestuft. Diese Einteilung richtet sich nach Brutalität und Grausamkeit. Ob sie nun aktiv oder inaktiv sind, spielt dabei eigentlich keine Rolle."

„Wieso sind diese Informationen unserer Abteilung bisher nicht zugänglich gemacht worden?“, hakte Rawson ein.

Doch Barnes ging sofort dazwischen: „Welches Level hatte denn Raymond Philips?“

Die beiden Agenten sahen einander an. „Dies sind streng vertrauliche Informationen, die nur für die obersten Bundesbehörden von Nutzen sind.“

Rawson machte eine abwehrende Handbewegung.

„Raymond Philips belegte Rang 25“, gab Jacobs als Antwort.

Rawson mischte sich wieder ein. „Was ist der Spitzenplatz?“

„Der liegt bei derzeit 27!“, antwortete Clober.

Rawson verschränkte ärgerlich die Arme vor der Brust. „Wie sollen wir die Fälle bearbeiten, wenn uns wichtige Informationen vorenthalten werden?“

Clober war bemüht, die Polizisten zu beruhigen. „Wir verstehen Sie ja, Chief, aber manchmal muss man andere Wege gehen, um das Land vor Unheil zu bewahren.“

„Meine Leute gehen jeden Tag da raus, um den Menschen ein besseres Leben zu bieten. Nicht wenige von uns bezahlen dies jeden Monat mit ihrem Leben. Hätten wir mehr Infos, könnte sicherlich so mancher Einsatz Leben retten“, platzte es aus Rawson heraus. „Sie sagten, du Mont habe die Augen seiner Opfer entfernt?“

Jacobs schüttelte den Kopf. „Er hat sie den Opfern herausgerissen und ...“, er machte eine kurze Pause, „... wahrscheinlich haben da die Opfer noch gelebt.“

„So ein Scheißkerl!“, entfuhr es dem Chief.

„Und so einer geht uns dann ins Netz!“, zischte Barnes.

Die Agenten nickten wieder. „Da haben Sie verdammt noch mal Glück gehabt“, antworteten die Agenten.

„Mit Glück hat das nichts zu tun", konterte Barnes.

„Das FBI ist der Polizei natürlich dankbar für diesen Einsatz. Was hat denn eigentlich Ihre Wohnungsdurchsuchung ergeben?“

„Leider nicht so viel, wie wir uns erhofft hatten!“, antwortete Rawson.

„Raymond Philips Wohnung war so sauber wie ein Chemielabor. Eigentlich hatte ich das letzte Loch erwartet, einen stinkenden Müllhaufen sozusagen. Aber es passte zu seinem Gequatsche!“ Barnes hatte die Arme vor der Brust verschränkt.

Clober verengte die Augen. „Was meinen Sie?“

Barnes lehnte sich wieder nach vorn. „Bei unserer letzten Begegnung quatschte der Typ etwas von Gründlichkeit; er schien sehr überrascht zu sein, dass ich im Grunde keine Ahnung hatte.“

Die Agenten sahen einander an. „Das ist aber merkwürdig.“

„Wir hatten Raymond Philips wegen einiger schwerer Vergehen auf dem Schirm und nach dem versuchten Totschlag an seiner Freundin hatten wir beschlossen, ihn aus dem Verkehr zu ziehen. Wir wussten ja gar nicht, dass der ein Serienkiller war“, mischte sich Rawson wieder ein.

Die beiden Agenten nickten. „Wir haben das Protokoll gelesen“, sagte Clober.

„Es war also reiner Zufall, dass uns der Kerl ins Netz ging“, erwiderte Barnes. „Die Spurensicherung hatte in seinem Apartment nichts Wichtiges gefunden. Trotzdem habe ich mich mit Agent Wilson dort noch einmal umgesehen.“ Barnes holte einen

Klarsichtbeutel aus der Tasche und warf ihn den Agenten über den Tisch. „Wir haben dies hier gefunden."

„Was soll das denn sein?", fragte Jacobs.

„Wir nehmen an, dass es sich hier um eine Art Stellenanzeige handelt!", erwiderte Jack.

Jacobs setzte eine Brille auf und begutachtete den Zettel kritisch.

„Was hat es mit diesem X-Bay auf sich?", hakte Clober nach.

Jacobs drehte den Beutel herum, damit er die Rückseite des Zettels lesen konnte. „Da ist noch eine Zahlenkombination am oberen Rand, aber schlecht zu entziffern."

Barnes lehnte sich noch weiter vor. „Sie haben gute Augen, meine Herren, leider wissen wir nicht, was diese Zahlen oder dieses X-Bay bedeuten könnten."

Die Aufmerksamkeit der Agenten wuchs. „Aber Sie könnten es herausfinden?", fragte Clober und legte eine Hand auf den Beutel.

Rawson legte die Stirn in Falten. „Dieses Beweisstück gehört der Polizei", antwortete er.

„Das ist ein Irrtum, Chief. Hier übernimmt das FBI!"

Rawson sprang auf. „Wie bitte?" Sein Gesicht war puterrot.

Clober hob beruhigend die Hände, und Rawson setzte sich wieder.

„Es gibt da noch etwas, meine Herren, das die laufenden Ermittlungen betrifft", gab Jacobs zu verstehen.

Clober nickte. „Genau, denn wir erhoffen uns eine neue Spur."

Rawson verengte die Augen. „Noch ein Geheimnis, meine Herren?"

Jacobs blickte zu Barnes. „Mr. Barnes, Sie arbeiteten doch vor etwa einem Jahr an einem Fall, bei dem ein Teenager in den Verdacht kam, seine Eltern umgebracht zu haben?“

Barnes nickte. „Sie sprechen von Sophie, ja, das stimmt.“

Die Agenten sahen einander wieder an. „Was ist Ihnen damals aufgefallen?“

Barnes kaute auf der Unterlippe, versuchte sich die Zeit und die Erkenntnisse von damals wieder ins Gedächtnis zu holen und fröstelte ...

*Rückblende*

Jack Barnes fröstelte, als er das Schauspiel des Grauens betrachtete, das sich ihm erst im Haus der Eltern und jetzt hier in dieser alten Industrieruine bot. Vater und Mutter brutal abgeschlachtet, regelrecht hingerichtet und verstümmelt. Der Mutter fehlte der Kopf, dem Vater die Augen. Dann dieser Hinweis auf eine weitere Schandtat, die dem blutigen Feldzug gegen die verfehlten Mitwisser in dieser Scharade ein Ende setzen sollte. Die Anwesenden der Gerichtsmedizin und die Deputys waren nur gesichtslose Gestalten in all der Traurigkeit. Der Gott des Gemetzels hatte zugeschlagen und gewütet, ihre Welt mit seiner offenen Grausamkeit bestraft. Wie ein ruheloser Geist aus dunkler Vorzeit verhöhnte er sie mit all seiner Macht und genoss jede Nuance eines gottlosen Verbrechens.

Barnes wurde übel, und er erbrach sich über einem Schutthaufen, als jemand von hinten an ihn herantrat und ihm fast väterlich eine Hand auf die Schulter legte. Barnes sah auf. Der Sheriff legte die Stirn in Falten, doch Barnes' Augen waren leer. Das Kellergewölbe war die reinste Industrieruine. Durch das Dach hatte es seit Monaten hereingeregnet. Es roch modrig und überall wuchsen Moose und Pilze. Sie bedeckten all den Unrat, der hier herumlag. In der Mitte der alten Halle standen zwei Stühle, jeweils mit der Rückenlehne aneinander, auf denen zwei Leichen Rücken an Rücken saßen. Den sterblichen Überresten nach zu urteilen, ein Mann und eine Frau. Die Frau saß in einer mit Flüssigkeit gefüllten, flachen Wanne und war bis zur Unkenntlichkeit verbrannt. Ihr Mund, zu einem stummen Schrei verzerrt, stand noch offen. Damit nicht genug, hatte ihr jemand postmortal die Lippen rot gemalt und eine blonde Perücke aufgesetzt. Ein Gummidildo steckte zwischen ihren Beinen und auf einem Schild um den Hals stand:

-HURE-!

Der Mann war nicht verbrannt worden, war aber durch die enorme Hitze mit dem Rücken der Frau regelrecht verschmolzen. Dafür stand sein Brustkorb offen und war mit Angelschnüren zu beiden Seiten fixiert worden. Er war aufgeschlitzt worden und sein Gesicht zeigte tiefe Schnitte bis auf den Knochen. Zudem fehlten ihm die Augen. Das Schild um seinen Hals zeigte das Wort: -VERRAT-!

„Ist alles in Ordnung, Detektive?", fragte der Sheriff.

Barnes nickte und putzte sich den Mund mit einem Taschentuch ab. „Es wird schon gehen, Sheriff. Mein Magen verträgt sich nicht mehr mit meinem Job."

Der Sheriff schnalzte mit der Zunge.

Ein Taschentuch am Mund des Gerichtsmediziners verriet, dass auch ihm der Anblick sehr zu schaffen machte. Er schätzte, dass der Tod der beiden Opfer vor etwa 72 Stunden eingetreten sein musste, da zwar der Verwesungsprozess schon begonnen, aber aufgrund der Luftfeuchtigkeit noch nicht weit fortgeschritten war. Der Sheriff zog sich Gummihandschuhe über und betrachtete mit Abscheu das Ergebnis des Verbrechens.

„Es muss unfassbar grausam sein, Rücken an Rücken zu sitzen, wenn einem so etwas angetan wird."

Barnes nickte. „Oder man muss einfach nur unfassbar wütend gewesen sein!"

Der Sheriff blickte Barnes böse an. „Mit Wut hat das nichts zu tun!", erwiderte er.

Barnes untersuchte den Tatort und war dabei höchst konzentriert. „Wissen wir schon, wer die beiden waren?"

Ein Deputy, der etwas abseitsstand, zückte einen Notizblock. „Der junge Mann war Liam Dorson, die Frau hieß Nina Masterson. Ihr Vater sitzt im Stadtrat."

Der Sheriff nickte ihm zu und sah wieder zu Barnes, der das Schauspiel umrundete und in Gedanken zu sein schien.

Bei dem Wort ‚Stadtrat' sah er kurz auf. „Oje, das sollte Wellen schlagen!"

Der Sheriff kratzte sich am Kinn. „Rufen wir am besten schon einmal die Nationalgarde an!"

Barnes verzog den Mund zu einem schmalen Grinsen. Plötzlich hielt er inne, was dem Sheriff nicht entging.

„Was haben Sie Barnes?", fragte er.

„Dieses Schauspiel wirkt fast kakophonisch!"

Der Sheriff runzelte die Stirn. „Wie wirkt das? Was meinen Sie damit?"

Barnes schüttelte den Kopf und breitete die Arme aus. „Alles wirkt hart, unästhetisch und unangenehm! Man wollte es besonders schlimm aussehen lassen und wie wir bereits wissen, konnte diese Sophie mit Verrat und Verlust anscheinend auch nicht umgehen!"

Der Sheriff verengte die Augen. „Ist das nicht ein bisschen zu milde ausgedrückt?"

Barnes schüttelte den Kopf. „Die Tat wird umso schändlicher, je mehr eine Person in Ungnade gefallen ist."

„Sie glauben doch nicht etwa an Psychospiele?", fragte der Sheriff und sah seinen Deputy an, der ganz bleich im Gesicht war.

Barnes wiegte den Kopf hin und her. „Bei Serienkillern ist die Psychologie das wichtigste Element, meist tragen sie etwas nach außen, was jeder sehen soll!"

„Also ist das hier eine Art von Nachricht? Von Sophie?"

Barnes zuckte mit den Schultern. „Ehrlich gesagt kann ich mir nicht vorstellen, dass sie zu dem hier imstande war."

Der Sheriff nickte. „Nun, nicht jeder geht mit Verrat und Verlust sonderlich gut um."

„Das stimmt, nur meucheln wir uns nicht gleich munter durch die Gegend!", antwortete Barnes.

„Jeder bekommt stets das, was er verdient", konterte der Sheriff.

Der Deputy hob eine Hand und die beiden anderen drehten sich zu ihm um. „Detektive Barnes, Sie haben gesagt, dass Sie nicht glauben, dass es Sophie war. Wer aber sollte dann dafür verantwortlich sein?"

Barnes legte einen Finger vor die Lippen. „Das eben müssen wir noch herausfinden, aber es ist nur eine Theorie. Zu morden lernt man nicht mal eben in der Schule. Es geht um Gewissen und die Ausübung von Macht über andere. Beide Verbrechen sind eine Gräueltat, schandhafte Vergehen, die die Abgründe menschlicher Verdorbenheit zeigen. Wie wir auch hier sehen, wurden die Opfer erst gefoltert und dann ihrer Vergehen nach dafür bestraft. Das ist nicht das Werk eines Anfängers! Nina Masterson war wohl sehr attraktiv und heiß begehrt. Ihre Leidenschaft muss brennend heiß gewesen sein. Liam Dorson war anscheinend wie ein offenes Buch, vielleicht hatte er keinen Hehl daraus gemacht, Frauen wie Dreck zu behandeln. Sein geöffneter Brustkorb ist wie ein offenes Buch!"

Der Sheriff nickte zustimmend. „Die postmortale Verunglimpfung der Frau zeigt den abgrundtiefen Hass gegen sie."

Barnes nickte. „Erinnern Sie sich noch an die Eltern?"

Der Sheriff kaute an der Unterlippe. „Hass und Verrat. Die Mutter enthauptet und dem Vater die Augen genommen." Er sah zurück zu Barnes. „Was denken Sie?"

Barnes zuckte mit den Schultern. „Zu viel Hass für eine Person."

Der Sheriff nickte. „Sie glauben, sie hatte Hilfe?"

„Ja, das glaube ich. Wer immer hieran beteiligt war, wusste, was er tat und er hat es sehr genossen."

„Ach so, also kako … kako ..."

„Kakophonisch, ja. Barnes zwinkerte mit den Augen und zog einen Kugelschreiber aus der Innentasche. Vorsichtig öffnete er damit Liams Mund. „Da ist etwas in seinem Mund."

Der Deputy reichte Barnes eine kleine Taschenlampe.

Der Gerichtsmediziner räusperte sich. „Es sind Brustwarzen!"

Barnes und der Sheriff sahen auf.

„Brustwarzen?", fragte der Sheriff irritiert und der Mediziner nickte.

„Sie gehörten der jungen Masterson. Ich denke, man hat sie ihr abgeschnitten, um sie einem Teil ihrer Weiblichkeit zu berauben!"

Der Sheriff zupfte sich an der Unterlippe. „Was für eine Scheiße!"

*Gegenwart*

„Was können Sie uns über Sophie erzählen, Detektive?", fragten die Agenten.

Barnes räusperte sich. „Nun, es war schlimm damals. Zwei Verbrechen, eines furchtbarer als das andere. Die Eltern massakriert und ein junges Pärchen zu Tode gefoltert. Üble Sache."

Die Agenten nickten. „War Ihnen an den Verbrechen etwas aufgefallen?"

„Was meinen Sie?"

Clober holte eine Akte aus der Tasche und klappte sie auf.

„Gab es irgendwelche Unstimmigkeiten in Bezug auf die Opfer? Die Art der Tötung zum Beispiel?"

Barnes verzog den Mund. „Ja, es gab Unstimmigkeiten."

Rawson drehte sich zu Jack. „Unstimmigkeiten?“, fragte er ihn und Jack nickte.

„Ich glaube bis heute, dass Sophie Hilfe von außen hatte. Sie wäre nie in der Lage gewesen, solche Verbrechen zu begehen.“ Er überlegte wieder, zermarterte sich das Hirn und suchte nach dem Detail, das ihn quälte. Dann fuhr er hoch und schnippte mit den Fingern. „Jetzt weiß ich, was mich an damals erinnert hat!“

Die Agenten sahen einander an. „Okay, dann mal raus mit der Sprache!“, forderte ihn Clober heraus und Barnes räusperte sich.

„Die Art und Weise, wie die Eltern gestorben sind. Sophies Mutter wurde der Kopf abgetrennt und ihrem Vater wurden die Augen aus den Höhlen gerissen!“

Die Agenten wechselten Blicke und einer machte sich Notizen. „Sie glauben an einen Zusammenhang mit Raymond Philips?“

„Ist das nicht ein bisschen zu weit hergeholt?“, fragte Rawson.

Barnes schüttelte den Kopf. „Die Polizei hatte den Details damals keine Beachtung geschenkt. Es war schon schlimm genug, dass so etwas in einer Kleinstadt geschah.“

Die Agenten räusperten sich. „Das Grauen lauert überall, meine Herren!“

„Das stimmt“, antwortete Barnes.

„Aber wie sollte er Kontakt zu Sophie aufgenommen haben? Ist das nicht ein bisschen zu fantastisch?“, hakte Rawson wieder nach.

„Nicht unbedingt, Chief, wir wissen nicht, wo er überall war“, antwortete Barnes und nickte.

„Sehr richtig, Detektive. Genauso auch der Umstand, durch den Sophie fliehen konnte", warf Clober ein. „Jemanden aus einem gepanzerten Transporter zu holen, der auch noch von bewaffneten Justizbeamten begleitet wird, ich bitte Sie!" Jacobs kam jetzt in Fahrt.

Barnes hob beruhigend die Hände. „Höchst spekulativ, meine Herren. Soweit ich mich noch erinnern kann, gab es eine Panne bei der Polizeieskorte. Deshalb das Verhängnis!"

„Mag sein, Detektive, aber wir können nicht abstreiten, dass das alles höchst sonderbar war!"

Barnes nickte wieder. „Doch wer sollte so viel Interesse an einem Teenager wie Sophie haben?" Er sah die beiden Agenten wieder an.

Clober sah auf. „Es gibt da etwas, das wir Ihnen gerne zeigen wollen." Der Agent erhob sich, ging zur Tür und gab den Deputys vor der Tür ein Zeichen, die daraufhin einen Fernseher auf einem Rollwagen hereinbrachten.

Clober sah wieder zu Barnes. „Und um Ihre Frage zu beantworten, Detektive, das Interesse galt Sophie nur indirekt. Es geht dabei um etwas, das das FBI schon länger beschäftigt. Es handelt sich um aktuelles Material aus Ermittlungen der letzten zehn Jahre."

Rawson und Barnes drehten ihre Stühle in Richtung des Monitors.

„Wir haben Ihnen von Level 27 erzählt. Aber stellen Sie sich eine Form von Serienkiller vor, der dieses Level sprengen kann, das heißt, es gibt für diese Form keine Kategorisierung, einfach keine Einteilung, die widerspiegeln könnte, was diese Spezies treibt, weil sie einfach so unvorstellbar ist!" Agent Jacobs ließ die Worte für einen Moment im Raum hängen.

„Wie meinen Sie das? Sie glauben doch nicht etwa, dass es unter diesen Monstern eine Art von Höhergestellten gibt?", fragte Rawson.

Clober nickte. „Genau das glauben wir."

„Wie bitte? Höhergestellte?", hakte Rawson nach.

„Seit über zehn Jahren jagt das FBI eine Gruppe von vier Serienkillern, die besonders perfide, grausam und bösartig vorgehen", erklärte Clober.

„Diese Höhergestellten sind drei Männer und eine Frau", fuhr Jacobs fort, und sein Kollege nickte. „Wir nennen diese Kategorie die ‚Fauligen Felder' der Kriminalstatistik!"

„Wie passend", warf Rawson wieder ein. „Faulige Felder? Davon habe ich noch nie gehört!"

„Was wir Ihnen heute mitgebracht haben, ist eine neue Dimension des Verbrechens", antwortete Clober mit Blick auf Barnes.

Rawson hob die Hände. „Sie jagen diese Gruppe jetzt seit zehn Jahren. Was haben Sie denn bisher an Erkenntnissen gewonnen?" Es entstand eine Pause.

„Sie haben gar nichts, oder?", beantwortete Barnes die Frage.

Die beiden Agenten nickten zögerlich. „Genauso ist es, diese Monster sprengen alle Register. Wir wissen praktisch nichts. Es gibt vorsichtige Profile, allerdings nichts Handfestes. Keine Gesichter, keine Fingerabdrücke, keine Überlebenden, die etwas berichten könnten, nur eben, dass sie zu viert agieren. Unsere besten Profiler und Spezialisten haben sich daran die Zähne ausgebissen und doch verlieren sich die Spuren. Das Einzige, was bleibt, sind ihre unsagbaren Gräueltaten und ihre Titel."

Rawson horchte auf. „Sie geben sich Titel?"

„Oder sagen wir, Synonyme. Leider ja."

„Da bin ich jetzt aber gespannt", antwortete Barnes.

Clober nahm einen Zettel zur Hand und las vor: „Pan, die Schlächterin, Grey, der Wahnsinnige, Tobe, der Grausame und Curn, der Blutige!"

Rawson und Barnes waren bestürzt. „Oh, mein Gott!", erwiderte Rawson vorsichtig.

„Und jetzt braucht das FBI unsere Hilfe, weil die schwache, ach so unnötige Polizei vielleicht eine Spur gefunden hat." Barnes verschränkte wieder die Arme vor der Brust.

„Das ist nicht witzig, Detektive!", antwortete Clober gereizt. „Jetzt, wo wir wissen, dass Sophie vielleicht Kontakt zu Raymond Philips hatte und er ihr geholfen hat, Rache zu üben, könnte es doch sein, dass es auch bei ihm ein Detail gibt, das als ein Hinweis gedeutet werden könnte."

„Die Stellenanzeige?", fragte Barnes.

Die Agenten nickten. „Das müssen wir herausfinden", antwortete Jacobs.

Barnes hakte neugierig nach. „Wir?"

„Der Zeitpunkt könnte wichtig sein, denn die vier haben sich zurückgemeldet."

„Wie meinen Sie das?" Rawson verzog das Gesicht.

„Sie spielen mit uns, wortwörtlich gemeint. Sie nennen es das Todesspiel!", gab Clober den Beamten zu verstehen. „Aber sehen

Sie selbst." Der Agent erhob sich, schaltete das Licht im Büro komplett aus und den Fernseher ein.

Auf dem Bildschirm erschien eine düstere Umgebung. Verschiedene Personen waren über Bodycams miteinander verbunden. Die pure Angst stand allen förmlich ins Gesicht geschrieben. Eine krächzende Stimme aus dem Off erklärte die Spielregeln, dass die Opfer die Chance bekämen, über das Lösen bestimmter Aufgaben, diesem Martyrium zu entgehen oder sie andernfalls durch die Totbringenden fallen würden. Im Verlauf der nächsten Minuten nahm das Schlachten seinen Lauf, ein grausames Handwerk, in allen erdenklichen Arten ausgeführt, ohne dass es Überlebende gab.

„Machen Sie das aus, das ist ja schrecklich!" Rawson wandte sich angewidert ab.

Clober schaltete das Gerät aus und das Licht im Raum wieder an.

Barnes saß zurückgelehnt und nachdenklich da.

Die beiden Agenten saßen ihm gegenüber. „Wir mussten Ihnen zeigen, wie schrecklich die Wahrheit wirklich ist."

„Weiß man, wer die Opfer waren?", fragte Rawson.

Jacobs schüttelte den Kopf. „Nein, weil bisher keine Opfer gefunden wurden."

„Oh, Mann, das wird ja immer besser", erwiderte der Chief.

„Vielleicht sollten wir mehr über dieses X-Bay in Erfahrung bringen", warf Barnes ein.

Die beiden Agenten nickten. „Genauso ist es, Detektive. Wir glauben auch, dass dies eine echte Spur bedeuten könnte. Wir brauchen daher Ihre Hilfe, meine Herren!"

„Soso. Nur leider kann ich derzeit niemanden entbehren“, gab Rawson zu verstehen.

„Was Sie hier erfahren haben, darf nicht nach draußen gelangen“, bat Jacobs.

„Das muss es auch nicht. Ich mache es!“, entfuhr es Barnes.

Rawson drehte den Kopf. „Das kommt ja gar nicht in Frage, Jack.“

„Es ist der einzige Weg, mein Leben zurückzubekommen.“

Die beiden Agenten sahen einander an. „Wir müssten das noch mit Washington klären!“

***

Barnes saß im Nebenraum und wartete. Als sich die Tür öffnete, wirbelte er herum. Rawson stand in der Tür. Sein Gesicht war mit Besorgnis erfüllt. „Ich verliere Sie nur ungern, Jack.“

„Was haben die gesagt?“, fragte Barnes.

„Das FBI gibt grünes Licht. Sie sind drin, Jack. Ab sofort gehören Sie offiziell zum FBI!“

# Kapitel 5

*Traumsequenz ...*

Der Clown stand in der Menge, regungslos und mit starrer Miene. Die Augenhöhlen waren leer, finster und verloren. Seine fahle Aura hob sich nur kaum vom blassen Hintergrund ab und ging schließlich im Trubel des Alltags unter. Eine schwarze Masse sickerte aus Nase und Ohren. Mahnend hob der unheimliche Clown den rechten Arm und zeigte mit seinen knöchernen Fingern drohend in die Menge. Der Anblick war grotesk und ließ das Blut in den Adern gefrieren ...

Jack Barnes erwachte ruckartig und schweißgebadet aus einem finsteren Albtraum. Woody, sein Hund, lag neben ihm. Der Hund hatte einen leichten Schlaf und hob den Kopf. Er schien die Unruhe seines Herrchens gespürt zu haben und richtete seine Ohren auf. Der Mond schien durch die schmalen Lamellen ins Schlafzimmer. Barnes wischte sich den Schweiß von der Stirn und tätschelte Woodys Kopf. Der Hund legte sich auf die Seite und genoss die besonderen Streicheleinheiten. Barnes blinzelte, horchte, aber die Nacht war still, vom Herzschlag seines Hundes begleitet. Dann drehte er sich zu Woody um und schloss die Augen, doch der Schlaf kehrte nicht zurück.

*Jack Barnes' Haus*

Tom hielt, wie jeden Morgen, mit seinem Postwagen am Straßenrand und beobachtete die Kinder aus der Nachbarschaft, wie sie um einen Baum herumtollten. Es erinnerte ihn an seine eigene Kindheit. Früher hatte auch er mit seinen Freunden immer Cowboy und Indianer gespielt. Während er die Pakete auf der Ladefläche für die Anwohner sortierte, hielt auf der anderen Straßenseite ein gelber Schulbus und mehrere Jugendliche stiegen aus. Zwei Häuser weiter sah er zwei farbigen Jungs und einem Asiaten beim Basketballspiel zu. Sie lachten und versuchten, sich immer wieder den Ball zu entreißen. Mr. Cabs, ein alter Mann Mitte siebzig, der im Haus direkt neben Barnes wohnte, mähte gerade die kleine Rasenfläche im Vorgarten. Als er Tom vor dem Fahrzeug stehen sah, hob er die Hand zum Gruß. Tom war seit über zwanzig Jahren Postbote bei der Stadt. Anfangs hatte er im Verteilerzentrum gearbeitet, aber seit es ihm dort zu öde geworden war, hatte er seinen Chef um Versetzung in den Außendienst gebeten, um die Post auszutragen und damit näher bei den Kunden zu sein. Zum Glück war ihm dieses Viertel zugeteilt worden. Es war ein typisches amerikanisches Viertel im Stil einer Kleinstadt, mit Bäumen gesäumten Straßen. Tom liebte dieses Viertel und er liebte seinen Job als Postbote. Eine junge Frau mit ihrem Kinderwagen kam vorüber und Tom lächelte ihr zu. Das Haus von Jack Barnes war das erste für heute. Er ging schnurstracks zur Haustür und klingelte zweimal. Als niemand aufmachte, beschloss er, hinten im Garten nachzusehen. In der Einfahrt zu den rückwärtigen Garagen entdeckte Tom Jacks schwarzen Pontiac Firebird von 1968. Ein stilvoller und seltener Oldtimer aus der guten alten Zeit. Noch bevor er den Hund sah, hörte er Woody lautstark bellen. Barnes lag im Schaukelstuhl auf seiner Veranda und schlief. Die Morgensonne wärmte bereits sein Gesicht. Neben ihm standen drei leere Bierflaschen Budweiser und ein Aschenbecher mit ausgedrückten Zigaretten.

„Mr. Barnes?“ Tom machte eine Handbewegung und kam auf ihn zu.

Woody stand in der Tür zur Küche und bellte immer noch.

„Woody, verdammt noch mal, Schnauze!“, meckerte Barnes.

Der Hund verstummte augenblicklich, grunzte noch etwas wie einen Kommentar und trabte schließlich auf den Postboten zu.

Barnes Augen wirkten noch verklebt.

„Guten Morgen, Mr. Barnes. Ist alles in Ordnung?“

Barnes rieb sich die Augen, dann schaute er auf. „Ah, Tom!“

Der Postbote fasste sich zum Gruß an die Schirmmütze mit der Aufschrift *United States Post Office*. Dann lächelte er und streichelte Woodys Kopf, was der Hund sofort mit Schwanzwedeln begrüßte. „Haben Sie die Nacht etwa im Freien verbracht?“, fragte Tom.

„Sieht fast so aus. Ich konnte heute Nacht schlecht schlafen, da habe ich es mir wohl auf der Veranda bequem gemacht.“ Barnes machte eine Pause. „Muss dann wohl eingeschlafen sein.“

Toms Blick fiel auf die Zigaretten und das Bier. „Ist wirklich alles in Ordnung mit Ihnen?“

Barnes nickte und sah zu einem Bild seiner Frau.

Woody trabte heran und wedelte immer noch mit dem Schwanz. Das Tier wollte Aufmerksamkeit.

„Sie sollten Ihren Firebird mal wieder waschen, der sieht echt staubig aus.“

Barnes nickte und kraulte Woodys Ohren. Dann drehte sich das Tier um und verschwand in der Küche. Als er wiedererschien, warf er seinem Herrchen einen leeren Fressnapf vor die Füße und bellte wieder, wie er es immer machte, um Befehle zu erteilen.

„Oh, der hat aber Hunger."

Barnes lächelte. Dann stand er auf, noch etwas wackelig auf den Beinen. Mit einem Blick auf Tom fragte er: „Ich mache mir einen Kaffee, für Sie auch?"

Tom schüttelte den Kopf. „Nein, vielen Dank, ein anderes Mal komme ich gerne darauf zurück. Ach ja, Ihre Post, ich wollte sie nicht einfach so vor die Tür legen."

Barnes nahm die Post dankend entgegen. „Das ist ein ruhiges, ehrliches Viertel. Haben Sie denn nicht geklingelt?"

„Zweimal", entgegnete Tom.

„Oh, das muss ich dann wohl überhört haben." Er sah zu Woody. „Ein toller Wachhund bist du!"

„Gut, ich mache mich dann mal wieder auf den Weg."

Barnes hob den Fressnapf auf, und sein Blick fiel wieder auf die Stellenanzeige mit dem X-Bay und auf den Zahlencode am Rand. „Ach, Tom?"

Der Postbote drehte sich um.

„Ich hätte da noch eine Frage und ich bin mir sicher, dass Sie mir helfen können."

Auf dem Tisch lag der tote Einbrecher ohne Gesicht. Ron, ein Assistent im weißen Kittel der Gerichtsmedizin, saß an einem Mikroskop und runzelte die Stirn. Der Raum war gekachelt und wirkte kalt. Stumpfe Zinkwannen und Waschbecken zierten das Bild eines Raumes, in dem der Tod allgegenwärtig war. Eine Halogenlampe flackerte und warf diffuses Licht in den Raum. An den Wänden hingen Poster von anatomischen Zeichnungen und in einem Bücherregal standen medizinische Werke und Lexika. Neben Ron lag ein Klemmbrett zwischen Kaffeeflecken und Brotkrumen. Er saß auf einem Rollhocker und war in seine Arbeit vertieft. Ab und zu biss er in eine belegte Stulle und wischte sich dann die fettigen Finger an seinem Kittel ab, der ebenfalls so aussah, als hätte er eine Reinigung mal wieder dringend nötig. Das einzige Geräusch kam von der Bedienung einer Tastatur, mit der er sich nebenbei Notizen an einem Computer machte. Der Monitor flimmerte und das Mikroskop verströmte einen untergründigen Ton niederer Frequenz.

Ron sah auf, dann desinfizierte er sich die Hände und zog Gummihandschuhe über. Aus einem Hängeschrank über seinem Arbeitsplatz holte er ein Tray hervor, das mit eingeschweißtem Grundbesteck beladen war. Er drehte sich um und widmete sich wieder der gesichtslosen Leiche auf dem Untersuchungstisch. Vorsichtig nahm er eine Pinzette und untersuchte noch einmal die Ränder der kreisrunden Wunde, wo einmal ein Gesicht gewesen war. Der Rand war ausgefranst. Auf dem Klemmbrett stand: *Tod durch Schuss ins Gesicht*. Ron grinste, sagten viele den

Gerichtsmedizinern doch eine gewisse perverse Beziehung zu ihrer Arbeit nach. Nach kurzer Überlegung schüttelte er den Kopf über so viel Einfallsreichtum. Er nahm eine kleine Schale und beugte sich weiter über die Leiche. Er hatte etwas entdeckt, zog eine Lupenlampe näher heran, die an der Wand befestigt war, und schaltete die Beleuchtung ein. Winzige Knochensplitter übersäten den Rand der Wunde, und er fand Reste der Schrotmunition. Der gesamte untere Rand war zudem von Schmauchspuren überzogen und die Wunde roch angebrannt. Aus seiner Kitteltasche holte er ein Lineal und vermaß den Wundbereich. Die Informationen notierte er sich auf einem Zettel, der am Klemmbrett hing.

Eine Stimme riss ihn aus seinen Gedanken und ließ ihn zusammenfahren, hatte er doch gedacht, der Einzige hier unten zu sein, da alle anderen Mitarbeiter Pause machten oder andernorts beschäftigt waren. Er hob den Kopf. Einer der Hilfskräfte, Kenneth, ein Medizinstudent, kaute hörbar schmatzend an einem Donut und hielt einen Becher Kaffee in der Hand. Der Student grinste Ron mit fettigen Backen an.

„Mann Kenneth, hast du mich erschreckt!"

„Dich erschreckt? Hallo?", rief Kenneth.

Ron schüttelte mit dem Kopf.

„Das kommt davon, wenn man sich den ganzen Tag mit Leichen beschäftigt, anstatt es mal mit den Lebenden zu versuchen!" Kenneth schmatzte wieder und schlürfte an seinem Kaffee.

Ron verdrehte die Augen. „Du weißt schon, dass das Essen und Trinken hier unten verboten ist!"

Kenneth sah an seinem Gegenüber vorbei und entdeckte die Überbleibsel von dessen Mahl. „Schön, dass du dich auch daranhältst."

Ron sah ihn trotzig an. „Wenigstens arbeite ich, da wird mir das bisschen Nervennahrung doch wohl erlaubt sein."

Kenneth nickte grinsend, wodurch seine fetten Backen noch dicker erschienen. „Schon klar, Mann!" Der Student aß derweil weiter.

„Ich will dir nur einen Haufen Ärger ersparen, denn wenn dich Dr. Parson erwischt, kannst du die Aushilfsstelle an den Nagel hängen!"

„Willst du mich jetzt belehren, Dr. House?", fragte Kenneth trotzig.

Ron schüttelte den Kopf, was Kenneth nicht entging; dennoch stopfte er sich den Rest des Donuts einfach so in seinen Mund, dass die Backen sich noch weiter aufblähten, und warf dann den halb vollen Kaffeebecher in einen offenen Mülleimer. „Scho ... zufrieden?" Er nuschelte mit halb vollem Mund.

Ron widmete sich derweil wieder seiner Arbeit.

Kenneth hingegen wischte sich den Mund ab und schluckte die letzten Brocken hinunter. Dann trat er näher an die gesichtslose Leiche heran und verzog das Gesicht vor Ekel. „Meine Güte, was ist denn mit dem passiert?"

Ron verdrehte die Augen. „Ihm wurde ins Gesicht geschossen!"

Kenneth wich zurück und riss die Schweinsäuglein auf. „Echt?"

„Ja, mit einer Schrotflinte aus nächster Nähe."

„Was? Mit einer abgesägten Flinte?“ Kenneth ahmte die Flinte nach und legte auf den Körper des Toten an.

Ron strafte ihn mit einem bösen Blick. „Keine Ahnung, aber das Ergebnis war trotzdem verheerend.“

Kenneth kam um den Tisch herum und sah Ron über die Schulter. Er wischte sich wieder den Mund ab, dabei lösten sich Krümel aus den Mundwinkeln und fielen in die Wunde.

Ron fuhr hoch. „Verdammt noch mal, Kenneth, du verunreinigst die Wunde! Hast du nichts Besseres zu tun, als mir auf die Nerven zu gehen?“

Kenneth hob abwehrend die Hände. „Tut mir leid, sorry. Aber wir Studenten müssen immer mit den eingelegten Leichen arbeiten. Dass Formaldehyd bereitet mir ständig Kopfschmerzen. Es kommt halt nicht so oft vor, mal was Frisches zwischen die Finger zu bekommen.“ Er grinste wieder.

Ron nickte und beruhigte sich.

„So etwas Interessantes wie hier bekommen wir wahrscheinlich im ganzen Studium nicht zu sehen.“

„Okay, okay. Du kannst bleiben, aber höre jetzt bitte auf zu nerven.“

Kenneth nickte brav. „Klar, mach ich.“ Er machte eine Pause. „Was machst du da eigentlich?“

Ron erklärte ihm daraufhin in kurzen Sätzen seine Untersuchungsmethode. „Kurz bevor du hier hereingeschneit bist, hatte ich etwas Seltsames unter dem Mikroskop entdeckt, das ich gerne an der Leiche überprüfen wollte.“

„Was meinst du mit ‚seltsam‘?“, fragte Kenneth.

Ron rollte wieder zum Schreibtisch zurück, auf dem das Mikroskop stand, und summte. Er sah den Studenten an, dessen Finger im Schein der Schreibtischlampe glänzten. „Okay, ich zeige es dir. Sind deine Finger sauber?"

Kenneth roch an seinen Fingern. Als er merkte, dass diese noch fettig waren, wusch er sie mit Seife und trocknete sie anschließend mit Papiertüchern ab.

Ron reichte ihm Gummihandschuhe. „Wie gut kennst du dich mit der Histologie aus?"

Kenneth zuckte mit den Schultern. „Geht so, die beiden Grundkurse habe ich zumindest bestanden. Aber wenn du Geduld mit mir hast, werde ich es bestimmt auch verstehen."

Ron nickte und erklärte nun dem Studenten die einzelnen Strukturen im Wundbereich. Das, was ihn stutzig gemacht hatte, war die Tatsache, dass die Schichten im Randbereich anders aussahen, als man dies bei einer solch heftigen Schussverletzung vielleicht erwarten würde.

„Wie meinst du das?", hakte Kenneth nach.

„Nun, wenn man dem Mann aus nächster Nähe das Gesicht weggeschossen hätte, gäbe es hier viel mehr zerfetztes Hautareal. Eine Schussverletzung ist forensisch gesehen eine Sonderform der stumpfen Gewalteinwirkung. Solche Einschüsse sind in den meisten Fällen durch einen zentralen Gewebedefekt mit angrenzendem Schürsaum charakterisiert. Das hier sieht allerdings anders aus."

„Wie sieht denn ein solcher Schürsaum aus?", fragte Kenneth.

„Stell' dir einen Saum vor, bei dem die Gewebeteile kegelförmig zurückgespritzt sind, und zwar in die Richtung, aus der der

Schuss kam. Dabei unterscheidet man zwischen senkrechtem und schrägem Auftreffen. Soweit wir wissen, war der Schuss senkrecht verlaufen. Also müsste man hier einen 1-2 mm breiten und rundlichen Schürsaum erkennen, aber ..." Ron desinfizierte sich wieder die gummierten Handschuhe und rollte zur Leiche zurück.

Kenneth beobachtete jeden seiner Schritte.

Ron nahm wieder die Pinzette zur Hand und begann damit die Wunde fein säuberlich freizulegen. „Siehst du das?"

Kenneth beugte sich über die Wunde.

„Also für mich sieht das eher wie ein Schnitt aus!"

„Ein Schnitt? Vielleicht wurde er schon einmal operiert?"

Ron fand den Einwand des Studenten gut und nickte. „Ja, vielleicht, aber selbst fürs Liften zieht man den Schnitt nicht wie eine kolumbianische Krawatte einmal drum herum. Meines Wissens wird bei dieser Technik lediglich die Haut oberhalb des Gesichts gestrafft. Außerdem sehe ich hier nirgends Narben." Ron zuckte mit den Schultern. „Aber ja, es könnte natürlich auch was anderes sein."

Kenneth sah den grübelnden Assistenten an. „Was denkst du?"

Ron überlegte sich seinen nächsten Satz ganz genau, aber er hatte so eine Ahnung, dass der Schuss und die Flinte nicht ins Gesamtbild passten.

„Wie heißt der Tote eigentlich?"

Auf dem Klemmbrett stand *unbekannt*.

In diesem Moment betrat Dr. Parson pfeifend und sichtlich gut gelaunt den Untersuchungsraum. Er hatte offensichtlich gerade seine Vorlesungen beendet und war von der Universität direkt ins Institut gefahren. Unter dem Arm trug er eine Aktentasche und einen zusammengerollten weißen Kittel.

Ron erhob sich und gab ihm ein Zeichen.

Dr. Parson war ein Mann Mitte fünfzig mit grau meliertem Haar und einem ordentlich gestutzten Bart. Er war der Chef der Rechtsmedizin. Seine Statur war geradlinig und gut in Form, da er jeden Morgen mit dem Fahrrad zur Arbeit fuhr. Parson wunderte sich zunächst über die Anwesenheit des Studenten, kam dann aber kurz an den Tisch und begrüßte den Assistenten. „Guten Morgen, was gibt es denn, Ron?", fragte er.

„Es geht um den Toten, Doc."

Parson besah sich kurz den Leichnam. „Wie weit sind Sie eigentlich mit Ihrer Doktorarbeit?" Er sah den Assistenten mit ernster Miene an.

„Ich komme gut voran, Doc, aber darum geht es gerade nicht."

„Sie wissen hoffentlich, junger Mann, dass mir Ihre Promotion sehr am Herzen liegt. Sie zeigen viel Einsatz und sind ehrgeizig. Das wird Ihnen noch einmal viele Türen öffnen."

Ron nickte. Zum einen freute er sich über das Lob, andererseits redete Parson manchmal ohne Punkt und Komma. „Danke für die Blumen, Doc, aber ..."

„Oh, wie ich sehe, haben Sie mit der Obduktion schon angefangen, schön, schön."

„Darum geht es ja gerade."

Parson sah ihn an und runzelte die Stirn. „Was meinen Sie?"

Ron bat den Doc zum Mikroskop. „Bitte Doktor, schauen Sie es sich einfach an."

Parson bemerkte sofort die Unruhe in Rons Stimme und ahnte, dass diesem etwas auf der Seele brannte. „Also gut, Ron. Was ist hier los? Sie haben eine Minute!“

*Im Polizeipräsidium*

Das Dokument der Aussage von Mr. Carner lag bereits auf dem Tisch, als dieser eintrat. Ein Kugelschreiber lag demonstrativ daneben. Gerade als sich Carner setzen wollte, kam Chief Rawson herein, unter dem Arm eine Mappe, um die ein Gummiband gezogen war.

„Ah, Mr. Carner, schön, dass es geklappt hat“, begrüßte Rawson seinen Gast.

Die beiden Männer gaben sich die Hände.

„Oh, ein fester Händedruck!“ Er sah zu seinem Gegenüber.

„Das liegt am Training.“

„Okay, okay.“ Er grinste Mr. Carner an. Dann wies er auf den Platz ihm gegenüber.

„Wollen Sie sich nicht einen Moment setzen?“

Mr. Carner lächelte smart und nahm Platz. „Wo soll ich unterschreiben?“

Rawson hörte nicht auf zu lächeln. „Sie können es gerne noch einmal überfliegen, vielleicht fällt Ihnen ja noch was ein.“

Carner sah kurz auf, dann überflog er die Zeilen.

„Wie geht es übrigens der werten Familie? Ich hoffe Sie haben die Nacht im Hotel gut verbracht?“

Carner las und sah nicht auf. „Meiner Frau und den Kindern geht es gut, danke.“

„Gut, gut, das freut mich zu hören." Er machte eine Pause. „Und wie geht es Ihnen persönlich?"

Carner las immer noch, dabei bewegten sich seine Lippen, als er die Worte in Gedanken überflog. „Soweit gut." Er nahm den Kugelschreiber zur Hand.

„Sie wissen sicherlich, dass die Unterschrift unter einem Dokument eine gewisse Rechtsgrundlage liefert?"

Carner hielt inne und sah auf. „Wie bitte?"

„Nun, wie ich annehme, möchten Sie Ihrer Aussage nichts hinzufügen?"

Carner schüttelte den Kopf. „Nein, möchte ich nicht! Ihre Leute haben mich bereits im Vorfeld genug gelöchert!" Seine Stimme nahm einen genervten Unterton an.

Rawson grinste schmal. „Die Aussage in einem Delikt ist ein wichtiges Element!"

Carner ließ den Kugelschreiber fallen. „Delikt?"

Rawson nickte.

Carner lehnte sich zurück und blickte den Chief an. „Chief Rawson, was ist hier los?"

Rawson lehnte sich ebenfalls zurück. „Wissen Sie, Mr. Carner, irgendetwas macht mich an Ihrer Geschichte stutzig."

„Ach ja, und was bitte soll das sein?"

„Sie, Mr. Carner!"

Ron hatte Dr. Parson in kurzen Sätzen erklärt, was er untersucht und herausgefunden hatte und dass Kenneth diese Meinung mit ihm teilte.

„Wir?“ fragte Parson.

Ron zeigte auf Kenneth und sich. „Ich habe eine Theorie“, antwortete Ron.

Dr. Parson hatte seine Tasche auf einem Stuhl abgelegt und war in den Kittel geschlüpft. Nun lehnte er an dem Untersuchungstisch und streifte sich gerade ein Paar Gummihandschuhe über.

„Es ist vielleicht unglaublich, aber ich denke, dass der Tote hier an einem großen Blutverlust gestorben ist“, gab Ron zu verstehen.

Parson schüttelte den Kopf. „Nun ein Schuss ins Gesicht hinterlässt eine hässliche Wunde.“

„Ich bin bei Gott kein Experte, aber ich denke, dass dem Mann das Gesicht entfernt wurde!“ Ron wählte seine Worte mit Bedacht.

Kenneth trat näher. „Entfernt? Wie?“

„Mit einem ganz speziellen Messer.“ Ron machte eine Pause. „Das würde zumindest für die intakten Hautschichten im Randbereich sprechen, seitlich vom Schnitt nach außen.“

Parson Augen weiteten sich. „Um Himmels willen, Ron.“ Er sprang auf und inspizierte die Wunde. „Warum sollte jemand so etwas tun?“

Hinter ihnen piepte ein Rechner.

Parson sah auf. „Was ist das?“

„Ich habe eine Blutprobe entnommen und diese durch das System geschickt“, antwortete Ron.

„Zu welchem Zweck?“, fragte Parson.

Ron zwinkerte. „Ich brauche die Identität des Toten!“

*Jack Barnes' Haus*

Tom saß neben Jack Barnes am Küchentisch bei einem guten Kaffee. Er musterte den Zettel, der wie eine Stellenanzeige aufgemacht war, und Barnes wollte versuchen, mehr herauszufinden. Dabei hatte es ihm besonders die Zahlenkombination angetan, die auf der Rückseite des Zettels stand. Vielleicht konnte ihm Tom wertvolle Tipps dazu geben. Barnes schlürfte an seinem Kaffee.

Auf der Straße spielten noch immer Kinder und er dachte wieder an Elly. Wie sehr hatten sie sich eine Familie gewünscht. Wie gerne wäre er Vater gewesen. All die Jahre hatten sie es versucht, bis die Totgeburt sein Leben komplett verändert und ihn förmlich über Nacht zum Witwer gemacht hatte. Nur Woody war ihm geblieben. Barnes hatte sich nach der Beerdigung ausgegrenzt und seiner Schwester und seinen Eltern viele Sorgen bereitet. Alles wäre perfekt gewesen, die perfekten Eltern in einem perfekten Zuhause.

Tom räusperte sich und Barnes verbrannte sich die Zunge an dem heißen Getränk.

„Hm, also das ist keine Stellenanzeige im eigentlichen Sinn, sondern ein Paketschein!“, stellte Tom fest.

Barnes stellte die Tasse ab und sah auf. „Was, ein Paketschein?“

Tom nickte. „Der Barcode hier am Rand und die Ziffern zeigen an, wo das Paket oder die Sendung gelagert wird.“ Dann griff er in die Innentasche seiner Jacke, die über der Stuhllehne hing, und holte ein kleines, in Leder gebundenes Buch heraus, das mit einem Gummiband fixiert worden war. Er entfernte es, überflog Seite für Seite und ging Spalten mit dem Finger durch.

Barnes versuchte, ihm in die Karten zu schauen.

„Ich versuche es mal ganz einfach zu erklären. In Amerika sind die Postämter nach Landkreisen und Bundesstaaten sortiert. Wir nennen das einen sogenannten ZIP-Code, ähnlich dem europäischen Postleitzahlensystem, nur ...“ Tom machte abrupt eine Pause.

Barnes sah ihn an. „Nur was?“

„Dieser ZIP-Code hat sich nicht durchgesetzt und wird schon sehr lange nicht mehr verwendet.“

„Okay, aber offenbar wurde er hier noch verwendet.“ Barnes runzelte die Stirn. „Oder es steckt doch mehr hinter dieser Sache, als wir annehmen sollen.“ Er machte eine Pause und schlürfte wieder an seinem Kaffee. „Werden denn diese Postsendungen mit dem ZIP-Code überhaupt noch verteilt?“

Tom verzog das Gesicht. „Wie ich schon sagte, handelt es sich hier um einen Paketschein. Vielleicht wurde die Sendung absichtlich in einem Postfach verwahrt und der ursprüngliche Adressat darüber informiert, dass der Inhalt nicht mehr zugestellt werden kann!“

Barnes nickte. „Aber hätte die Poststelle die Sendung dann nicht an den Absender zurückgeschickt?"

„Auf jeden Fall, weil eben der ZIP-Code keine Gültigkeit mehr besitzt. Aber vielleicht gab es hier nie einen Absender, dann würde die Information an den Empfänger durchaus Sinn ergeben", warf Tom ein.

Barnes sah den Postboten an, der sichtlich Spaß an dem Rätsel hatte. „Wie meinen Sie das?"

Tom zuckte mit den Schultern. „Sagen Sie es mir!"

Barnes kaute auf der Unterlippe. „Wenn jemand so ein Geheimnis darum macht, kann das nur bedeuten, dass der Inhalt sehr brisant ist!", stellte Barnes nach längerem Nachdenken fest.

Tom bestätigte dies mit einem Kopfnicken. „Vielleicht haben Sie recht."

Barnes erhob sich und holte sein Mobiltelefon aus dem Wohnzimmer.

*Im Polizeipräsidium*

Carner kratzte sich am Ohr. „Ich?"

Rawsons Lächeln gefror. „Ja, genau. Ich habe Sie heute hierher bestellt, weil ich Sie kennenlernen wollte. Ich wollte sehen, ob Sie ein Familienvater sind oder jemand, der das Potential zur Gewalt besitzt."

Carners Augen verengten sich, dann lachte er schallend los. „Das ist doch lächerlich, Chief."

„Glauben Sie?", antwortete Rawson.

„Also wer ist hier das Opfer und wer der Täter?“, fragte Carner.

„Das würde ich auch gerne wissen.“ Der Chief machte eine Pause und fixierte sein Gegenüber ganz genau. „Wenn ich Sie mir so ansehe, Mr. Carner, scheinen Sie ein gut trainierter Mann zu sein. Ihr Händedruck ist stark und kräftig und Ihr Auftreten ist respektvoll, so wie es sich für einen wichtigen Mann unserer Stadt gehört, nicht wahr?“

„Vielen Dank“, erwiderte Carner und nickte zustimmend.

„Aber erklären Sie mir doch bitte einmal den Grund, wieso ein so stämmiger Mann wie Sie nicht in der Lage sein soll, einen Einbrecher zu überwältigen. Stattdessen müssen Sie auf eine Waffe zurückgreifen, noch dazu eine Schrotflinte, und schießen dem Mann dann noch das Gesicht weg. Finden Sie nicht auch, dass das einfach zu viele Ungereimtheiten beinhaltet?“ Er ließ den Satz kurz im Raum stehen.

Carner hingegen schüttelte den Kopf. „Finden Sie das nicht alles ein wenig zu paranoid? Ich war in der Army. Ich habe keinen Hehl daraus gemacht, mich gut in Form zu halten.“

Rawson sah ihn ausdruckslos an.

„Aber wie ich feststellen muss, glaubt mir die Polizei anscheinend nicht.“ Er erwiderte den Blick des Chiefs.

Rawson schüttelte langsam den Kopf. „Nein, Mr. Carner, das tue ich nicht.“

Carner kratzte sich wieder am Ohr.

„Ist alles in Ordnung mit Ihnen? Soll ich vielleicht das Fenster öffnen und etwas frische Luft reinlassen?“

Carner schüttelte den Kopf. „Vergessen Sie nicht, wen Sie hier vor sich sitzen haben, Chief. Ich sitze im Stadtrat und habe einen guten Draht zu Ihrem Chef, dem Commissioner!"

Rawson lächelte. „Glauben Sie wirklich, dass mich das interessiert, Mr. Carner? Vor dem Gesetz und vor Gott sind wir alle gleich! Es gibt hier für Sie keine Immunität!" Er erhob sich und ging zum Fenster. Plötzlich hatte sich die Atmosphäre im Zimmer merklich verändert. Als sich der Chief zu seinem Gast umdrehte, wirkten dessen Augen finster ...

*In der Gerichtsmedizin*

Ron eilte zum Rechner und zuckte zusammen.

Parson und Kenneth sahen ihn fragend an.

„Ron, was ist los, mein Junge?", fragte Parson.

Ron schaute wieder auf. Seine Hand zitterte.

„Soll ich einen Deputy holen?" Parson spürte die aufkommende Unruhe im Raum.

„Sie sagten uns, dass der Tote hier der Einbrecher sei?" Ron sprach sehr langsam.

„Aber ja. Er wurde gestern Abend zu Obduktionszwecken in die Gerichtsmedizin gebracht, aber das wissen Sie doch!", erwiderte Parson.

Rons Stimme zitterte. „Am besten holen wir den Chief!"

Parson schüttelte den Kopf. „Das geht nicht. Chief Rawson hat oben ein Gespräch mit diesem Mr. Carner, der den Einbrecher hier niedergeschossen hat."

Ron hob den Kopf. „Was?"

Parson schaute den jungen Mann irritiert an und Ron drehte den Monitor zu Parson und Kenneth herum, der nervös dastand und der Unterhaltung lauschte.

Auch Kenneth hatte mittlerweile bemerkt, dass etwas ganz und gar nicht stimmte.

Diese Erkenntnis kam, als ihre Blicke auf das Ergebnis auf dem Bildschirm fielen.

„Also Mr. Carner sitzt ganz sicherlich nicht oben beim Chief!" Rons Stimme zitterte.

Parson riss die Augen auf.

Kenneth warf den Kopf hin und her.

„Um Gottes willen!" Parson war bestürzt und griff augenblicklich zum Telefon.

Kenneth schaute wieder zu Ron. „Was machen wir denn jetzt?"

Parson wählte eine Nummer. „Hier Dr. Parson von der Gerichtsmedizin ... ja ... nein ... geben Sie mir bitte einen Beamten des US Marshall Service ... schnell!"

Es dauerte einen Moment.

„Hallo? ... Ja, schicken Sie uns einen Beamten in die Gerichtsmedizin ... nein ... bitte ... es ist ein NOTFALL!" Parsons Stimme wurde lauter, fast schon hysterisch.

*Jack Barnes' Haus*

„Also gut, fassen wir noch mal zusammen. Raymond Philips wurde darüber informiert, dass jemand für ihn eine Postsendung hinterlegt hat. Irgendwo in einem Postfach." Er sah zu Tom. „Könnte es sich hier vielleicht um dieses X-Bay handeln?"

Tom schüttelte entschieden den Kopf. „Mit diesem X-Bay hat das, denke ich, gar nichts zu tun. Dieser ZIP-Code verrät uns ja, wo die Sendung liegt." Er machte eine Pause. „Äh, in einem Postamt in Newberry, Michigan."

Barnes nickte und tippte den Ort in den Suchmodus.

„Sie glauben, das war Absicht?", fragte Tom.

Barnes nickte. „Ja, das glaube ich jetzt. Irgendjemand hat mit Absicht den ZIP-Code benutzt, weil er wusste, dass die Sendung dann nicht zugestellt werden würde. Vielmehr sollte Raymond sich die Sendung selbst abholen."

„Alles gut und schön, aber warum der ganze Aufwand?", hakte Tom entschieden nach.

Barnes zuckte mit den Schultern. „Vielleicht ist es ein Test und der Inhalt zu wichtig, als dass er für fremde Augen bestimmt ist."

„Vielleicht hat das ja doch mit diesem X-Bay zu tun." Tom kratzte sich am Hinterkopf. „Was glauben Sie, was soll dieses X-Bay denn sein?"

Barnes zuckte mit den Schultern. „Keine Ahnung, könnte alles Mögliche sein." Er war hochkonzentriert. Dann hob er den Kopf. „Wo, sagten Sie noch, liegt die Postsendung?"

„In Newberry", antwortete Tom.

„Nie gehört." Barnes drückte eine Taste.

„Amerika ist ein großes Land!" Tom breitete die Arme aus.

„Sicher ist es das!" Barnes hatte gefunden, wonach er gesucht hatte.

Mr. Carner saß einfach da und wiegte den Kopf hin und her. Irgendetwas stimmte nicht.

„Mr. Carner, ist alles in Ordnung?" Rawson kehrte zu seinem Platz zurück.

Carner reagierte nicht.

„Bitte verstehen Sie mich nicht falsch." Rawson runzelte die Stirn.

„Sehen Sie, Chief, ich verstehe Ihre Worte schon und wissen Sie was, Sie haben recht. Mit allem!" Carner kicherte.

Rawson setzte sich ihm gegenüber. „Was meinen Sie?" Er fühlte sich plötzlich unwohl und zu spät kam die Erkenntnis, dass es keine gute Idee gewesen war, die Unterhaltung allein mit Mr. Carner zu führen.

Carner beugte sich zum Chief vor. „Ich bin eine Art Königsmörder!" Er lächelte, zeigte Zähne.

Rawson bekam eine Gänsehaut. Nervös tastete er unter dem Tisch nach dem Notfallknopf. „Wieso sagen Sie das? Ich kann Ihnen nicht folgen!"

Mr. Carner stierte ihn ausdruckslos an, dann lächelte er wieder. „Den Knopf unter dem Tisch können Sie vergessen!"

Rawson sah ihn verwundert an. „Welchen Knopf?"

Carner schlug unerwartet mit der flachen Hand auf den Tisch, so dass Rawson erschrocken zusammenzuckte. „Den Notfallknopf!"

Rawson starrte auf das Kabel, das Carner in der Hand hielt, und da wusste er, dass er in der Falle saß.

Carners Augen fixierten ihn wie ein Raubtier, das sich bereitmachte, sich auf sein Opfer zu stürzen. „Lassen Sie Ihre Finger schön da, wo ich sie sehen kann!“

Rawson fühlte sich ertappt wie ein Schuljunge, der beim Schummeln in einer Klassenarbeit erwischt worden war.

Die finstere Miene des Mannes verunsicherte den Chief, aber er war Polizist, trainiert darauf, mit einer solchen Situation fertig zu werden. Er wusste, dass sich direkt hinter der Tür mehrere Polizisten befanden, vielleicht sogar Beamte des US Marshall Service. In Gedanken spulte er die Sache blitzschnell ab. Er brauchte Hilfe von draußen.

„Sie überlegen gerade, wie Sie Ihre Männer um Hilfe rufen können, stimmt´s oder habe ich recht?“ Carners Stimme war gedämpft.

Rawson drehte den Kopf.

„Was denken Sie gerade?“, fragte Carner und fixierte den Chief weiter.

„Ehrlich gesagt frage ich mich gerade, ob Sie wirklich der Mann sind, der zu sein Sie vorgeben?“ Rawson versuchte ihn aus der Reserve zu locken.

„Warum so unkooperativ? Es wäre ein Jammer, wenn ich Sie vorzeitig verstümmeln müsste!“ Carners Stimme klang jetzt so scharf wie eine Rasierklinge.

Rawson lief ein kalter Schauer über den Rücken.

„Sie und Ihre Leute haben eine unsichtbare Grenze überschritten, wir mussten handeln und auf uns aufmerksam machen!“

Rawson verengte die Augen. „Wer ist wir?“

Carner fletschte die Zähne, dann lehnte er sich wieder zurück und fasste sich hinter die Ohren. „Ich möchte Ihnen etwas zeigen ..."

*In der Gerichtsmedizin*

„Deputy Marshall Anderson, was kann ich für Sie tun, Doc?"

Parson war aufgesprungen und lief unruhig im Raum auf und ab. Als der Beamte zur Tür hereinkam, stürmte er auf diesen zu. „Deputy Anderson, bitte sehen Sie sich das hier an." Er zog den Beamten zum Monitor.

„Was soll die ganze Aufregung, hey, lassen Sie meinen Arm los!"

Parson gehorchte. Er war kreidebleich und seine Hand zitterte.

Anderson schielte auf den Monitor.

„Der Tote hier auf dem Tisch ist Peter Carner. Einer meiner Mitarbeiter hat ..."

Anderson hob eine Hand. „Moment, Moment, Sie wollen mir tatsächlich weismachen, Mr. Carner sei tot? Das ist doch ein Scherz." Er sah Parson und seine Assistenten an und sein Gesicht verlor plötzlich an Farbe. „Kein Scherz ... Aber der Chief ... er ... Oh, verdammt!" Schnell holte er sein Funkgerät aus der Seitentasche seiner dunkelblauen Cargo-Hose. „Mike? Hier Anderson, ist der Cap in der Nähe? Okay, hör' zu, sind deine Leute bewaffnet? Wir haben einen Code 217, wiederhole, Code 217! Sag' dem Cap Bescheid und wir brauchen SWAT!" Er wartete einen Moment.

Es rauschte im Funkgerät.

„Was? Nein, warum? Der Chief ist in Lebensgefahr!“, beendete er den Satz.

Ein weiterer Officer kam hinzu und seine Uniform wies ihn als einen Angehörigen der Polizei aus. „Anderson, was ist hier los?“

Anderson wirkte angespannt, obwohl er ein Profi war.

Die Sache war gerade sehr kompliziert geworden, denn der Chief saß wahrscheinlich mit einem Mörder an einem Tisch, und das mitten im Herzen eines Präsidiums. Es erschien surreal. Denn so wie die ganze Geschichte jetzt aussah, hatte der Einbrecher Mr. Carner überwältigt und ihm bei vollem Bewusstsein die Gesichtshaut heruntergeschnitten. Anschließend hatte er ihm zur Sicherheit noch ins Gesicht geschossen, um alle Spuren zu verwischen. Warum aber hatte niemand aus der Familie davon etwas mitbekommen und was war mit der Gesichtshaut passiert? Die Geschichte war also doch komplizierter als zunächst angenommen.

Anderson kam ein furchtbarer Verdacht. Auf dem Weg durch das Treppenhaus kamen den beiden Beamten weitere Polizisten in Schutzwesten entgegen. Im Flur vor den Verhörräumen standen Captain Hendricks und weitere US- Marshalls. Reguläre Polizisten näherten sich von der entgegengesetzten Seite. Alle trugen Schutzwesten. Hendricks nickte Anderson zu. Dessen Miene war hart und ausdruckslos.

*Im Polizeipräsidium*

Jack Barnes' Mobiltelefon summte. Seine Augen weiteten sich, als er einen Code 217 erhielt. Der Beamte am anderen Ende der Leitung hatte ihn auf der Fahrt zum Präsidium kurz auf den neusten Stand gebracht. Im Aufzug legte Barnes eine Schutzweste an und überprüfte seine Waffe. Auf dem Flur entdeckte er Captain Hendricks und einige Männer von SWAT. Hendricks stand bei Anderson. Sie diskutierten aufgeregt.

Barnes hob eine Hand. „Captain, auf ein Wort."

Die beiden Männer begrüßten sich kurz und gaben sich die Hand.

„Ah, Barnes, gut, Sie bei uns zu wissen." Hendricks wies seine Männer ein.

„Wie ist die Lage?", fragte Barnes.

„Sie wurden informiert?" Hendricks Miene war ernst.

Barnes nickte.

„Der Chief sitzt mit dem falschen Mr. Carner in Verhörraum 3."

Barnes nickte.

Die Fahrstuhltüren öffneten sich und weitere SWAT-Beamte kamen heran, die Waffen schussbereit.

„Wie gehen wir vor? Ich will den Chief sauber da rausholen!", erklärte Barnes den anwesenden Beamten.

Anderson meldete sich zu Wort. „Die Kameras im Raum funktionieren nicht."

„Okay, und wie kommen wir da jetzt ungehindert rein?", fragte Barnes.

Hendricks gab seinen Männern ein Zeichen. „Wir gehen durch den Beobachtungsraum!"

Barnes gefiel das nicht. „Gute Idee, aber wie konnte das alles nur passieren?"

Hendricks zuckte mit den Schultern. „Das wird noch geklärt werden müssen. Vorrangiges Ziel ist und bleibt der Chief." Er sah die Männer an, die um ihn herumstanden. „Alles andere ist entbehrlich!"

*Verhörraum 3 – Polizeipräsidium*

Carner verzog das Gesicht. Dann schälte er sich langsam eine zweite blutende Gesichtshaut vom Schädel. Das Geräusch, das er dabei machte, war ekelerregend, es schmatzte und blutete sehr stark. Mit einem beherzten letzten Ruck fiel eine blutige Masse aus Haut und Geweberesten auf den Tisch.

Chief Rawson hielt sich eine Hand vor den Mund, um sich nicht übergeben zu müssen. Der Gestank war unerträglich. Er wollte schreien, konnte aber nicht.

Als sich der falsche Mr. Carner aufrichtete, blickte Rawson in eine blutige, rote Masse, in der sich Augen befanden, die so dunkel waren wie die Finsternis und um die blutigen Lippen schlich sich ein raubtierhaftes Grinsen.

„Nennen Sie mich Grey!"

Rawson erinnerte sich an die Worte der beiden FBI-Agenten, an die Synonyme der Höhergestellten. ‚Grey, der Wahnsinnige' stand nun leibhaftig vor ihm. Unbeschreibliche Angst kam in ihm auf, was Grey nicht entging.

Dieser grinste kalt.

Rawsons Kehle war staubtrocken.

Dann schnellte Grey heran und presste seine blutige Masse in das Gesicht des Chiefs. „Es wird mir ein Vergnügen sein, Sie zu töten!“ Er legte den Kopf in den Nacken und brüllte, was den Beamten auf dem Flur nicht entging.

Mit einem schnellen festen Griff packte Grey den Kopf von Chief Rawson und drehte diesen in einen unnatürlichen Winkel nach hinten, dass Knochen und Wirbel hässlich brachen. Leblos fiel der Kopf des Chiefs nach vorne auf den Tisch.

Grey riss den Mund weit auf und schrie.

***

Die Polizisten zogen ihre Waffen und traten die Tür ein. SWAT-Beamte brachen durch das Trennglas zum Verhörzimmer. Barnes und die Deputy Marshalls unter der Führung von Captain Hendricks stürmten hinterher. Das Verhörzimmer lag in völliger Dunkelheit und war totenstill. Das einzig Hörbare war das Atmen der Beamten. Plötzlich entdeckten die Männer den leblosen Körper des Chiefs, der mit dem Gesicht und weit aufgerissenen Augen voran auf dem Verhörtisch lag.

Hendricks drehte sich zu Barnes um und legte einen Finger an die Lippen. Langsam verteilten sich die Polizisten im Raum, als sie ein tiefes Grunzen vernahmen. Neben dem Gesicht von Rawson entdeckte Barnes eine blutige Gesichtsmaske, von der noch immer das Blut tropfte. Es stank ekelerregend. Anderson fasste an Rawsons Handgelenk und sah zu Barnes und Hendricks hinüber. Als er den Kopf schüttelte, verschwand alle Hoffnung. Genau in diesem Moment flammten zwei rubinrote Leuchtfackeln vor ihnen auf und tauchten den Raum in ein geisterhaftes Licht. Wie von unsichtbarer Hand geführt waberten diese am anderen Ende des Raumes auf und nieder. Es dauerte einen Moment, bevor die Beamten realisierten, was da vor sich ging. Einen Herzschlag später schälte sich aus der Dunkelheit eine hässlich blutende Fratze, die sie grinsend anglotzte. Sie lachte und verhöhnte sie. Grey entzündete zwei weitere Leuchtfackeln und breitete die Arme aus. Die Beamten reagierten sofort. Hendricks, seine Männer und Barnes zielten auf die Gestalt.

„Stehen bleiben! Sie sind verhaftet!“, schrien sie.

„Lassen Sie die Fackeln fallen!“, forderte Barnes sein Gegenüber auf.

Die Gestalt wirkte in dem kleinen Raum übermenschlich groß, beugte den Kopf nach vorne und fletschte die blutigen Zähne. „Glaubt ihr wirklich, ich lasse mich gefangen nehmen?“ Mit diesen Worten verhöhnte er die Beamten.

Das blutige Gesicht schien sich im Nebel der Leuchtfackeln zu dehnen, sein Mund wirkte unnatürlich groß. Dann endlich ließ Grey die Fackeln fallen.

„Ich will Ihre Hände sehen, Dreckskerl!“ Hendricks war angespannt.

„Für den Mord an Rawson werden Sie brennen!“ Barnes zielte weiter auf die Gestalt.

„Wollt ihr die Hölle sehen?“

Die Beamten sahen einander an.

„Halten Sie endlich die Klappe, Sie kommen hier sowieso nicht lebend raus!“ Barnes schrie Grey an.

Greys Grinsen war unheimlich. „Ich werde euch alle töten!“

Anderson sah zu seinen Kollegen. „Warum quatschen wir eigentlich mit dem Kerl?“

Barnes nickte. „Schießen wir ihn einfach über den Haufen."

Auch Hendricks nickte und gab das Zeichen.

Bevor die Beamten das Feuer eröffneten, hielt Grey inne, was Barnes stutzig machte. Genau in diesem Moment sahen sie das blinkende Objekt in den Ecken der gegenüberliegenden Wand.

„Er hat einen Zünder!", schrie Barnes und zielte auf Greys Hand.

Im nächsten Moment gab es eine ohrenbetäubende Explosion.

Barnes schoss und erwischte Grey an der rechten Hand. Grey brüllte.

Ein gewaltiger Feuerball raste auf die Beamten zu und verschlang Grey in voller Größe. Die Männer von SWAT wurden zu den Seiten geschleudert, Barnes, Hendricks und Anderson warfen sich zu Boden. Fensterscheiben brachen, die halbe Decke stürzte herunter. Der Raum ging im Chaos unter.

Als der Feueralarm losheulte, wusste jeder im Präsidium sofort Bescheid. Sirenen von Krankenwagen und der Feuerwehr schrillten durch die Straßen der Stadt.

Der Staub legte sich und zeigte das ganze Ausmaß der Zerstörung. In der Außenwand klaffte ein riesiges Loch. Im ganzen Raum lagen leblose Körper herum, manche regten sich bereits wieder, andere stöhnten oder riefen um Hilfe. Das Licht der Abendsonne warf lange Schatten auf das Chaos.

Dieser Irre hatte das Verhörzimmer gesprengt. Das Letzte, an das sich Barnes erinnerte, war, dass Grey in einem Feuerball verschwand. Das konnte der nicht überlebt haben. Zudem befanden sie sich hier im achten Stockwerk, wo zum Teufel hätte der sich jetzt noch verstecken können.

Die ersten Feuerwehrleute und Sanitäter trafen ein und leisteten erste Hilfe. Barnes saß neben Hendricks auf einem der Schuttberge und hielt sich den Kopf. Das Klingeln in den Ohren war unablässig und die Kopfschmerzen schrecklich. Deputy Anderson lag nicht weit von ihnen mit einer Platzwunde am Kopf und wurde von einem Sanitäter versorgt. Als die Männer sich ansahen, zeigte Anderson mit hoch erhobenen Daumen an, dass er in Ordnung sei. Nur durch die schnelle Reaktion aller beteiligten Beamten hatte Schlimmeres verhindert werden können.

Hendricks schnalzte mit den Lippen. „Alles in Ordnung, Jack?"

Barnes Gesicht war staubig. Er nickte und sah durch das Loch in der Wand nach draußen in die untergehende Sonne. „Glauben Sie, es hat ihn erwischt?"

Hendricks stemmte die Hände in die Taille. „Ich hoffe, er schmort in der Hölle!"

Barnes sah zurück. Er hatte heute seinen Chef verloren. Es wurde Zeit, etwas zu unternehmen.

# Kapitel 6

*Auf dem Weg nach Newberry, Michigan*

Barnes war den Großteil der Strecke mit dem Flugzeug geflogen und hatte sich am Flughafen von Sault St. Marie einen Mietwagen reservieren lassen, mit dem er dann die letzten Meilen auf der Interstate bis nach Newberry fuhr. Nach der Abzweigung nach Pentland verließ er die Interstate, fuhr dann auf Landstraßen weiter und durchquerte dabei den Hiawatha National Park mit seinen bewaldeten Ebenen, wo die Bäume so dicht standen, dass die Lichtstrahlen der Mittagssonne nicht bis in das Innere des Waldes hineinreichten. Er war jetzt seit mehreren Stunden unterwegs, konnte sich aber nicht daran erinnern, jemals in einer so gottverlassenen Gegend gewesen zu sein. Kaum hatte er den National Park verlassen, reihten sich nun Maisfelder aneinander, unterbrochen von vereinzelten Gehöften und Biosgasanlagen.

An einer Raststätte legte er eine kurze Pause ein, holte sich einen Kaffee und ein saftiges Sandwich mit Thunfisch und Salat. Dann studierte er die Nachrichten auf seinem Mobiltelefon. Nebenbei überprüfte er das GPS-Gerät und die letzten Meilen der Route bis nach Newberry, als eine junge Frau an die Seitenscheibe seines Mietwagens klopfte. Barnes legte das Sandwich beiseite und stellte den Kaffeebecher in die Mittelkonsole. Dann erst ließ er die Scheibe herunter. Fragend sah er in das Gesicht einer hübschen Frau. „Mam?“

Die junge Frau lächelte. „Entschuldigen Sie, Sir, aber mein Mann und ich haben uns gefragt, ob Sie vielleicht Hilfe brauchen?"

Barnes sah an der jungen Frau vorbei und entdeckte einen Mann, der neben einem Kombi stand und diesen betankte. Auf der Rückbank tummelten sich mindestens zwei Kinder. Als sich die Blicke der beiden Männer trafen, hob dieser eine Hand zum Gruß.

Barnes sah zu der jungen Frau zurück. „Äh, nein, aber danke."

Die Frau schien ein endloses Lächeln zu besitzen. „Oh, okay, dann entschuldigen Sie die Störung."

Barnes runzelte die Stirn. „Sie fahren nicht zufällig nach Newberry?"

Die junge Frau drehte sich wieder um. Das endlose Lächeln lag noch immer auf ihren Zügen und sie nickte. „Sie haben Glück. Wir sind praktisch auf dem Weg dorthin. Da ist nämlich über das Wochenende ein großes Fest. Das größte hier in der Gegend." Sie redete ohne Punkt und Komma.

„Aha", erwiderte Barnes.

Ihr Ehemann näherte sich, wischte sich die Hände an der hellbraunen Cordhose ab und stellte sich Barnes als Simon York vor. Seine Frau nannte er Mary-Jane.

Barnes erwiderte die ihm entgegengebrachte Freundlichkeit. Sie unterhielten sich über oberflächliche Dinge wie das Fest in Newberry, das Wetter und das GPS-Gerät, das nicht mehr so richtig funktionierte.

„Wir wollten Ihnen nicht auf die Nerven gehen, Mr. Barnes, aber wir Menschen aus Michigan sind nun mal hilfsbereite Menschen, müssen Sie wissen.“ Mr. York grinste naiv.

Barnes lächelte zurück. Obwohl er nicht aus der Gegend kam, musste er aufgefallen sein wie ein bunter Hund. „Ich habe das auch nicht anders interpretiert, Mr. York.“

Mr. York nickte und nahm seine Frau in den Arm, vielleicht auch, weil er damit Stärke zeigen wollte.

„Wie weit ist es denn noch bis Newberry?“, erkundigte sich Barnes.

„Etwa zehn Meilen. Am besten fahren Sie direkt hinter uns her, wenn Sie möchten.“

Die Yorks waren hilfsbereit.

Barnes schielte ins Wageninnere und auf sein Mobiltelefon. „Das mache ich, danke.“

Simon York sah seine Frau an, dann zuckte er mit den Schultern, weil ihm wohl der Gesprächsstoff ausgegangen war. Sie verabschiedeten sich voneinander und die Yorks stiegen in ihren Kombi. Barnes wartete einen Moment und folgte ihnen dann auf der Landstraße weiter in Richtung Newberry.

An der nächsten Abzweigung gab Barnes den Yorks ein Zeichen und bog ab. Sie winkten ihm zu, bis der Kombi aus dem Blickfeld verschwand. Über dem Ortsschild der Stadt *Newberry* prangte ein zweites Schild, das mit allerlei Blumen geschmückt war. Darauf stand in großen, goldenen Buchstaben: *22. Erntedankfest in Newberry*. Auf dem Seitenstreifen waren überall Autos und Pick-ups geparkt und viele fröhliche Menschen standen in Grüppchen beieinander. An einer Kreuzung standen zwei schwarz-weiße Streifenwagen des Sheriff-Departments und regelten den Verkehr. Quer über die Straße hatte man buntes Lametta gespannt. Im Ortskern selbst war das bunte Treiben noch stärker. Alle Restaurants und Geschäfte hatten geöffnet und es herrschte rege Betriebsamkeit. Es ertönte Blasmusik und Kinder tobten auf einem nahen Spielplatz herum. Newberry war eine hübsche amerikanische Kleinstadt. Barnes drosselte das Tempo seines Mietwagens und hielt direkt neben einem der Streifenwagen an. Ein Deputy mit Sonnenbrille und Dreitagebart musterte ihn aus dem Fahrzeug heraus. Barnes ließ die Seitenscheibe hinunter. „Guten Tag, Officer, ich brauche kurz Ihre Hilfe."

„Howdy, Mister. Was gibt´s denn?" Der Deputy war echt entspannt.

Barnes wunderte sich über die saloppe Redensart des Mannes, der immerhin das Gesetz vertrat. Zudem wusste der bestimmt nicht, wen Barnes hier vertrat. „Ich suche das Sheriff-Department. Wären Sie so freundlich und beschreiben mir den Weg dorthin?" Barnes blieb höflich.

Der Deputy kaute ein Kaugummi. Ohne seine Miene zu verändern, hakte er nach. „Darf ich fragen, wieso Sie den Sheriff sprechen möchten?"

Barnes langte ins Handschuhfach und holte seinen Ausweis hervor. Als er diesen ausklappte, machte er damit unmissverständlich klar, wer den Sheriff sprechen wollte.

Der Deputy lockerte sofort seine harsche Pose, erhob sich und rückte seinen Hut zurecht. Das Kaugummi schluckte er herunter, auch wenn das nicht gesund war. Zuletzt nahm er noch die Sonnenbrille ab.

Barnes grinste und klappte den Ausweis wieder zu. Es war doch immer dasselbe mit diesen Provinz-Deputys.

Der Deputy griff zum Funkgerät. „Entschuldigen Sie, Sir. Einen Moment, ich frage Ally, ob der Sheriff noch im Büro ist."

Barnes wartete. „Das wäre gut."

„Mit dem Fest haben wir schon genug zu tun, aber soweit ich weiß, wollte sich der Sheriff später noch unter das Volk mischen." Er grinste Barnes an.

„Aha." Barnes wischte sich den Schweiß vom Gesicht, trotz der Klimaanlage.

Es knackte im Funkgerät und eine Frauenstimme war zu hören.

„Äh ja ... Ally? ... ja, hier ist Joe, sag' mal, ist der Sheriff noch im Büro? Aha ... ja ... ja ... okay ... wieso? ... Nun hier ist einer vom FBI, der ihn sprechen will, ... was? Ja, sag ich doch, FBI. Okay ... gut ... ja, ich denke dran ... gut, bis dann!" Der Deputy steckte das Funkgerät zurück in die dafür vorgesehene Halterung und sah zu Barnes auf.

„Sie haben Glück, der Sheriff ist noch da. Ally sagt ihm schon mal Bescheid."

Eine Pause entstand.

„Das ist sehr schön. Aber wie komme ich jetzt zu Ihrem Boss?", fragte Barnes.

„Ach so ... ja richtig, sorry." Er rückte sich wieder den Hut zurecht und stieg auf der Beifahrerseite aus, da Barnes zu nah an der Fahrerseite gehalten hatte. Er gab einem Streifenpolizisten, der auf einer Harley Davidson saß, ein Zeichen.

Der Kollege brauste knatternd heran.

Der Deputy zeigte in Barnes Richtung und erklärte ihm, dass er die Eskorte für das FBI sei. Der Streifenpolizist tippte sich an den Helm und fuhr voran.

Barnes startete den Motor und folgte ihm.

Das Fest in Newberry war groß. In den Seitenstraßen standen die Menschen in großen Trauben beieinander, andere saßen mit Freunden in ihren Vorgärten und grillten dort. Überall herrschte Jubel, Trubel, Heiterkeit. Zwei Straßenzüge weiter kehrte der Streifenpolizist, der nicht ein einziges Mal in den Rückspiegel geschaut hatte, wieder auf die Hauptstraße zurück. Eine Kreuzung weiter und sie erreichten das Sheriff-Department. Ein mehrstöckiges Haus aus den 30er Jahren mit Holzfassade und Flachdach. Direkt gegenüber befanden sich die örtliche Feuerwehr und dahinter das Krankenhaus von Newberry. Hinter einer Brücke konnte Barnes einen großen Fluss erkennen. Obwohl unzählige Deputys an diesem Tag ihren Dienst verrichteten, standen nur wenige Einsatzfahrzeuge vor der Dienststelle. Barnes parkte seinen Mietwagen direkt neben dem Jeep des Sheriffs und stieg aus. Der Streifenpolizist hob eine Hand zum Gruß und brauste davon.

Es war bereits später Nachmittag, aber der Himmel war noch blau und das Thermometer am Eingang der Dienststelle zeigte angenehme Temperaturen. Zwei Beamte kamen ihm entgegen, als er durch die Drehtür ins Innere trat. Sie musterten ihn und zogen dann in Richtung Parkplatz weiter. Das Foyer war gut gekühlt. Hinter einem Tresen saß eine ältere Frau vor einer Schreibmaschine und tippte fleißig in die Tasten. Im Hintergrund waren vereinzelte Deputys in Büros zu sehen. Die Betriebsamkeit ließ aufgrund des Festes in der Stadt etwas zu wünschen übrig.

Die Frau hob den Kopf. Kurz studierte sie Barnes, dann lächelte sie.

„Guten Tag, Sie müssen Ally sein!“, begrüßte Barnes sie.

Die Frau sah ihn irritiert an. „Und Sie sind wer?“

Barnes lächelte und zeigte ihr seinen Ausweis.

Die ältere Frau kniff die Augen zusammen. „Agent Barnes, FBI!“

Ein Beamter an einem Schreibtisch sah auf und widmete sich dann wieder seiner Arbeit.

„Sie sind der Anzugträger, den uns Joe bereits angekündigt hat.“ Sie reichte ihm die Hand.

Barnes erwiderte die Geste, dann sah er an sich hinab. „Glauben Sie, Jeans und Hemd gehen auch?“

Die Frau grinste. „Na, dann kommen Sie mal mit. Der Sheriff war nicht begeistert, als er von Ihrem Kommen gehört hat.“

„Weil ich ihm damit das Fest vermiese?“, fragte Barnes.

Ally war stehen geblieben. „Sie können wohl Gedanken lesen, was?“

Barnes entschuldigte sich für diese Äußerung und sie setzten ihren Gang fort.

„Warum haben Sie sich eigentlich hierher nach Newberry verirrt?“

Barnes zuckte mit den Schultern. „Ich bin wegen eines brisanten Falles hier und brauche die Hilfe der örtlichen Polizei.“

Ally winkte einem Deputy zu, der mit einer jungen Frau in einer kleinen Küche stand und einen Kaffee trank.

Er erwiderte ihren Gruß und die junge Frau lächelte Ally an.

„So, da wären wir." Ally machte eine Pause. „Bleiben Sie länger in der Stadt?"

Barnes zuckte mit den Schultern. „Das hängt davon ab, wie ich hier mit dem Fall vorankomme."

Ally nickte. „Wo wohnen Sie denn?"

„Im Western Union Hotel."

„Ah, eine sehr gute Wahl, Mr. Barnes."

Sie lächelte ihn an und entfernte sich.

Barnes klopfte an. Nichts geschah, auch kein „Ja, bitte" oder „Herein".

Ein Deputy erschien aus einem der Büros zur Linken. „Gehen Sie einfach rein, er kennt das nicht anders!"

Barnes nickte und bedankte sich. Dann öffnete er die Tür und trat ein.

Das Büro des Sheriffs hatte eine recht angenehme Größe und war kühl temperiert. Hinter einem großen, braunen Schreibtisch hingen zahlreiche Dienstabzeichen und in der Mitte das Stadtwappen von Newberry. Auf der rechten Seite stand ein niedriges Regal mit allerlei Akten neben einem Wasserspender und einem Kopiergerät. Auf der linken Seite war ein Fenster, das einen Blick auf den hinteren Teil des Parkplatzes freigab, auf dem mehrere zivile Fahrzeuge und ein schwarzer Pick-up standen. In einem ausladenden Bürostuhl saß ein dickbäuchiger Sheriff in den fortgeschrittenen Fünfzigern mit Halbglatze und Oberlippenbart. Auf dem Kopf thronte eine Sonnenbrille. Der dicke Bierbauch des Mannes spannte deutlich das darüber liegende Uniformhemd. Unter den Achselhöhlen zeigten sich Schweißflecken. Der Sheriff sah auf und schob seine Lesebrille von der Nase. Dann erst erhob er sich schwerfällig. Hinter seinem Grinsen zeigten sich die gelben Zähne eines Rauchers. Er bedeutete Barnes, sich zu setzen, ohne diesem die Hand zum Gruß zu reichen, und ließ dabei die Uhr an seinem Handgelenk keinen Moment aus den Augen. Er wirkte ungeduldig. „Was kann ich für Sie tun?"

„Freut mich, Sie kennenzulernen, Sheriff Multrop."

Der Sheriff nickte träge. „So, so, aha, schön, schön." Multrop ließ sich schwerfällig in seinen Sessel zurückfallen, dabei gab der Bürostuhl ein Geräusch von sich, als wäre ein Sack Zement gerade vom Dachboden gefallen. „Und Sie sind Agent Barnes?"

Barnes nickte und zückte wiederum seinen Ausweis.

Der Sheriff verengte die Augen hinter seiner Lesebrille.

„Kurzsichtig?"

Der Sheriff sah ihn fragend an. „Wie bitte? Ach so, ja ein wenig."

Barnes konnte sich ein Grinsen nicht verkneifen, schließlich klappte er den Ausweis wieder zu und steckte ihn zurück in seine Tasche.

Der Sheriff wippte in seinem Stuhl vor und zurück, seine kleinen, feisten Hände verschränkte er vor dem Bauch. „Also gut, Agent Barnes, was führt Sie denn nun zu uns?"

Barnes griff in seine Tasche, holte den Paketschein heraus und hielt diesen hoch. „Deswegen."

Der Sheriff schien nicht sonderlich beeindruckt. „Was ist das?"

„Das ist ein Zettel."

Der Sheriff verdrehte die Augen. „Das sehe ich selbst."

„Genauer gesagt, handelt es sich dabei um einen Paketschein."

Sheriff Multrops Mund stand offen. „Ein Paketschein?"

Barnes nickte.

Der Sheriff wirkte gereizt. „Agent Barnes. Sie kommen den weiten Weg hierher nach Newberry, Michigan, und stehlen mir meine kostbare Zeit wegen eines Paketscheins?“

Barnes sah den Zettel an.

„Wie Sie ja bereits festgestellt haben, feiern wir dieses Wochenende ein großes Fest. Da würde ich heute gerne noch hingehen, wenn Sie nichts dagegen haben ...“

Barnes schnitt ihm das Wort ab. „... dieser Paketschein ist ein Beweisstück in einem brisanten Fall.“

Der Sheriff lächelte ein schiefes Grinsen.

„Ich brauche Ihre Hilfe, Sheriff!“

Die Miene des Sheriffs wirkte mittlerweile verkniffen. „Meine Hilfe?“ Er schielte wieder auf die Uhr.

Barnes nickte und schnippte den Zettel in Multrops Richtung.

„Was soll ich damit?“

„Vielleicht schauen Sie ihn sich mal etwas genauer an.“

„Ich weiß, wie ein Paketschein aussieht, Agent Barnes.“ Er war aufgestanden, öffnete einen in der Ecke stehenden Spind und legte sein Holster ab.

Barnes wurde ungehalten. „Sheriff, bitte!“ Er kramte wieder in seiner Tasche und holte ein Dossier heraus. Es war die Akte von Raymond Philips. Dann stand er auf und schlug die Akte dem Sheriff auf den Schreibtisch."

Dieser fuhr herum. „Was ist das jetzt wieder?“

„Das ist das Dossier eines Serienkillers.“

Multrop hielt inne. „Was hat das mit dem Zettel zu tun?“

„Es ist ein Paketschein und bevor Sie gleich wieder ausfallend werden, Sheriff, möchte ich Ihnen eine kleine Geschichte dazu erzählen."

Der Sheriff ignorierte ihn wieder und kramte weiter in seinem Spind herum. Als er begann, die Knöpfe seines Uniformhemdes zu öffnen, platzte Barnes der Kragen und er schlug mit der flachen Hand auf die Schreibtischplatte, so dass einige Familienfotos des Sheriffs umfielen. „SETZEN SIE SICH HIN!"

Der Sheriff wollte protestierten, vermied es aber, sich aus der Verantwortung zu stehlen. Mit halb offenem Hemd blätterte er das Dossier durch. Als er die Fotos von *du Mont, dem Reißer,* sah, musste er sich setzen und legte eine Hand vor den Mund. Er sah auf. Erst dann griff er nach dem Paketschein.

Barnes erzählte nun die Geschichte von der missglückten Festnahme über das Versagen einer Justizbehörde bis zum Tod von Chief Rawson.

„Philipe du Mont?" Das speckige Gesicht des Sheriffs war blass geworden.

Barnes nickte.

Der Sheriff atmete schwer. „Es tut mir leid wegen Ihrer Kollegen, Agent Barnes." Seine Stimme war jetzt zum ersten Mal ehrlich, nicht herablassend oder wie die eines Hinterwäldlers.

„Danke, Sheriff. Tut mir ebenfalls leid, dass ich Sie angeschrien habe."

Der Sheriff machte eine Handbewegung, mit der er das Geschehene einfach wegwischte. „Wir haben alle mal einen schlechten Tag, Agent Barnes." Seine Pausbacken glänzten im Sonnenlicht. „Und Sie glauben wirklich, dass irgendjemand hier in

Newberry eine Postsendung für diesen du Mont hinterlassen hat?"

Barnes nickte. „Wir haben herausgefunden, dass der Paketschein einen sogenannten ZIP-Code besitzt."

„Einen was?"

„Einen ZIP-Code."

„Was ist das denn?", hakte der Sheriff nach.

„Ein veraltetes Postleitzahlensystem, das nicht mehr verwendet wird."

Der Sheriff nickte. „Okay, okay, aber warum kommen Sie dann zu mir?"

Barnes schüttelte den Kopf. „Weil ich nicht einfach in Ihre Poststelle marschieren wollte, um mit einem FBI-Ausweis herum zu wedeln. Wie würden die Leute da wohl reagieren?"

Der Sheriff nickte wieder. „Sie haben ja recht." Er machte eine kurze Pause. „Ich glaube, Oaks Hattington könnte Ihnen weiterhelfen!"

„Wer ist das?"

„Unser Postmeister!", erwiderte der Sheriff. „Ich würde Sie ihm gerne vorstellen."

Barnes nickte. „Jetzt gleich?"

Der Sheriff nickte. „Es sei denn, Sie wollen Ihre Sachen erst ins Hotel bringen?"

Barnes packte die Unterlagen zusammen. „Ich will Sie nicht aufhalten, Sheriff!"

Multrop machte eine abwehrende Handbewegung. „Also dafür ist noch genug Zeit, immerhin scheint es Ihnen ja wichtig mit dem Fall zu sein!"

„Ist es, Sheriff, danke!"

*Im Haus von Oaks Hattington*

Barnes schätzte den farbigen Postmeister mit grauem Haar und Bart auf Anfang achtzig. Seine Augen wirkten müde, und sein krummer Rücken ließ viele Jahre harter Arbeit vermuten. ^
Oaks hatte es sich auf seiner Veranda mit einer Zeitung und einem Glas Limonade gemütlich gemacht, als der Streifenwagen des Sheriffs in seine Einfahrt fuhr. Der alte Mann hob schwerfällig den Kopf und eine Hand zum Gruß. „Hey Sheriff, welche Ehre, Sie in meinem Haus begrüßen zu dürfen!", rief Oaks mit einem Grinsen im Gesicht.

Der Sheriff nickte und zeigte auf Barnes. „Oaks? Das hier ist Agent Barnes vom FBI. Er kommt mit einer Bitte zu uns."

Oaks verengte die Augen. „Bitte? FBI? Okay, dann mal raus mit der Sprache." Die Männer gaben sich die Hände. „Agent Barnes, wollen Sie vielleicht eine Limonade? Aus eigener Produktion, selbstverständlich!"

Barnes lächelte. „Das wäre nett, danke. Heute ist echt ein schwitziger Tag." Er blinzelte zum Himmel, wo die Sonne, trotz vorgerückter Stunde, unentwegt herniederbrannte.

Sheriff Multrop räusperte sich. „Ich bin dann mal weg."

Barnes nickte und bedankte sich für die schnelle Hilfe.

Oaks grinste. „Grüßen Sie Ally und die anderen von mir, Sheriff!"

Die Limonade war fruchtig und kalt. Oaks saß Barnes gegenüber und sah ihn fragend an. „Also, was kann ich denn nun für Sie tun?"

Barnes reichte ihm den Paketschein, den der alte Postmeister sofort unter die Lupe nahm.

„Wo haben Sie den Schein denn her?“, fragte Oaks.

„Es ist ein Beweisstück in einem Fall, Mr. Hattington.“

„Sagen Sie einfach Oaks zu mir, junger Mann.“

Barnes nickte. „Ich bin Jack.“

Oaks strahlte.

„Er war der Meinung, dass Sie mir vielleicht helfen könnten, eine Sendung zu finden.“

Oaks lehnte sich zurück. „Wer?“

„Der Sheriff!“, antwortete Barnes.

„Ach so.“ Oaks Blick fiel wieder auf den Paketschein. „Sind Ihnen diese Zahlen auf der Rückseite ein Begriff?“

Barnes zog die Limonade durch den Strohhalm. „Natürlich. Es ist ein alter ZIP-Code.“

Oaks nickte. „Sie haben Ihre Hausaufgaben anscheinend gemacht, Jack. Sehr richtig. Dann wissen Sie doch sicherlich auch, dass dieser Code schon länger nicht mehr verwendet wird!“

„Natürlich. Deswegen bin ich hier, weil die Sendung in Ihrem Städtchen zu finden sein soll.“ Oaks Augen weiteten sich, dann lachte er los. „Hier in Newberry? Sie nehmen mich auf den Arm. Hierher verirren sich nur gelangweilte Großstädter.“

Barnes kaute auf der Unterlippe. „Es ist aber so.“

Oaks rieb sich die Nase. „Also wenn diese Sendung tatsächlich hier ist, dann kann sie nur im alten Postamt liegen. Im Museum, sozusagen."

Barnes kniff die Augen zusammen. „Im Museum?"

Oaks nickte wieder. „Genau. Es wird gerade restauriert."

Barnes blickte auf den Paketschein. „Also ich glaube nicht, dass der Schein schon so alt ist."

„Sagen Sie das nicht, Jack. Immerhin ist der Code schon eine Rarität."

„Dann lassen Sie uns hinfahren und es rausfinden!", schlug Barnes vor.

Doch der alte Postmeister schüttelte den Kopf. „Tut mir leid, das wird heute nichts mehr, Jack."

Barnes sah auf. „Wieso denn nicht?"

„Ich bin letzte Woche gestürzt und der Doktor hat mir untersagt, das Haus zu verlassen. Außerdem kommt nachher noch meine Tochter vorbei. Bleiben Sie doch zum Essen. Wir würden uns freuen!" Er sah Barnes die Enttäuschung an. „Das Museum läuft uns nicht weg. Es war die letzten einhundert Jahre dort und wird auch morgen noch da sein."

Barnes nickte. „Okay, dann also morgen." Er sah den alten Mann an. „Und zum Essen bleibe ich gerne!"

*Mitten in der Nacht in Newberry*

Die Sirenen schrillten durch die nächtlichen Straßen von Newberry und rissen Barnes aus einem tiefen Schlaf. Schnell krabbelte er aus dem Bett und sah auf die Uhr auf seinem

Mobiltelefon. Es war 4.22 Uhr. Hinter den Gardinen seines Hotelzimmers im Western Union Hotel flackerten Blaulichter. Als er die Gardinen beiseiteschob, um nach draußen zu sehen, rasten gerade mehrere große, rote Löschzüge der Feuerwehr nebst Begleitfahrzeugen vorbei. Es hatte geregnet und die Straßen waren nass. Jedes Mal, wenn die Einsatzfahrzeuge Pfützen trafen, schwappten Wassermassen auf die Bordsteine. Hinter dem Einsatzzug folgten ein Krankenwagen und zwei Streifenwagen des Sheriff-Departments. Barnes rannte ins Bad, als sein Mobiltelefon klingelte.

Es war der Sheriff. „Agent Barnes, sind Sie wach?"

„Jetzt schon. Was ist denn los, Sheriff?", fragte er aus dem Halbschlaf heraus.

„Sie sollten lieber herkommen. Das Museum brennt!"

Das Museum zu finden war in dieser Nacht nicht schwer, da alle Zufahrtsstraßen von der Polizei abgeriegelt worden waren und der Nachthimmel leuchtete. Auf dem Weg dorthin sah Barnes unzählige Menschen, die aufgeregt aus ihren Häusern strömten. Unterwegs wurde er von motorisierten Polizeibeamten überholt, die gleichzeitig als eine Art Eskorte fungierten. Als er den Ort des Feuers schließlich erreichte, stand das Gebäude bereits in einem flammenden Inferno. Die Feuerwehr war mit vielen helfenden Händen dabei, den Brandherd einzudämmen. Zum Glück war das Museum ein freistehendes Gebäude aus Backstein, so dass die Feuerwehr keine Probleme mit der Ausbreitung hatte. Trotzdem war die Hitze enorm und der Feuerschein so grell, dass sich Barnes eine Hand vor die Augen halten musste. Als er aus dem Auto stieg, sah er in einiger Entfernung Oaks neben seiner

Tochter stehen, die er am Vorabend beim Essen kennengelernt hatte. Aus den Augenwinkeln entdeckte er den Sheriff, der bei seinen Deputys stand und Anweisungen gab.

Als er Barnes sah, kam er zu ihm herüber. „Agent Barnes, da sind Sie ja!"

„Was ist hier los, warum brennt das Museum?", fragte Barnes mit bestürzter Miene.

Sheriff Multrop zuckte mit den Schultern. „Das wissen wir noch nicht. Ein Augenzeuge hatte den Brand gegen vier Uhr bei der Feuerleitzentrale gemeldet. Danach brach die Hölle los!"

Barnes drehte den Kopf wieder zu Oaks.

„Er ist kurz vor Ihnen hier eingetroffen. Ehrlich gesagt sind wir erleichtert."

Barnes sah den Sheriff fragend an. „Was meinen Sie damit?"

„Nun, er hat Ihnen doch sicherlich erzählt, dass das Museum derzeit restauriert wird, oder?"

Barnes nickte. „Ja, hat er."

Multrop zog sich seinen Hut tiefer ins Gesicht. „Weil er ab und an hier mithilft. Ist nicht gut für die Gesundheit. Seine Tochter hatte ihn mehrere Male gemeldet, weil er nachts hier herumgeturnt ist."

Ein Feuerwehrmann kam zu ihnen und bat die beiden, sich weiter vom Brand zu entfernen.

„Er ist nachts im Museum?"

Multrop nickte. „Ja, ab und zu. Er war hier jahrelang Postmeister, als das Amt schließlich geschlossen wurde."

„Er ist nicht mehr im Dienst?", fragte Barnes.

Der Sheriff nickte. „Oaks ist 82 Jahre alt. Aber er liebt seinen Job." Multrops Blick blieb bei Oaks haften. „Es muss für ihn ein Schock sein, das Gebäude jetzt brennen zu sehen."

„Aber was machen wir jetzt? Oaks hatte mir erzählt, dass die gesuchte Sendung möglicherweise im Museum zu finden sei."

Der Sheriff kratzte sich am Kopf. „Es tut mir leid, Agent Barnes, aber ich befürchte, dass Ihre Suche hiermit zu Ende ist!"

Barnes ballte die Hände zu Fäusten.

Im Hintergrund stürzte gerade das Dach ein und begrub alles unter sich. Tausende von Funken wurden in die Nacht geworfen, bevor der Wasserstrahl der Feuerwehr ihrem kurzen Leben ein Ende setzte.

Sheriff Multrop sah die Enttäuschung in Barnes Gesicht. „Falls wir etwas finden, halten wir Sie auf dem Laufenden!"

Barnes machte eine abwehrende Handbewegung. „Ach vergessen Sie's!" Dann drehte er sich um und ging zügigen Schrittes auf Oaks zu.

„Mr. Barnes, jetzt schauen Sie sich diese Katastrophe an!", sagte Oaks.

Barnes packte Oaks an der Schulter. „Erklären Sie es mir, Oaks, was ist hier passiert?"

Oaks sah seine Tochter an, die das Gesicht verzog. „Das Museum brennt, es ist verloren, das sehen Sie doch selbst!"

„Das meine ich nicht. Wieso brennt es ausgerechnet heute Nacht?"

Oakes Tochter mischte sich ein. „Mr. Barnes, ich muss doch wirklich bitten!"

Barnes beachtete sie nicht. „Das Gebäude ist doch sicherlich voller Chemikalien, oder?"

Oaks zuckte mit den Schultern. „Ja, sicher ist es das, aber ich weiß nicht, worauf Sie hinauswollen?"

„Diese Chemikalien eignen sich sehr wohl als Brandbeschleuniger."

„Kann sein, ich bin da kein Experte!", erwiderte der alte Postmeister.

„Warum haben Sie es getan?", wollte Barnes wissen.

Der alte Mann glotzte ihn an. „Ich glaube, Sie vergreifen sich im Ton, junger Mann!"

„Barnes!" Oaks Tochter wurde lauter.

„Sie wussten, dass ich nach einer Sendung suche, die hier versteckt sein könnte. Der Brand macht also jegliche Nachforschung damit zunichte."

„Das haben Brände nun mal an sich, Mr. Barnes."

Barnes packte Oaks am Arm.

Der Sheriff kam hinzu und beruhigte alle Beteiligten.

„Mein Vater war die ganze Nacht zu Hause. Er hat den Brand nicht gelegt, Mr. Barnes, das müssen Sie mir glauben!"

Barnes war sehr aufgebracht.

„Mr. Barnes, ich glaube, es reicht jetzt!", mahnte der Sheriff. „Sie fahren jetzt besser zurück ins Hotel!"

Doch der FBI-Agent wollte rebellieren.

„Gehen Sie, Mister, oder ich nehme Sie in Gewahrsam!"

Endlich beruhigte sich Barnes, als gerade der Rest des Gebäudes in sich zusammenstürzte.

***

Auch der nächste Morgen brachte keine Klarheit, da die Feuerwehr sehr darauf bedacht war, niemanden unbefugt an den Ort des Geschehens zu lassen. Barnes fühlte sich schlecht, denn er war mit seiner Suche wieder am Anfang. Der Paketschein war nutzlos geworden und er hatte einem Menschen womöglich Unrecht getan. Als sein Mobiltelefon klingelte, bestätigte sich dieses Unrecht, denn die Polizei war am Telefon und bat ihn darum, ins Krankenhaus zu kommen.

„Was ist passiert?", fragte Barnes, als er zur Notaufnahme hereinkam.

Der Sheriff und Oaks Tochter standen gesenkten Hauptes beieinander.

„Sie!", schrie die Tochter und der Sheriff hatte Mühe, sie davon abzuhalten, Barnes an die Gurgel zu gehen.

„Oaks ist irgendwie ins Gebäude geschlichen und hat nach Ihrer Sendung gesucht!"

Barnes Augen weiteten sich. „Was? Wie?"

Der Sheriff beruhigte ihn. „Das wissen wir noch nicht."

„Wie bitte? Ist er verrückt geworden?", fragte Barnes wieder.

Oaks Tochter schluchzte und wurde von einem Deputy ins Nebenzimmer gebracht.

„Verdammt noch mal!" Barnes schlug die Hände über dem Kopf zusammen. Dann drehte er sich wieder um. „Ist er ...?"

Der Sheriff schüttelte den Kopf. „Er lebt, Gott sei Dank. Ein Teil eines Querbalkens ist ihm auf den Kopf gefallen. Gut, dass die Feuerwehr noch in der Nähe war."

Barnes setzte sich. „Der verdammte Narr."

Multrop stemmte die Hände in die Taille.

„Oaks ist ein sturer Hundesohn. Er wird es überleben!"

„Ich habe ihm Unrecht getan. Kann ich zu ihm?"

Multrop verneinte das. „Tut mir leid, die Ärzte lassen das nicht zu." Er machte eine Pause. „Vielleicht ist es das Beste, wenn Sie uns jetzt verlassen, Agent Barnes!"

# Kapitel 7

*Anwesen der Familie Taylor*

Marton Taylor war ein hoch angesehener, aber auch gefürchteter Staatsanwalt, der notfalls über Leichen ging und dessen Forderungen nach Strafen sich immer höher in den Himmel schraubten. Er war skrupellos und korrupt, Eigenschaften, die er früher schon besessen hatte, als er in einer Kanzlei für Wirtschaftskriminalität gearbeitet hatte. Diese Kanzlei war eine Top-Adresse für jene, die sich lieber abseits der Legalität bewegten und sich im Schattendasein des Staates, der Justiz und der Finanzverwaltung eine goldene Nase verdienten. Der klägliche Versuch einer Lokalzeitung, der Kanzlei Machenschaften mit der Mafia nachzuweisen, endete mit dem Tod aller Beteiligten. Nach Einstellung der Ermittlungen stieg Taylor in der Hierarchie des Staates weiter auf. Die Stelle des neuen Staatsanwalts war da nur eine Frage der Zeit. Damit war der Weg dann endlich frei – für eigene Gesetze, mehr Macht und noch mehr Reichtum im Überfluss. Sein Anwesen lag in einem der vornehmsten Viertel der Stadt, wo ausschließlich hoch angesehene Familien lebten. Zu seinen Nachbarn zählten Prominente aus Film und Fernsehen, Politiker, stinkreiche Unternehmer, Mitglieder des Stadtrats und natürlich der Bürgermeister. Sie alle trugen ihren Prunk in die Öffentlichkeit, ohne Rücksicht auf Verluste. Dass diese Systeme wunderbar funktionierten, wie kein anderes Organ in der Stadt, war einem Heer von Niedrigverdienern zu verdanken, meist Mexikanern und Kubanern, die sich fast alle illegal im Land aufhielten und darauf hofften, durch eine ehrliche Arbeit dauerhaft bleiben zu können.

Die Außenfassade glänzte in weißem Marmor, der dem unbeständigen Wetter in der Gegend am besten trotzte und eine lebenslange Garantie besaß. Neben dem Haupthaus gab es Stallungen für Taylors Pferdezucht, zwei Gästehäuser, zwei Tennisplätze, einen großen Park mit alten Bäumen und eine Poollandschaft, die einem römischen Bad nachempfunden war. Drumherum zog sich ein noch höherer Zaun, der die Welt der Reichen von der Welt der Mittelmäßigkeit abschottete. Dafür sorgte der private Sicherheitsdienst, ein Service, der im Grunde unverzichtbar war, wenn es um das Wohl seiner Familie ging.

***

Der Clown mit den bunten Ballons stand vor der Haustür der Taylors und fiel auf wie ein bunter Hund. Hinter seiner lustig und fröhlich wirkenden Fassade verbargen sich Finsternis und Kälte. Er grinste wie ein zurückgebliebenes Kind, als er die Klingel betätigte. Es dauerte einen Moment, ohne dass sich der Clown von der Stelle bewegte. Dann öffnete ihm eine junge Frau im Outfit eines Zimmermädchens, mit schwarzer Strumpfhose und schwarzem Rock. Auf dem Kopf trug sie ein weißes Häubchen, das ihre zusammengebundenen Haare fixierte. Der Blick des Clowns haftete auf der Strumpfhose und dem Rock, der ihre Weiblichkeit nur spärlich verdeckte. Ein Speichelfilm sammelte sich im Mundwinkel, als sein gieriger Blick weiter abwärtsfuhr und von den Schuhen wieder in ihr zartes Gesicht fand. Er schluckte, als sie seine Blicke zu bemerken schien, und setzte schnell wieder das kindliche Lächeln auf.

„Ja, bitte, was wünschen Sie?"

Der Clown lächelte immer noch.

„Kann ich Ihnen irgendwie helfen?"

Der Clown nickte und ließ einen der bunten Ballons frei.

Der Blick der jungen Frau folgte diesem zum Himmel.

„Ich bin der Clown, den Mr. Safetti angekündigt hat."

Die Frau runzelte die Stirn. "Mr. Safetti?"

Der Clown nickte.

„Sie wurden mir vom Sicherheitsdienst nicht angemeldet. Wie sind Sie denn am Torhaus vorbeigekommen?"

Der Clown grinste gruselig. „Mit dem Spaßmobil, den Rest zu Fuß."

Er machte einen Ausfallschritt und ihr Blick fiel auf ein kleines, buntes Spaßmobil, das über und über mit bunten Ballons und Clowns bemalt war.

Die Kälte, die von dem Clown ausging, schien der jungen Frau Angst zu machen, denn er bemerkte eine leichte Gänsehaut auf ihrem Unterarm.

„Oh, äh, in Ordnung, einen kleinen Moment. Ich rufe kurz den Butler."

Der Clown bewegte sich nicht. „Das wäre sehr nett von Ihnen, Miss."

Sie warf ihm noch einen kurzen Blick zu, dann war sie fort.

Einen Moment später stand ein älterer asiatischer Mann mit grauem Haar vor ihm, der, anders als das Zimmermädchen, eine ernste Miene aufgesetzt hatte.

Sie klärte ihn kurz über den Besucher auf, dann scheuchte er die junge Frau fort. „Sie wünschen?“

„Ich bin der Clown.“

Der Butler nickte. „Sie kommen im Auftrag von Mr. Safetti? Gut, gut.“ Er sah auf die Uhr. „Tut mir leid, aber Sie sind viel zu früh.“

Der Clown erwiderte nichts und grinste den Asiaten weiter an, dann zuckte er mit den Schultern.

Der Butler runzelte die Stirn. „Reden ist wohl nicht gerade Ihre Stärke, was?“

Der Clown reagierte immer noch nicht, entließ stattdessen einen weiteren Ballon in die grenzenlose Freiheit.

Auch der Butler sah dem Ballon nach, dann zuckte er mit den Schultern. „Ich sage Mr. Taylor, dass Sie da sind. Warum schickt uns Mr. Safetti immer solche komischen Typen?“

Der Clown sah ihn fragend an, dabei verfestigte sich sein Griff um die Schnüre, welche die restlichen Ballons beieinander hielten.

„Ein tolles Kostüm haben Sie da. Ich für meinen Teil mag keine Clowns, aber Mrs. Taylor hielt es nun mal für eine gute Idee!“

Der Clown setzte kurz ein trauriges Gesicht auf und wischte sich mit der anderen Hand imaginäre Tränen fort. Dann zuckte er wieder mit den Schultern, bevor das Lächeln zurückkehrte und er seine weißen Zähne zeigte.

„Hat Mr. Safetti nur einen Clown geschickt?“

Der Clown grinste dumm, dann nickte er, ohne ein weiteres Wort über die Lippen zu lassen.

„Ich hoffe, Sie haben ein paar gute Tricks auf Lager, die kleine Ella ist ziemlich anspruchsvoll“, entgegnete der Butler.

Der Clown legte den Kopf auf die Seite und klimperte mit den Augen.

Der Butler fand das sehr ermüdend und machte eine abwertende Handbewegung. „Also gut, dann bringe ich Sie mal zum Schauplatz Ihres Wirkens!“

Der Clown stand nur da und glotzte wie eine hässliche Spinne, die ihre Beute bereits ausgespäht hatte und nur auf den richtigen Moment wartete ...

*FBI-Außenstelle*

Agent Barnes staunte nicht schlecht, als er Sheriff Multrop wiedersah, der ihm eine Metallkassette präsentierte, die die Feuerwehr in den Untiefen des zerstörten Museums gefunden und die die enorme Hitze des Feuers tadellos überstanden hatte.

„Agent Barnes, ich habe Ihnen hier etwas mitgebracht!“

Barnes triumphierte innerlich. „Wo haben Sie die denn her?“

„Wir haben die Kassette im Museum gefunden!“

Barnes drehte das Objekt hin und her. Dann sah er auf. „Und wie geht es Oaks?“

Der Sheriff nahm seine Mütze ab und setzte sich hin. „Schon besser, danke, und Sie hatten recht!“

Barnes drehte den Kopf. „Was meinen Sie?“

„Ihr Verdacht, dass Oaks etwas damit zu tun hatte!“

Barnes setzte sich ebenfalls. „Und?“

„Wir haben ihn befragt, und er hat gestanden, dass er die Sendung für Sie suchen wollte. Wegen der Restaurierung gab es kein Licht. Irgendwie sind ihm wohl die Farben und Lacke in die Quere gekommen. Im Sicherungskasten war ein Kabelbrand entstanden und als er das Licht einschalten wollte, ist es passiert!"

Barnes lehnte sich zurück. „Er hat also sein eigenes Museum abgefackelt?"

„Ja, irgendwie schon."

Barnes Blick fiel wieder auf die Kassette. „Gut, dann wollen wir doch mal sehen, was sich darin befindet."

Multrop erhob sich. „Was brauchen Sie?"

Barnes verließ kurz das Büro und kehrte dann mit einem Hammer und einem Brecheisen zurück. Zwei energische Hiebe später und der Deckel gab nach. Im Innern entdeckten sie einen Gegenstand, der in ein schwarzes Tuch gehüllt war. Barnes entrollte das Tuch und zum Vorschein kam ein kunstvoll geschnitztes Etui, das ein seltsames Messer beinhaltete.

„Was ist das denn?", fragte Multrop interessiert.

Barnes lächelte. „Das ist ein X-Bay!"

„Was ist ein X-Bay?", erkundigte sich der Sheriff.

„Ein ganz besonderes Messer, von hohem Wert. Sehen Sie sich die kunstvollen Verzierungen hier an!"

„Ist das ein Sammlerstück?", fragte Multrop wieder.

Barnes schüttelte den Kopf. „Ich denke es ist eine Botschaft!"

Multrop rieb sich die Nase. „Eine Botschaft?"

Barnes nickte. „Eine Botschaft, die nur der Empfänger lesen kann!"

„Okay, Sie machen das aber spannend!", erklärte der Sheriff.

Barnes sah auf. „Dieses Messer ist nicht umsonst da drin."

Der Sheriff runzelte die Stirn. „Woran denken Sie?"

„An ein Geheimnis, Sheriff, was wir lüften müssen!"

*Kriminaltechnische Abteilung des FBI*

Das Rasterelektronenmikroskop piepte und zeigte damit an, dass der Scan des X-Bays beendet war. Der zuständige Laborant nahm das kunstvolle Messer vorsichtig aus der Abdeckung und gab dem Metallurgen des FBI, Dr. Kendrick, ein Zeichen, der sich gerade in einem Gespräch mit Agent Barnes befand. „Ah, wie ich sehe, ist der Scan endlich vorbei."

„Hat ja auch lange genug gedauert."

Dr. Kendrick überflog kurz die Daten auf den nahestehenden Monitoren. Noch immer flimmerten unzählige Datenströme über den Bildschirm. Kendrick drückte einige Tasten und eine dreidimensionale Grafik erschien.

Barnes sah dem Metallurgen über die Schulter. „Und? Was hat die Analyse gebracht, Doktor?"

Dr. Kendrick sah auf. Seine müden Augen wirkten fast spöttisch, aber auch enttäuscht. „Das X-Bay ist sauber!"

Barnes sah ihn an. „Wie, sauber?"

„Ihr Beweisstück weist in der Zusammensetzung keine Auffälligkeiten auf. Das ist schon mal sicher." Er drückte ein paar Tasten und betrachtete den Bildschirm.

„Es besteht aus mehreren Lagen feinstem Damaszenerstahl und zu einem Drittel aus Mammit."

„Mammit?", fragte Barnes und runzelte die Stirn.

Der Metallurge lächelte und verwies auf die Oberfläche der Klinge. „Sehen Sie diese Marmorierung? Es sind individuelle Verzierungen, die durch das Ätzen der Klinge zustande kommen, nachdem man die Damaszenerstahllagen langsam übereinander geschmiedet hat. Das Mammit ist eine Verbundsubstanz, die zwischen den Damaszener geschmiedet wird."

„Also eine Art von Kleber?"

Der Metallurge schüttelte den Kopf. „Um Gottes willen, nein. Das Mammit macht die Klinge härter."

Barnes runzelte die Stirn. „Noch härter als der Damaszenerstahl?"

Kendrick nickte.

„Von so einem Mammit habe ich noch nie etwas gehört."

„Das kann ich mir vorstellen, Agent Barnes. Das Mammit ist ein sehr teures Material und wird eigentlich nur bei sehr edlen Messern eingesetzt. Es ist im Grunde eine biologische Substanz."

Barnes unterbrach Kendrick mit einer Handbewegung. „Eine biologische Substanz?"

Kendrick nickte. „Ja, genau. Sehen Sie es als eine Trägersubstanz, mit der Sie diese Marmorierung hier verändern können."

Barnes stockte der Atem. „Also reden wir hier von einer Veredelung?"

Kendrick nickte. „In gewisser Weise, ja."

„Aber worin liegt da der Sinn?"

„Nun, der Sinn ist doch ganz einfach, Agent Barnes. Der Damaszenerstahl ist ein sehr edles Material, das durch besondere Schmiedekunst im Endprozess, der Ätzung, eine bestimmte Marmorierung erhält, die jedes Mal anders ist. Nun ist es möglich geworden, durch den Einsatz des Mammits diese Marmorierung zu individualisieren. Dadurch wird das Messer einzigartig. Das ist für Sammler wichtig und treibt den Preis in die Höhe. Es gibt Messer auf dem Markt, die sind im Grunde unbezahlbar geworden."

Barnes ging ein Licht auf. „Was muss man denn tun, um diese Veränderungen hervorzurufen?"

„Das hängt von der Konzentration des Mammits ab, Agent Barnes. Eine hohe Konzentration hat Einfluss auf Schärfe und Härte der Klinge. Eine Veränderung der Marmorierung fällt hier sehr leicht, sagen wir durch Hitze oder eine besondere Kältebehandlung. Bei einem niedrigen Anteil ist es dann genau umgekehrt. Hier bräuchten Sie schon eine hoch konzentrierte Säure, um die Marmorierung zu beeinflussen." Kendrick kaute auf der Unterlippe. „Bei einer mittleren Konzentration müsste man sehr vorsichtig sein. Eine Veredelung bedeutet hier ein gewisses Risiko, aber ich denke, dass bereits eine schwache Säure oder gar eine PH–Wert-Veränderung ausreichen würde."

Barnes hielt inne und sah auf. „Wie bitte, eine PH-Wert-Veränderung?"

Kendrick nickte.

„Wie im Blut zum Beispiel?"

Kendrick verengte die Augen. „Zum Beispiel, ja. Worauf wollen Sie hinaus?"

Barnes spielte mit einem Kugelschreiber. „Das ist das Messer eines Mörders, Doktor."

*Anwesen der Familie Taylor*

Ella Taylor feierte heute ihren dreizehnten Geburtstag und ihr Vater hatte zahlreich eingeladen. Zweihundert Gäste, vornehmlich Freunde, Nachbarn und Geschäftspartner, die ebenfalls mit Kind und Kegel angereist waren. Unter einem riesigen Sonnensegel aus ägyptischer Seide fanden die Gäste ausreichend Schatten und zugleich das überladene Buffet. Doch das war Taylor noch nicht genug; so hatte ihr Vater mal eben die Band „Hightop“ aus Los Angeles einfliegen lassen, die bei seiner Tochter gerade ganz hoch im Kurs stand.

Derweil saß der Clown mit den bunten Luftballons noch immer in der Personalküche und glotzte durch ein riesiges Panoramafenster auf die vielen Vorbereitungen. Nebenbei bediente er sich an den vielen Leckereien, die im Kühlraum für den großen Moment zwischengelagert wurden. Er hatte einen guten Platz, wenn es darum ging, den vielen hübschen Zimmermädchen unter die Röcke zu schielen. Er lechzte förmlich nach einem kleinen Techtelmechtel mit ihnen und so rieb sich der Clown schon in weiser Voraussicht die behandschuhten Hände. Speichel tropfte ihm aus dem Mundwinkel, wenn er nur daran dachte, was er alles mit ihnen anstellen und wie er seine Macht über sie am besten ausspielen konnte.

Genau in diesem Moment ging die Tür zur Nebenküche auf und Marton Taylor kam herein. Seinem Gesichtsausdruck nach zu urteilen wirkte er gestresst. „Sie sind also der Clown, den sich meine Frau gewünscht hat?“

Der Clown nickte.

Taylor musterte den Kerl mit den Luftballons. „Aha, und was macht Sie so besonders? Haben Sie super Kunststücke im Repertoire, oder was?"

Der Clown hielt einen behandschuhten Finger vor die Lippen. „Das ist eine Überraschung. Wir wollen uns doch nicht die Vorfreude kaputtmachen, oder?"

Taylor nickte. „Da haben Sie natürlich recht. Gut, gut, wir werden ja sehen, wie gut Sie wirklich sind. Ich zahle Mr. Safetti eine Stange Geld für Ihren Auftritt, da rate ich Ihnen, besser als gut zu sein!"

Der Clown stand nur da und lächelte. „Ich bin mir sicher, Sie werden mich mögen."

„Na, soweit lassen wir es besser nicht kommen." Er machte eine Pause. „Okay, okay. Haben Sie vielleicht einen Namen, mit dem ich Sie ansprechen kann? Herr Clown hört sich irgendwie albern an."

Der Clown lächelte immer noch. „Nennen Sie mich Tobe, einfach Tobe, Sir!"

Taylor nickte. „Okay, Tobe. Haben Sie alles, was Sie brauchen?" Taylors Fürsorglichkeit stand ihm irgendwie nicht.

Der Clown nickte.

„Hat Mr. Safetti Sie instruiert?"

Der Clown hörte mit dem Nicken nicht mehr auf und wirkte wie ein Wackeldackel auf der Ablage.

„Gut, dann sehen wir uns nachher, Tobe. Ich bin echt gespannt, wie gut Ihre Show wirklich ist!"

Das Lächeln des Clowns erstarb.

Im Rausgehen drehte sich Taylor noch einmal um. „Dass Sie mir keinen Scheiß bauen!“

Als Tobe der Clown, wieder allein war, fletschte er die Zähne ...

*In der Gerichtsmedizin*

Dr. Parson wirkte nachdenklich, als ihn Barnes auf die PH-Wert-Veränderung ansprach.

„Also es ist durchaus möglich, den PH-Wert des Blutes zu verändern, allerdings gibt es dafür unterschiedliche Ursachen. Der PH-Wert gibt ja nur an, wie sauer eine Lösung ist. Andererseits verfügt der Körper auch über ausreichend Möglichkeiten zur Regulation.“

„Was sind denn die vordringlichsten Ursachen?“

„Im Grunde ist diese Frage schwer zu beantworten. Da gibt es Kreislaufstörungen, Störungen des Säure-Basen-Haushalts, Störungen der Atmung, Fieber etc.“

„Okay, wie sieht es denn mit erhöhtem Stress oder gar Angst aus?“

„Nun, die Stresshormone Cortisol und Adrenalin führen zu einer Übersäuerung, da es durch eine Belastung schnell dazu kommen kann, dass eine Atmung ineffektiv wird, d. h., Stoffe wie Kohlendioxid und Sauerstoff aus dem Gleichgewicht geraten. Das Blut wird zu sauer, was man eine Azidose nennt, also ein niedriger PH-Wert. Der umgekehrte Fall - also PH-Wert zu hoch, kurz Alkalose - tritt meist durch eine Hyperventilation auf, also eine Überbelüftung der Atmung durch zu kurze und flache

Atemzüge. Im Grunde sind das schon Anzeichen für Angst, aber eben nur eine von vielen Ursachen."

Barnes nickte.

„Wenn also eine mögliche Angstreaktion im Gewand einer PH-Wert-Veränderung Einfluss auf das Mammit nimmt, was, glauben Sie, werden wir dann in der Marmorierung sehen?", fragte Dr. Kendrick.

„Wie Sie wissen, hege ich den Verdacht einer geheimen Botschaft." Barnes blieb zielstrebig.

„Wie wollen Sie denn eine solche Angstreaktion konstruieren?", fragte Dr. Parson.

„Die Angst vor dem Tod ist die größte Angst", antwortete Barnes. „Wir brauchen eine wirklich reale Situation." Er sah zu Parson, der auf einem Bleistift kaute.

„Hm, der einzige Ort, wo wir dies testen könnten, wäre in einem der Schlachthäuser der Stadt. Die Schweine dort riechen den Tod, ihre Körper werden einer massiven Stresssituation unterzogen. Ihr Blut wird kochen."

„Okay, muss es denn gleich so extrem werden, Doktor?" Barnes wurde blass.

„Na ich glaube nicht, dass Sie extra jemanden dafür umbringen wollen."

Barnes schüttelte den Kopf.

„Ich bin Vegetarier, meine Herren. Ich bin damit raus. Schlachthäuser sind echt nichts für mich." Dr. Kendrick hob abwehrend die Hände.

„Also gut, Doktor. Dann machen wir es so."

Parson war auch nicht ganz wohl bei dem Gedanken, aber er wollte Barnes nicht allein gehen lassen. „Also gut, dann nur wir zwei."

„Halten Sie mich aber bitte auf dem Laufenden!", bat der Metallurge.

*Anwesen der Familie Taylor*

Während die Band Hightop mit ihrem schrägen Singsang in die Vollen ging und die Massen begeisterte, wanderte Tobe, der Clown durch die Menge und verteilte seine bunten Ballons an freche Kids, elegante Damen mit ausladenden Ausschnitten und knackigen Ärschen, sowie an alle anderen, die dem Rattenfänger in den Tod zu folgen gewillt waren. Hinter der roten Nase und dem weiß gepuderten Gesicht verbarg sich die Seele eines Monsters, das nur auf den richtigen Moment wartete, um alle in seiner Gegenwart auszulöschen. Das Buffet war mit leckeren Speisen übersät und in keiner Weise mit dem Fraß aus der Personalkantine vergleichbar. Marton Taylor hatte ein gutes Händchen bewiesen, aber Tobe wollte nicht wissen, wie viele Hände bis dato geschmiert worden waren, damit Taylor da war, wo er jetzt stand. Tobes Blick sprach Bände, als er den fetten Bürgermeister sah, der sich gerade über die feinen Speisen hermachte, damit die Wampe weiterwuchs und er ausreichend Gelegenheit bekam, den Frauen in den Ausschnitt zu glotzen.

Dann endlich kam Tobes großer Auftritt und er wurde auf die Bühne gerufen. Das Klatschen der Zuschauer war mäßig bis mager, doch der Clown gab sich alle Mühe und vollführte jede

Menge Zaubertricks und Kunststückchen, die ein paar Lacher zur Folge hatten. Dann jonglierte er mit bunten Bällen, erzählte Witze und sang lustige Lieder. Während dieser kurzen Showeinlage behielt ihn Taylor genau im Auge und sah ab und an zu seiner Tochter hinüber, die die Show ganz langsam zu ermüden schien.

Auch für Tobe war es nicht ganz einfach, war er doch im Lustig-Sein nicht in seinem Element. Er war der Herr der Schmerzen, in seiner Welt existierte die Freude nicht, nur unendliches Leid. Er wusste, dass es einfacher war, die Leute zum Heulen und Flehen zu bringen als zum Lachen. Wie oft hatten seine Opfer geweint und geschrien, wenn sie sich der Gewissheit gegenübersahen, dass sie sterben würden. Doch Tobe grinste und zog alle Register seines Könnens, denn er wusste, dass sein großer Auftritt zu später Stunde noch kommen würde. Als die ersten Pfiffe kamen, verbeugte er sich, entließ die Ballons in den Nachthimmel und schlurfte von der Bühne.

*Im örtlichen Schlachthaus*

Die Szenerie war unbeschreiblich, hässlich und auf infantile Weise grauenhaft. Agent Barnes war über lange Jahre ein hart gesottener Polizist gewesen - das dachte er zumindest. Doch jetzt sah er sich mit etwas konfrontiert, das ihm als Hundebesitzer Tränen in die Augen trieb. Sein Herz blutete. Doch um zu erfahren, ob er mit seiner Theorie des X-Bays richtiglag, mussten sie sich zu einem Ort des Todes begeben, wo die Luft zum Schneiden war. Die Angst war allgegenwärtig und greifbar. Der Gestank der Exkremente unerträglich. Die Tiere, die hier zur Schlachtbank getrieben wurden, waren überwiegend hysterisch kreischende und quiekende Schweine, aber auch ein paar ausgedörrte Kühe befanden sich darunter, deren müde Augen von den Strapazen trübe, fast blind geworden waren. Die Schweine dagegen waren so fett gemästet worden, dass sie kaum laufen konnten. Die Panik stand den Tieren ins Gesicht geschrieben, konnten sie die Angst doch ebenfalls riechen. Schnell dachte Barnes an Woody, seinen Hund, wie sensibel er immer gewesen war und wie dem Tier die Traurigkeit ins Gesicht geschrieben war, nachdem Elly verstorben war. Tagelang hatte der Hund getrauert, sich dabei tief in ihren Sachen vergraben, bis die den Geruch verloren hatten.

Die Tiere standen in einer Reihe hintereinander gepfercht und warteten auf ihr Ende durch den Bolzenschuss. Er wusste, dass diese Art der Tötung schnell vonstattenging, aber eben auch nicht immer sofort funktionierte. Wieder kam ihm das Tötungsspiel in den Sinn, wie auch dort die Opfer wie Lämmer zur Schlachtbank getrieben wurden. War dieses perverse Spiel etwa eine Abart des Schlachtens?

Dr. Parson kniff Barnes in den Arm und holte diesen aus seiner Lethargie. Das Schreien der Metzger, der dumpfe Knall des Bolzens, der gegen die Schläfen der Tiere getrieben wurde, und der ohrenbetäubende Lärm der fast wahnsinnig gewordenen Tiere offenbarten ihm die wahre Hölle.

Der Chefmetzger, ein überaus fetter Mann ohne Hals, war sichtlich genervt, kamen doch Parson und Barnes gerade heute, wo so viel zu tun war, eher ungelegen. Dies änderte sich, als Barnes ihm seine FBI-Marke vor die Nase hielt.

„... und um was geht es hier jetzt genau?", schrie er in den ohrenbetäubenden Lärm hinein. Der Mann war widerwärtig, sein Gesicht rot wie eine Tomate und die Nase triefte vor Rotz.

„Das geht Sie nichts an!", erwiderte Barnes und ballte eine Faust in der Tasche.

Der Metzger verengte die Augen, setzte eine trotzige Miene auf und wurde unverschämt, was Barnes gerade recht zu kommen schien.

„Sie kommen hier so einfach reingestiefelt und stören uns bei der Arbeit. Wir können den Prozess nicht verzögern. Die Tiere registrieren jede Veränderung." Der Schweiß tropfte ihm aus allen Poren.

„Es ist mir ehrlich gesagt scheißegal, wie Sie das finden. Das hier ist eine Bundesangelegenheit. Sie können sich gerne später beim FBI beschweren, wenn Sie wollen." Barnes trat näher an das fettige Gesicht heran. „Und kommen Sie mir jetzt nicht mit Ihrem ach so großen Herz für Tiere! Da wird mir schlecht, Mister!"

Barnes Miene war gestresst und das merkte auch der Fettsack, der wie ein Dampfross schnaufte. Schließlich lenkte er ein. „Also gut, was können wir für Sie tun?"

Parson mischte sich ein. Er sah zu Barnes und dieser nickte. „Wir müssen einen Test machen."

Der fette Metzger runzelte die Stirn. „Was wollen Sie denn testen?"

Barnes zog das X-Bay aus der Tasche und entblößte es vor dem Fettsack.

Dieser hob daraufhin abwehrend die Hände. „Wow, wow, Mister, was soll das jetzt?"

„Das ist der Test!"

„Okay, aber was genau haben Sie vor?"

„Wir brauchen dafür ein Tier!", erwiderte Parson.

Barnes mischte sich schnell ein. „Nun, es ist im Grunde ganz einfach. Wir testen das Messer an einem Tier, das kurz zuvor durch den Bolzen getötet wurde."

„Wie bitte?" Der Metzger schüttelte den Kopf. „Tut mir leid, das kann ich nicht erlauben!"

Barnes und Parson sahen den Mann fragend an.

„Warum nicht?", fragte Barnes.

„Weil es viel zu gefährlich ist!"

„Das Risiko gehen wir ein."

Der Metzger schüttelte wieder den Kopf. „Tut mir leid, meine Herren, das ist eine Werksvorschrift!"

Barnes blickte zu Parson und dieser zuckte mit den Schultern. „Also gut, dann macht das halt einer Ihrer Mitarbeiter. Aber es muss direkt nach dem Bolzen passieren!"

Der fette Metzger sah den FBI-Agenten durchdringend an. „Sind das jetzt die neusten Methoden von euch Bundesermittlern?" Seine Frage triefte nur so vor Sarkasmus.

Barnes lächelte schief. „Sie haben Bedenken, okay, akzeptiert!" Nun trat er dem fetten Typen auf die Füße, dass dieser schmerzhaft das Gesicht verzog. „Aber Sie werden es trotzdem machen!"

Der Metzger stemmte die speckigen Arme in die Hüften. „Ach ja? Das hier ist mein Job. Ohne uns hätten die braven Menschen da draußen nicht ihr saftiges Steak in der Kühltruhe." Der Metzger grinste triumphierend und zog mit dem X-Bay ab.

Einen Augenblick später ging das nächste, quiekende Schwein durch den Bolzen zu Boden und der vorstehende Metzger rammte das X-Bay bis zum Schaftansatz in den Rücken des Tieres. Triefend vor Blut zog er es wieder heraus und übergab es sogleich an Parson und Barnes. Schnell zeigte sich die erhoffte Reaktion des Mammits und die Marmorierungen auf der Klinge verschwammen. Der chemische Prozess endete in einer Ansammlung aus Kreisen und Windungen und schließlich mündeten diese in einer Abfolge aus kryptischen Zahlen.

Parson hob den Kopf. „Sie hatten recht! Es hat tatsächlich funktioniert!"

Barnes konnte den Blick auf die Klinge nicht abwenden. „Und was bedeutet das jetzt?"

Parson kaute auf seiner Wangeninnenseite. „Ich bin kein Experte, aber diese Zahlen sehen kryptisch aus. Sie müssen eine Bedeutung haben." Er überlegte. „Wir müssen uns das hier übersetzen lassen."

Barnes nickte. „Das sehe ich genauso. Fahren wir zurück zum FBI!"

## Kapitel 8

*FBI-Außenstelle*

Samantha Warner war die stellvertretende Direktorin des FBI in der Stadt und gleichzeitig erste Anlaufstelle im Fall von Raymond Philips. Nach dem gewaltsamen Tod von Chief Rawson und dem Wechsel von Jack Barnes zum FBI, war der Fall vollständig in die Hände der Bundesbehörde übergegangen. Um mehr Fahrt in den Fall zu bringen, hatte die oberste Stelle entschieden, Mrs. Warner hinzuzuziehen.

Warner war in ihrem Metier als sehr kaltschnäuzig bekannt, was sie unberechenbar machte, vor allem wenn es um das Erreichen von Zielen ging. Sie war verheiratet und wohnte in einem schmucken Stadthaus. Ihr Aufstieg beim FBI war beispiellos. Dass man gerade sie ausgewählt hatte, musste eigentlich für sich selbst sprechen, lief doch die Bundesbehörde schon seit zehn Jahren einem Fall hinterher, dem sich rein gar nichts entlocken ließ. Nun gab es Hinweise, die vielversprechend waren, und es kam endlich Bewegung in die Sache.

Warner saß in ihrem Sessel vor dem Schreibtisch in ihrem Büro, kaute auf dem Ende eines Bleistifts herum und blickte auf einen Zettel voller Zahlen und Kombinationen, die der FBI-Computer in den letzten vierundzwanzig Stunden ausgespuckt hatte. Vor ihrem Schreibtisch saßen Dr. Parson und Agent Barnes.

Die Lippen von Mrs. Warner bewegten sich leicht und nur ab und an kamen ihre strahlend weißen Zähne zum Vorschein. Sie sah auf. „Was bedeutet dieser Zahlensalat?"

Barnes räusperte sich. „Wir nehmen an, dass es sich hier um Koordinaten handelt, Mam."

Sie nickte. „Koordinaten?"

Die beiden Männer nickten ebenfalls.

„Und wo geht die Reise hin?"

„Die Adresse ist im Bundesarchiv nicht verzeichnet. Es ist ein Fleckchen Einöde an einer Landstraße im Nirgendwo."

Warner nickte. „Im Nirgendwo? Aha!"

„Nach allem, was sich der Klinge bisher entlocken ließ, nur logisch."

Warner sah wieder auf. „Was soll daran logisch sein?"

„Nun, der aufwendige Prozess, mit dem die Zahlen zutage kamen, lässt den Schluss zu, dass sich Raymond Philips dort mit irgendjemandem treffen sollte", erwiderte Barnes.

Warner nickte. „Aber das ist nur eine Theorie, nicht wahr?"

„Natürlich ist es eine Theorie, aber es würde zur Aufmachung dieser Stellenanzeige passen", gab ihr Barnes zu verstehen.

„Ich dachte, es ist ein Paketschein?"

Barnes nickte. „Sowohl als auch, Mam."

Warner tippte auf den Zettel. „Ich habe Ihren Bericht gelesen, Agent Barnes. Es klang bisher so vielversprechend ..."

Barnes unterbrach sie. „Bei allem Respekt, Mrs. Warner, aber ich denke, wir haben hier eine echte Spur."

„Eine Spur? Ich sehe hier keine Spur, Agent Barnes."

„Dann verkennen Sie die Situation."

Warner verschränkte die Arme trotzig vor der Brust. „Ich verkenne hier gar nichts, Agent Barnes. Ich suche nach Fakten." Sie stand auf.

„Die Fakten bekommen Sie noch. Ich denke, dass wir ab jetzt nicht unüberlegt vorgehen sollten. Wen auch immer Raymond Philips dort treffen sollte - wir müssen es herausfinden, aber nicht nach FBI-Manier."

Warner verengte die Augen. „Das FBI versteht sich nicht auf Cowboy-Taktiken, falls Sie das meinen."

Barnes lächelte schief. „Wir sollten beherzt vorgehen, damit wir nicht wieder zehn Jahre warten müssen."

„Danke für den Sarkasmus, Agent Barnes. Ich kann Ihnen versichern, dass wir uns eine Strategie zurechtgelegt haben." Sie sah zu Dr. Parson. „Doktor?"

„Ja Mam?"

„Haben Sie noch etwas hinzuzufügen?"

Der Gerichtsmediziner schüttelte den Kopf.

„Gut, sehr schön." Sie umrundete ihren Schreibtisch und drückte einen Knopf auf ihrer Gegensprechanlage. Dann sah sie wieder auf. „Würden Sie uns dann entschuldigen, Dr. Parson?"

Parson sah zu Barnes, dann nickte er zögerlich und stand auf. Er bedankte sich, gab Barnes die Hand und verließ das Büro.

Barnes runzelte die Stirn.

Es klopfte an der Seitentür und im nächsten Moment kam Agent Clober mit einem weiteren Mann ins Zimmer. Clober und Barnes nickten einander unmerklich zu. Den Dritten kannte Barnes nicht. Er sah fragend in die Runde.

„Sie kennen ja Agent Clober?"

Barnes nickte.

„Ich möchte Ihnen unseren Gast hier vorstellen. Sein Name ist Nigel Peacemaker, ein Genetiker in den Diensten des FBI."

Barnes schaute zu dem Mann und zurück. „Das ist doch nicht sein richtiger Name, oder?“ Er sah wieder zu dem Mann, der wie ein Dandy aussah.

Samantha Warner setzte ein zartes Lächeln auf, als sie Nigel Peacemaker musterte. „Ich muss Sie enttäuschen, aber Mr. Peacemaker hier heißt wirklich so.“ Sie sah ihn an und suchte nach Bestätigung. „Mr. Peacemaker, darf ich Ihnen Agent Barnes vorstellen, er ist der leitende Ermittler in dem Fall.“

Nigel Peacemaker grinste verhalten, stand dann aber auf und reichte Barnes die Hand zum Gruß, den dieser erwiderte.

„Mr. Peacemaker hat eine fragwürdige Karriere gehabt, vor dem FBI.“

Peacemaker nickte.

„So, so und jetzt arbeiten Sie als Wiedergutmachung für die Bundesbehörde?“

Peacemaker nickte. „Ja, so ist es, Agent Barnes, und ob Sie es jetzt glauben oder nicht, aber wir sind jetzt ein Team!“

Barnes runzelte die Stirn und sah zu Warner, die wieder nickte.

„Genauso ist es, Agent Barnes. Mr. Peacemaker hier ist vielleicht das fehlende Bindeglied, das wir jetzt so dringend brauchen.“

„Bindeglied? Er? Was meinen Sie?“

„Sie erinnern sich doch sicherlich noch an Ihren Freund Raymond Philips?“

Barnes machte ein verärgertes Gesicht. „Er war nicht mein Freund, aber ja, das tue ich. Dieser Einsatz wird mir zeitlebens nicht mehr aus dem Kopf gehen.“

Warner nickte. „Entschuldigen Sie, das mit dem ‚Freund' war nur im übertragenen Sinne gemeint." Sie nickte Nigel Peacemaker zu, der sich erhob.

„Agent Barnes, möchten Sie Raymond Philips sein?"

Barnes Augen weiteten sich plötzlich und er funkelte den Mann wütend an. „Wie bitte? Wieso sollte ich?"

„Nun, es ist ganz einfach, Agent Barnes. Wir haben den Tod von Raymond Philips vorerst geheim gehalten. Nichts ist an die Öffentlichkeit gedrungen, außer dass es zu einer blutigen Festnahme gekommen ist, in dessen Folge Beamte verletzt und sogar getötet wurden."

„Wieso?"

„Aus einem ganz bewussten Grund."

„Ach ja und wie sieht der aus?"

Warner und Peacemaker warfen sich einen kurzen Blick zu.

„Ich hatte Ihnen doch von einer Strategie erzählt."

Barnes schnaufte.

„Mr. Peacemaker hat früher in Kreisen gearbeitet, wo es gang und gäbe war, ab und an ein neues Face-off zu bekommen."

„Ein Face-off? Was soll das denn sein?", fragte Barnes.

Nigel mischte sich ein. „Wie Mrs. Warner bereits sagte, Agent Barnes, bin ich Genetiker, ein sehr guter sogar." Er machte eine Pause. „Ich besitze die Fähigkeit, Menschen unsichtbar zu machen, indem ich ihnen eine neue Identität gebe. Die Methode ist so perfekt, dass niemandem auffallen wird, dass Sie der sind, der Sie sind."

Barnes lehnte sich zurück. „Okay, okay, Moment, Stopp!“ Er sah in die Runde. „Sie wollen meine Gene diesem Irren anpassen?“

Peacemaker schüttelte den Kopf. „Nicht anpassen, angleichen und das eins zu eins.“

Warner nickte. „So ist es, Agent Barnes. Sie schlüpfen in die Hülle von Raymond Philips und lösen den Fall!“

Barnes begann zum Erstaunen der anderen laut zu lachen. „Das ist nicht Ihr Ernst?“

Warner und Nigel trotzten ihm.

„Keine Angst, Agent Barnes, der Vorgang ist reversibel.“

Barnes Lachen erstarb. „Das ist kein Scherz, oder? Es ist Ihnen ernst mit dieser Sache!“ Er machte wieder eine Pause, stand auf und ging zum Fenster. „Sie müssen komplett verrückt sein.“

„Agent Barnes!“

Barnes schüttelte den Kopf. „Wie verzweifelt sind Sie eigentlich? Vergessen Sie es!“

Nigel wollte etwas hinzufügen, aber Barnes schnitt ihm das Wort ab.

„Das geht mir jetzt echt zu weit, Lady. Ich will nicht diese verrückte Birne von diesem Arschloch. Im Übrigen, wie soll das gehen? Glauben Sie wirklich, dass sich unsere Feinde auf diese Weise täuschen lassen?“

Nigel ergriff wieder das Wort. „Natürlich sind wir nicht so dumm, wie Sie vielleicht glauben. Natürlich wird man Sie überprüfen, vielleicht genetische Tests durchführen, wer weiß. Hautpartikel, Haare enthalten genug DNA, um damit einen Schnelltest durchführen zu können. Aber glauben Sie mir, meine

Methode wird jeden täuschen und das Ergebnis wird immer dasselbe sein. Ihre Stimme, Ihr Schweiß wird seiner sein und sogar Ihre Ausscheidungen werden seine sein. Es wird perfekt, Agent Barnes!"

„Schwachsinn!" Er drehte sich wieder zum Fenster. „Und was machen wir, wenn Ihnen etwas zustößt, Sie Schlaumeier? Dann werde ich ewig Raymond Philips sein und keiner kann mir mein altes Leben zurückgeben." Er atmete hörbar aus und schüttelte den Kopf. „Nein, sorry, das Risiko ist mir zu groß."

Warner sah zu Nigel, der mit den Schultern zuckte. „Also gut, Agent Barnes. Wir akzeptieren Ihre Bedenken. Sie haben achtundvierzig Stunden Zeit, sich die ganze Sache zu überlegen. Falls Sie dann immer noch ablehnen, wird jemand anderer den Job übernehmen. Aber Sie sind dann aus allem raus!"

Barnes sah sie durchdringend an.

Nigel kam auf ihn zu. „Es gibt immer ein Restrisiko, Agent Barnes. Das verstehe ich voll und ganz, aber Ihnen jetzt die gesamte Technik zu erklären, würde den Zeitrahmen sprengen." Er machte eine Pause. „Man bringt mich an einen geheimen Ort. Wir stehen das gemeinsam durch, Sie und ich. Merken Sie sich meine Worte. Falls wir uns nicht wiedersehen, wünsche ich Ihnen trotzdem alles nur erdenklich Gute."

Er reichte ihm die Hand.

Barnes sah auf und nickte. „Sie und ich, hm?"

Nigel nickte.

Während sich die Geburtstagsfeier langsam dem Ende zuneigte, verweilte Tobe in der Finsternis und freute sich auf das, was nun kommen würde. Das Personal begann bereits das Mobiliar abzuräumen und zu verstauen. Zwischendurch patrouillierten Sicherheitsleute an ihm vorbei, doch sie entdeckten ihn nicht. Vor Stunden, also direkt nach seiner Vorstellung, hatte er das Spaßmobil außerhalb des Anwesens in einer Seitenstraße geparkt und war dann unbemerkt wieder aufs Grundstück gelangt. Dies war nicht schwierig gewesen, da zwischenzeitlich viele Gäste gegangen waren und die Sicherheitsleute am Torhaus für einen Moment nicht aufgepasst hatten, als er an ihnen vorbeigehuscht war.

Freudig rieb er an der Klinge, die er unter seinem Gewand verbarg. Langsam schlich er nun aus seinem Versteck und machte sich im Schutz der Dunkelheit auf, um sein Werk zu beginnen. Jetzt, wo es im Haus still geworden war und sie sich in den Salon zurückgezogen hatten, konnte er sich endlich frei bewegen. Die Lichter von den Taschenlampen der Sicherheitsleute tanzten in der Ferne und umrundeten das Grundstück. Bevor sie wieder bei ihm waren, hatte er es unbemerkt durch den Personaleingang ins Innere geschafft. Solange alles lautlos und nach Plan verlief, würde niemand zu Hilfe kommen. Die bunten Ballons noch in der Hand schlich er leise durch das Haus, strich fast zärtlich über Oberflächen, Ecken und Kanten und harrte der Ekstase, die noch kommen würde. Er wollte es genießen und würde bestimmt die ganze Nacht für sein Kunstwerk brauchen, denn die Taylors hatten sich den Tod ins Haus geholt.

Eine große, geschwungene, fast märchenhaft anmutende Treppe mit rotem Samt schlängelte sich vom Erdgeschoss in den ersten und zweiten Stock, wo die Taylors samt ihren süßen Kindern schliefen. Der Salon war im Erdgeschoss. Unter einer Doppeltür am anderen Ende des Ganges hindurch konnte er das Licht sehen. Auf der anderen Seite im ersten Stock, wo sich Taylors Arbeitszimmer befand, schlief ein Teil des Personals, nebst Butler und Dienstmägden. Im zweiten Stock befanden sich die Schlafzimmer der Eltern und der Kinder. Er leckte sich mit der Zunge über die Lippen, als er an die jungen Dinger dachte und was er alles mit ihnen in einer Nacht anstellen konnte. Die Macht, die er in seinem Innern spürte, bescherte ihm eine neuerliche Erektion. Zur Freude entließ er einen weiteren Ballon, der bis zur hohen Decke schwebte und dort neben einem großen Kronleuchter verharrte.

Leise und geschmeidig huschte er die Treppenstufen hinauf. Im ersten Stock bog er nach rechts ab und horchte an der Tür zu Taylors Arbeitszimmer. Als er nichts von drinnen vernahm, drückte er die Türklinke hinunter und betrat den dunklen Raum. Wenige Minuten später hörte Tobe von irgendwoher ein Geräusch und er war sich sicher, dass da jemand die Treppe heraufkam. Er verspürte Vorfreude, als er die Stimme eines Mannes hörte, den er so verabscheute - Marton Taylor. Die Tür öffnete sich und der Anwalt trat ein. Sein Blick war konzentriert auf das Display seines Mobiltelefons gerichtet. Gerade als er sich an seinen Schreibtisch setzen und die Tischlampe anschalten wollte, bemerkte er Tobe, der mit dem Rücken zu ihm am Fenster stand und nach draußen sah. In der rechten Hand hielt er immer noch diese dämlichen Luftballons vom Nachmittag.

„Hey, Sie, was haben Sie hier zu suchen? Das ist Privatbesitz. Verschwinden Sie aus meinem Haus!"

Tobe reagierte nicht.

Taylors Gesicht wurde boshaft. „Sie sind doch dieser Versager, der vorgibt, ein Clown zu sein! Hey, Arschloch, ich rede mit dir!" Taylors Gesichtsmuskeln spannten sich, dann zog er die obere Schublade zu seiner Rechten auf und holte einen Revolver heraus. Damit zielte er auf Tobe und drückte einen geheimen Knopf unter der Schreibtischplatte.

Tobe lachte heiser, seine Stimme wurde zu der eines kleinen, ängstlichen Kindes. „Hilfe, Hilfe, warum hilft mir denn niemand?"

Taylor wurde blass. Er zielte weiter auf die am Fenster stehende Gestalt und seine Hand begann zu zittern. „Halt die Schnauze, du Freak, oder ich knalle dich über den Haufen!" Taylor war für den Bruchteil eines Augenblicks abgelenkt, als er sich den Schweiß von der Stirn wischte. Als er sich wieder fing, war Tobe nicht mehr da. Taylor drehte sich um Das Halbdunkel im Raum schien zu wachsen und bot zu viele Verstecke, die er nicht einsehen konnte. Also schnappte er sich das Mobiltelefon und drückte die Notruftaste für den Sicherheitsdienst. „Haha, jetzt bist du fällig, Arschloch. Meine Leute sind in wenigen Minuten hier und werden dir dann deinen Arsch aufreißen."

Eine tiefe, schaurige Stimme drang aus der Dunkelheit empor, als käme sie direkt aus einem Grab. „Wie willst du sterben, Marton Taylor? Schnell und schmerzlos oder langsam und qualvoll?“

Taylor erstarrte.

„Wenn ich mit dir fertig bin, hole ich mir erst deine hübsche Frau und dann den Rest deiner Familie. Wir werden ja sehen, ob mich deine Tochter dann immer noch langweilig findet.“ Dieses Mal kam die Stimme aus einer anderen Richtung des Arbeitszimmers.

„Wenn du meiner Familie etwas antust, du Dreckschwein, werde ich dich an die Hunde verfüttern!“ Taylor war außer sich und sah auf die Uhr. Wo blieben nur die Sicherheitsleute?

„Na, kommt dir keiner zu Hilfe? Oooh!“ Plötzlich kam Tobe aus der Dunkelheit heran. Mit hasserfülltem Blick stürzte er sich auf Taylor, der vor Schreck die Waffe in seiner Hand vergaß. Tobe packte den Staatsanwalt mit zu Krallen verzogenen Händen am Kopf, um ihm die Fingernägel in die Kehle zu rammen.

Doch Taylor wehrte sich und trat nach dem Angreifer. Ein erster Hieb ging ins Leere, wodurch ihm die Waffe entglitt.

Tobe lachte grimmig und glotzte sein Opfer böse an.

Taylor bekam eine Gänsehaut.

Tobe umrundete ihn tänzelnd wie ein hungriges Raubtier. Mit einer schnellen Handbewegung streifte er die Samthandschuhe ab und präsentierte krallenähnliche Klingen. Er grinste schief und hämisch, dann wurde sein Gesichtsausdruck dämonisch. „Du fragst dich sicherlich nach dem Warum. Ich kläre dich gerne auf. Vor Jahren hast du einen schrecklichen Fehler begangen, Marton!“

Taylor setzte eine fragende Miene auf. „Ich verstehe nicht."

„Du hast dich an einem unserer Kinder vergehen wollen!"

„Das muss ein Irrtum sein. Ich ..."

„Die arme Sophie ..." Tobe wischte sich unsichtbare Tränen aus dem Gesicht.

Taylor schien sich zu erinnern. Seine Miene zeigte kein Mitleid. Sie wurde hämisch. „Das kleine Gör, das seine Eltern getötet hat, richtig!" Er machte eine Pause. „Sie sollte eigentlich in der Hölle schmoren. Aber sie zog es ja vor zu verschwinden! Ich hätte sie so gerne brennen sehen! Das Miststück hatte gedacht, wegen ihres Alters keine harte Haftstrafe zu bekommen, und kam dann noch mit irgendeinem blöden Psychoscheiß. Tja leider ist sie mir durch die Finger geschlüpft. Sehr, sehr schade. Er sah auf."

Tobe stand nur da.

„Und jetzt kommt der Drecksdaddy und will mich dafür bestrafen, was?"

Tobe schüttelte den Kopf. „Wir sind nicht ihre Daddys!"

Taylor legte die Stirn in Falten. „Wir?"

„Das wirst du leider nie erfahren, Marton!" Er legte den Kopf auf die Seite.

Taylor wich langsam zurück.

„Wo willst du denn hin?"

Taylors Gedanken rasten, dann aber reagierte er schnell.

Sofort setzte ihm Tobe nach.

Taylor umrundete den Schreibtisch.

Mit einem wahren Hechtsprung war Tobe oben auf und ging in die Hocke.

Taylor erschrak und verlor das Gleichgewicht. Das Mobiltelefon glitt ihm aus den Händen.

Tobe sprang vom Tisch und kam nun auf allen Vieren auf den Staatsanwalt zugekrochen.

Genau in diesem Moment öffnete sich die Tür und Taylors Frau Margie erschien.

Tobe fuhr herum und sein Blick fixierte sie. Er wurde gierig.

Taylor schrie seine Frau an, sie solle verschwinden und Hilfe holen. Da knackte es in seinem Mobiltelefon und plötzlich war eine Stimme zu hören. Ein Wachmann erkundigte sich nach Taylor. „Margie! Verschwinde! SOFORT!“ In seiner Stimme lag nackte Panik.

Margie blieb jedoch wie angewurzelt im Türrahmen stehen und starrte ungläubig auf die ihr dargebotene Szenerie. Als sie die Gefahr endlich realisierte, schrie sie auf, drehte sich blitzschnell um die eigene Achse, wobei sie fast gestürzt wäre.

Taylor packte instinktiv Tobes rechten Arm, um ihn am Aufstehen zu hindern. Gleichzeitig warf er sich auf die Seite und fingerte nach dem Mobiltelefon. „Gefahr! Schnell! Arbeitszimmer!“

Die Stimme des Wachmannes reagierte hysterisch, dann erklang eine Sirene.

Margie hatte sich derweil wieder gefangen und rannte nach draußen. Vom Geländer im ersten Stock aus konnte sie einen Blick durch das große Panoramafenster werfen und entdeckte flackernde Lichtkegel in der Ferne, die schnell näherkamen. In diesem Moment erschien der Butler auf der gegenüberliegenden Seite der Etage und fragte lautstark nach dem Grund der Unruhe.

Da erschien Tobe laut heulend hinter Margie im Türrahmen.

Die Frau ergriff die Flucht.

Im Arbeitszimmer rappelte sich Taylor derweil wieder auf. Er hatte Kopfschmerzen, aber das war jetzt egal, denn er musste seiner Frau unbedingt helfen. Er musste sie alle vor diesem Scheusal bewahren.

*Jack Barnes' Haus*

Woody liebte die Streicheleinheiten seines Herrchens sehr. Der Hundekopf versank langsam zwischen Jacks Beinen. Ellys Tod hatte die beiden noch mehr zusammengeschweißt. Zu oft hatten die zwei auf dem Dachboden auf einer alten Couch gesessen und sich Dias aus alten Tagen angesehen. Jetzt stand Barnes wieder am Scheideweg und er wusste, dass es eigentlich nur eine Entscheidung gab. Woodys Augen waren mittlerweile geschlossen und das Tier grunzte leise, was immer ein gutes Zeichen war. Barnes strich dem Hund die kurzen Haare glatt. Dann blickte er ihn an, als dieser unvermittelt die dunklen Augen öffnete. Barnes lächelte und der Schwanz des Hundes setzte sich in Bewegung.

„Na, mein Junge? Was, meinst du, soll ich tun?“

Der Blick des Hundes sprach Bände, war voller Liebe und Zuneigung. Schade, dass das Tier nicht sprechen konnte. Eine Entscheidung war nötig, nicht nur für sein eigenes Wohl, sondern auch für die, die ihm lieb und teuer waren. Mrs. Warner hatte ihm das ganze Wochenende Bedenkzeit gegeben. Sollte er sich wider Erwarten gegen den Einsatz entscheiden, würde er alles verlieren. Barnes war schon immer mehr Kopfmensch gewesen, doch die Unsicherheit blieb, da konnte er machen, was er wollte. Er wusste auch, dass er sich seinen Dämonen früher oder später endlich stellen musste, denn sie würden ihn heimsuchen - bis ans Ende seines Lebens. Er musste sie bekämpfen, konnte nicht zulassen, dass sie weiter wüteten und sein Leben bedrohten. Seit dem Einsatz hatte er keine Nacht mehr durchgeschlafen.

Der Hund seufzte zufrieden. Barnes sah auf die Uhr. Er musste noch einmal mit Nigel Peacemaker sprechen. Ein letztes Mal! Dann küsste er den Hund auf den Kopf. „Wir werden uns vielleicht eine Zeitlang nicht sehen, alter Freund!"

*Nachts durch die Stadt*

Der graue Cadillac holte Barnes am Eingang zum Stadtpark ab. Der Mann mit dem hageren Gesicht hinter dem Steuer blieb wortlos. Barnes stieg hinten ein. Von der Innenstadt bog der Wagen auf den Stadtring ab. Immer wieder sah der Fahrer während der Fahrt in den Rückspiegel, was Barnes nicht entging. Dann stellte sich der Fahrer als „Mr. Kerry" vor. Kein Vorname, keine Funktion. Nur Kerry.

„Wohin fahren wir?", erkundigte sich Barnes freundlich.

„Die Fahrt hat kein Ziel, falls Sie das meinen. Mr. Peacemaker hat mir gesagt, wo ich Sie abholen soll, mehr nicht."

Barnes runzelte die Stirn. „Und wie läuft das jetzt ab?"

Mr. Kerry holte aus der Innentasche seiner Jacke ein Headset heraus und reichte es Barnes nach hinten. Er steckte den Stecker in eine dafür vorgesehene Öffnung am Armaturenbrett und wählte auf seinem Mobiltelefon eine Nummer. Dann drückte er einen Knopf und eine Wand trennte die beiden Männer voneinander.

Einen Moment später war Nigel in der Leitung. „Hallo, Agent Barnes. Schön, dass es gepasst hat!"

Barnes nickte. „Ja alles gut, bisher."

„Gut, gut, dann haben Sie bei der Gelegenheit ja auch gleich Mr. Kerry kennengelernt."

„Warum die ganze Heimlichtuerei?"

„Es ist kompliziert, Agent Barnes."

„Kompliziert bedeutet immer Gefahr?"

„Gewissermaßen, ja. Ich hatte Ihnen bereits von meiner Vergangenheit erzählt. Ich bin dabei einigen sehr gefährlichen Leuten auf die Füße getreten, die mich am liebsten tot sehen würden, wenn sie mich in die Finger bekämen."

Barnes glaubte zu verstehen. „Die Mafia?"

„Viel schlimmer!" Er machte wieder eine Pause. „Mr. Kerry war so freundlich sich meiner anzunehmen."

„Er ist Ihr Leibwächter?"

„So etwas in der Art, ja. Aber dazu vielleicht später mehr. Sagen wir, ich kann ihm zu einhundert Prozent vertrauen und Vertrauen wiegt in meiner Branche mehr als das Leben selbst."

„Ich verstehe."

„Sie werden mich daher auch unter keiner Adresse finden, ich bin praktisch unsichtbar. Auf dem Papier bin ich jemand, der nie existiert hat, Agent Barnes."

„Sie sind also ein Geist!"

Nigel lachte heiser.

„Zeugenschutzprogramm?"

„Zu unsicher, nein. Um es klarzustellen, ich vertraue dem FBI nicht und auch keiner anderen Institution."

„Aber Sie vertrauen mir?"

Es entstand eine neue Pause.

„Ich würde Ihnen sehr gerne vertrauen wollen, Agent Barnes, weil ich denke, dass Sie anders sind."

„Schön, das zu hören, aber Vertrauen muss auf beiden Seiten bestehen, sonst funktioniert das alles nicht."

„Das sehe ich genauso und genau aus diesem Grund bleibe ich lieber ein Geist!"

„Schön und gut, aber wie erreiche ich Sie denn in Zukunft?"

„Mr. Kerry ist unser Bindeglied. Er wird Ihnen eine Nummer geben, die Sie im Notfall anrufen können. Er wird sich dann melden. Haben Sie jemand anderen in der Leitung, müssen Sie den Anruf sofort beenden. Das ist sehr wichtig, für Sie und für mich! Mr. Kerry wird sich dann wieder bei Ihnen melden."

Barnes lehnte sich im Sitz zurück. Mr. Kerry lenkte den Cadillac auf eine andere Spur.

„Das hört sich aber wirklich kompliziert an."

„Das stimmt, aber Ihr Leben könnte davon abhängen, Agent Barnes."

„Okay, also gar kein Kontakt zum FBI?"

„Während Ihres Einsatzes werden Sie dazu sicherlich keine Möglichkeit haben." Nigel wechselte das Thema. „Wie haben Sie sich denn entschieden, Agent Barnes?"

„Ich habe erkannt, dass es ohne mich nicht geht. Ich will mich meinen Dämonen stellen!"

„Das freut mich sehr. Wirklich. Also sind Sie dabei?"

„Ja!“, erwiderte Barnes.

# Kapitel 9

*Anwesen der Familie Taylor*

Margie Taylor hatte es irgendwie geschafft, dem Clown zu entwischen und sich in einer dunklen Ecke des ersten Stocks zu verkriechen. Von ihrem Versteck blickte sie noch immer fassungslos auf die Leiche des Butlers, der mit weit aufgerissen Augen in einer Blutlache auf dem Treppenabsatz lag. Der Clown war vor wenigen Minuten über ihn hergefallen und hatte dem armen Mann die Kehle aufgeschlitzt. Sein Todeskampf hatte mehrere Minuten gedauert. Margie konnte das wild gezackte Messer nicht vergessen, das im Mondschein vom Blut getränkt glänzte. Wie ein Raubtier hatte der Schlächter im Schein des Vollmonds, keine zwei Meter von ihr, verharrt und geschnüffelt. Margies Herz pulsierte wie ein Dampfhammer. Sie dachte nur an ihre Kinder und spähte dann vorsichtig aus ihrem Versteck, horchte in die Finsternis, nicht ahnend, dass der Clown sie bereits entdeckt hatte. Wo, verdammt, blieben nur die Sicherheitsleute?

Einen Moment später hörte Margie ihren Mann entsetzlich schreien, begleitet von einem unbeschreiblichen Heulen und Kreischen. Sie zuckte zusammen und die Angst lähmte sie. Um nicht völlig wahnsinnig zu werden, kniff sie die tränenden Augen zusammen und hielt sich die Ohren zu. Dann plötzlich lockerten sich ihre Muskeln und sie öffnete wieder die Augen. Sie wusste um den schweren Verlust, aber sie fasste auch einen Entschluss. Ihr Mutterinstinkt war die letzte verbliebene Stärke und diese Stärke musste sie nutzten. Sie musste jetzt zu ihren Kindern und ihr Versteck verlassen.

Irgendwann hörte ihr Mann auf zu schreien. Margie schlich bis zum Treppenansatz zur nächsten Etage, als sie aus den Augenwinkeln eine Bewegung bemerkte. In diesem Moment brachen die Scheinwerfer eines am Himmel schwebenden Helikopters durch das große Buntglasfenster und hüllten ihren Körper in ein gespenstisches Licht. Hinter ihr erhob sich der Clown und fletschte die Zähne. Sein Kostüm war mit Blutflecken übersät und die Farben des Make-ups waren verschwommen. Margie drehte gerade noch rechtzeitig den Kopf, um dem tödlichen Hieb seiner Klinge zu entkommen. In wilder Hast nahm sie die letzten Stufen. Rasch versuchte er sie am Knöchel zu fassen. Margie war jedoch zu flink in ihrer Todesangst, die ihr übermenschliche Kraft verlieh. Sie war eine sehr sportliche Frau. So ging der Griff des Clowns ins Leere und er prallte mit dem Gesicht voran brutal gegen das Treppengeländer. Schnell erreichte sie den oberen Absatz, doch ihr Lächeln erstarb genau in dem Moment, als sie eines der Zimmermädchen sah, die aus einem der Zimmer auf der gegenüberliegenden Seite erschien. Sie trug Hotpants mit Shirt und hatte eine Taschenlampe in der zittrigen Hand. Margie schrie ihr entgegen, sie solle sofort in ihr Zimmer zurückkehren. Doch die junge Frau blieb wie angewurzelt stehen. Genau in diesem Moment, erlosch das Licht und die Finsternis kehrte zurück. Vor Margies Augen tanzten blaue Punkte. Unten an der Treppe erhob sich eine schemenhafte Gestalt. Margie wurde hysterisch und sie schrie wieder. Die Taschenlampe fiel scheppernd zu Boden, als der Eindringling wie eine Furie die junge Frau zu Boden riss und auf diese einstach. Margie wandte sich ab und rannte los.

Ella und ihre beiden Schwestern waren von dem Lärm im Haus erwacht. Die Kleinste hatte ihren Teddy im Arm und schluchzte. Vor wenigen Minuten war ein Hubschrauber im Tiefflug über das Haus geflogen. Der Scheinwerfer hatte die vordere Fassade kurz in helles Licht getaucht und ihre Zimmer zum Leuchten gebracht. Die Mädchen teilten sich zwei aneinander liegende Schlafzimmer und hatten sich in Ellas Zimmer geflüchtet. Zitternd und schluchzend saßen sie nun in Ellas Himmelbett und ließen die Zimmertür nicht mehr aus den Augen. Vor Jahren hatte ihr Vater spezielle Sicherheitsschlösser an beiden Schlafzimmern anbringen lassen, die die Zimmer im Notfall zu einem einbruchsicheren Raum werden ließen. Zudem hatte er Ella die Kombination immer wieder vorsagen lassen und die Mädchen mit dem Leben außerhalb der schützenden Mauer konfrontiert. Er erinnerte sie daran, dass es Menschen gab, die ihr Leben jederzeit bedrohen könnten. Ein Notfall, der bisher nie eingetreten war, bis heute Nacht, als der Tod in ihr Haus Einzug gehalten hatte.

Ella war aufgesprungen und hantierte am Tastenfeld des Sicherheitsterminals, während der Hubschrauber weiter hörbar das Haus umkreiste. Dann hörten sie die Sirenen und viele Stimmen.

*

Margie war mit der Umgebung vertraut. Sie brauchte kein Licht, um sich zurechtzufinden und um die Zimmer ihrer Töchter zu finden. Inständig hoffte sie aber, dass Ella die Türen noch nicht verriegelt hatte.

*

„Ella! Da sind Sicherheitsleute vor dem Haus!“

Die Schwestern waren aus dem Bett gekrochen und standen nun am Fenster.

Die Kleine schrie wieder und ihre Schwester drückte sie noch fester an sich.

Ella rieb sich die Finger. Tausendmal hatte ihr Vater mit ihr darüber gesprochen und nie hatte sie so richtig zugehört. Aber jetzt, wo Unheil in der Luft lag, da fiel ihr diese verdammte Kombination nicht ein.

*

Margie hatte ihre Kleine schreien gehört. Einen Moment später vernahm sie wieder den Hubschrauber. Sie betete, dass die Rettung nahte, doch ihre Hoffnung wurde zerstört, als sie hinter sich den Clown bemerkte, der sie auf allen Vieren verfolgte. Sein Gesicht glich einer Fratze mit schrillem Kreischen. Einen Moment später hatte sie die Kinderzimmer erreicht und riss sofort die Tür auf, doch die Betten waren leer. Sofort fiel ihr Blick auf die Seitentür zu Ellas Zimmer. Genau in diesem Moment krachte der Clown hinter ihr gegen den Türrahmen.

„Ella!“

*

Ella und die Kinder horchten auf. Die zweitälteste Tochter stürmte zur Tür, doch Ella packte sie am Handgelenk und riss sie zurück.

*

Ein schwarzer SWAT-Transporter raste die Auffahrt hoch und kam mit quietschenden Reifen zum Stehen. Sofort flogen die Seitentüren auf und ein schwer bewaffnetes Sondereinsatzkommando näherte sich mit gezogenen Waffen dem Haupthaus. Der Hubschrauber bezog Position über dem Dach und sein Scheinwerfer tanzte über die Fassade, als das SWAT-Team mit einem Rammbock die Haustür aufbrach.

*

Der Clown stand in der Tür zum vorderen Kinderzimmer und glotzte sie böse an. Margies Blick fiel auf die gebogenen Krallen, mit denen sich das Scheusal vor ihr aufbäumte. Im Schein des hereinbrechenden Lichts wirkte diese Szenerie mehr als grotesk. Margie ballte die Hände zu Fäusten, als sie endlich das rettende Klicken vernahm und der Sicherheitsmechanismus die Seitentür nun endgültig zugangssicher machte und sie von ihren Töchtern trennte.

*

„Ella, NEIN! Warum? Es geht um Mama!"

„Ich mache nur das, was uns Vater immer eingebläut hat!" Unten im Haus ertönte indes das Geräusch berstenden Holzes. Das SWAT-Team war im Haus.

*

„Jetzt sind wir endlich allein, Margie." Die Stimme war kalt und ohne irgendeine Emotion. Margie atmete schwer. Sie hatte nun keine Angst mehr, denn sie verspürte die Befriedigung, dass ihre Kinder in Sicherheit waren. Ansonsten war da nur purer Hass. „Du Scheusal wirst meine Kinder nicht bekommen!"

Der Clown lachte heiser.

„Siehst du das Licht über der Tür? Mein Mann hat vor Jahren ein Sicherheitsschloss einbauen lassen, was selbst mit einem Panzer nicht zu überwinden ist. Du hast versagt!"

Der Clown wischte sich eine imaginäre Träne aus dem Gesicht. „Mag sein, mag sein, kleine Margie. Doch ich bekomme immer, was ich will!" Langsam setzte er nun einen Fuß vor den anderen und Margie wusste, dass ihr Ende gekommen war.

Sie rief nach ihren Kindern und hörte nur Wimmern. „Du hast trotzdem versagt, die Polizei ist in wenigen Minuten da und dann schießen sie dich über den Haufen."

Der Clown bleckte blutige Zähne.

*

Rasch verteilten sich die SWAT-Beamten im Haus und arbeiteten sich nun in den ersten Stock vor, während draußen immer mehr Streifenwagen auf den Vorplatz fuhren. Vom Garten und vom Torhaus näherten sich die Sicherheitsleute.

Als SWAT-Beamte die Treppe heraufkamen, entdeckten sie die Leiche des Butlers. Im Arbeitszimmer fanden sie die Überreste von Marton Taylor.

*

„Wie willst du sterben, Margie Taylor?"

Margie ballte die Fäuste so stark, dass die Knöchel deutlich hervortraten. Dann spuckte sie dem Clown entgegen.

„Wenn du schreist, schneide ich dir deinen Scheißkopf ab! Ach ja, schau mal hier ..."

*

Ella hörte ihre Mutter schreien und fiel auf die Knie. Sie hielt der Kleinen die Ohren zu und schluchzte ebenfalls, als im nächsten Moment das Fensterglas zerbarst und zwei Männer des Sicherheitspersonals ins Zimmer sprangen. Einer der beiden packte die bei ihm stehenden Mädchen. Diese erschraken und schrien. Ella sah auf, als sich ein zweiter Mann näherte. Alles geschah wie in Zeitlupe. Er packte Ella am Arm und zog sie hoch. Er sagte irgendetwas, aber Ella war wie in Trance. Als die

Geräuschkulisse sie wieder einfing, donnerten harte, wilde Schläge gegen die Sicherheitstür. Der Sicherheitsmann nahm sie in den Arm und schob sie vor sich her. Ella war wie festgewachsen, sie musste sehen, wer da um Einlass bat.

*

Die SWAT-Einheit war jetzt auf dem Weg in den zweiten Stock. Mit gezogenen Waffen im Anschlag und mit Nachtsichtgeräten ausgestattet bahnten sie sich den Weg weiter vorwärts. Die Männer waren Profis und auf alles vorbereitet, aber was sich hier und heute in diesem Haus zugetragen hatte, sprengte alles, was die Dienstzeit je für sie bereitgehalten hatte. Am oberen Treppenansatz verteilten sich die Männer in alle Richtungen. Direkt vor ihnen breitete sich ein dunkler Flur aus.

*

Die scharfe Klinge einer Axt hieb einen Spalt in die Tür. Ein handtellergroßes Loch entstand. Mit fast übermenschlichen Kräften war es Tobe gelungen, die Axt durch die Tür zu treiben, aber eben nicht hineinzugelangen.

In dem aufgerissenen Spalt sah Ella plötzlich Tobe, den Clown, der sie traurig anblickte.

„Ella, liebe kleine Ella, willst du mit mir spielen?"

Ella schluchzte und schüttelte den Kopf.

Tobe legte den Kopf abwechselnd auf die rechte und dann auf die linke Seite. Dann hielt er sich beide Hände vor das Gesicht und blinzelte zwischen den Fingern hindurch.

Dabei sah Ella das viele Blut und sie wich einen Schritt zurück. Ihre Atmung wurde schneller, sie hyperventilierte.

Tobe schüttelte den Kopf und seine Hände sanken zu Boden, als er die Angst des Kindes in sich aufsog. Ein gespenstisches Lächeln umspielte seine Mundwinkel und seine Augen wurden kalt, fast pechrabenschwarz.

„Hast du Angst, kleine Ella?"
Das Kind schluchzte und nickte, was dem Sicherheitsmann nicht entging.

„Habe keine Angst, Mum und Dad sind doch auch bei mir, willst du sie sehen?"

Ella schluchzte immer noch, dann nickte sie, hoffte sie doch inständig, dass ihre Eltern noch lebten.

Der Sicherheitsmann packte wieder ihren Arm, denn er befürchtete, Ella würde einer Täuschung erliegen. Mit der anderen Hand zog er seine Waffe aus dem Holster.

Tobe trat vom Spalt der Tür ein Stück zurück ins Halbdunkel. Ella folgte ihm wie in Zeitlupe, wollte sie doch genau hinsehen. Der andere Sicherheitsmann am Fenster rief seinem Kollegen etwas zu.

Indes beugte sich Ella weiter vor, ihre Nase berührte fast die ausgefransten Ränder des Spalts. „Mum, Dad?"

*

Die SWAT-Einheit rückte nach, während sich die erste Gruppe schon im Gang zu den Kinderzimmern befand, nur noch einen Bruchteil von der Hölle entfernt. Die Nerven der Männer waren jetzt zum Zerreißen gespannt, sie behielten aber die Waffen weiter im Anschlag.

*

Mit einem plötzlichen Ruck hob Tobe beide Arme in die Höhe und Ella blickte in die trüben Augen ihrer Eltern. Von den Stümpfen ihrer abgetrennten Köpfe tropfte noch immer das Blut. Ella schrie und wieder war Tobe bei ihr, presste sein hässliches Gesicht durch den Spalt gegen das des Kindes.

Der Sicherheitsmann riss Ella zurück und zielte auf die dämonische Fratze. Als er den Abzug durchdrückte, huschte Tobe in die Dunkelheit und die Kugel ging ins Leere.

Schon stürmten die SWAT-Männer heran.

Tobe war fort ...

# Kapitel 10

*Nigel Peacemakers Versteck*

Der furchtbare Tod des Staatsanwalts stand in allen Tageszeitungen und war auch das Gesprächsthema in den Abendnachrichten gewesen. Jack war das Schicksal dieses Mannes egal, wusste er doch um dessen Vergangenheit und dessen korrupte Machtspiele. Irgendwann, so schien es, wurden alle von ihrer Vergangenheit eingeholt.

Mr. Kerry hatte ihn angerufen und Jack Barnes war erschienen. Nicht lange hatte er abseits des Parkplatzes warten müssen, bis der Cadillac erschien. Danach kam der Filmriss und als Barnes langsam wieder zu sich kam, saß ihm grinsend Nigel Peacemaker gegenüber.

„Hallo, Jack!“ Er grinste.

Barnes müde Augen brauchten einen Moment. „Nigel, verdammt noch mal!“ In seiner Stimme lag Verärgerung.

Nigel hob die Hände. „Entschuldigen Sie, Jack, für den …“, er machte eine Pause und sah sich um. „… Aufwand.“

„Aufwand? Sie haben mich entführen lassen!“ Jack schüttelte den Kopf.

„Ich bitte Sie. Das würde ich mir nie erlauben!“

Barnes machte eine abwehrende Handbewegung.

„Wie Sie wissen vertraue ich dem FBI nicht und wie uns die Nachrichten gerade beichten, steht es um unsere Sicherheit nicht allzu gut!“ Er grinste und hielt eine Abendzeitung hoch.

„Wo bin ich hier eigentlich?", wollte Jack Barnes wissen.

Nigel räusperte sich. „Das ist uninteressant, Jack. Wichtig sind die Infos, die Sie brauchen, um den Fall anzunehmen."

Barnes verzog den Mund. „Infos?"

Nigel nickte. „Ich gebe Ihnen Einblick in meine Arbeit und das Verfahren, das ich anwende."

„Aha, und Sie glauben, das überzeugt mich?"

Nigel nickte. „Sonst wären Sie doch nicht hier, oder, Jack?"

Barnes kaute auf der Unterlippe. „Sie sind ein guter Beobachter, Nigel. Weiß Mrs. Warner von dem hier?" Jack breitete die Arme aus.

„Unserem kleinen, geheimen Treffen?

Nun ..." Er machte eine Pause.

Barnes runzelte die Stirn.

Der Monitor flammte auf und Warners Gesicht erschien.

„Guten Abend, Agent Barnes. Schön, dass Sie es einrichten konnten."

„Direktorin Warner." Barnes nickte ihr zu.

„Sie haben also eine Entscheidung getroffen?", fragte sie und es sah so aus, als befände sich Mrs. Warner irgendwo, nur nicht in einem mit Wanzen übersäten FBI-Büro.

„Ohne mich geht es scheinbar nicht."

Sie nickte und übergab das Wort an Nigel, der Barnes etwas zu trinken reichte. Es schien, als wäge Nigel die nächsten Worte sorgfältig ab. „Im Grunde geht es um Macht. Aber das ist Blödsinn und wissen Sie auch, warum? Hm? Weil wir Menschen uns nicht einmal selbst beherrschen können." Nigel räusperte sich.

Barnes nippte an seiner Limo.

„Es geht um Gene, Jack. Wir alle möchten unser Schicksal beeinflussen, doch gestehen wir uns einen Machtverlust ein, weil die Gene unser Menschsein bestimmen. Sie sind die wahren Herrscher. Klug oder dumm, hübsch oder hässlich, Genotyp und Phänotyp." Er machte eine Pause. „Unsere Gene bestimmen unser Aussehen, nicht umgekehrt. Es geht um Entwicklung und um Evolution. Eigentlich ganz einfach."

Barnes sah auf. „Eigentlich?"

Nigel nickte. Mit einer Fernbedienung schaltete er einen Projektor an, der an der Decke montiert war und ein Bild an die Wand warf. „Um das Erbgut von Zellen herstellen zu können, bedarf es molekularbiologischer Techniken, die es übrigens schon in den 70er Jahren gab. Das Mittel der Wahl liegt in der Sequenzierung der DNA, dem Erbgut des Menschen also, und in seiner Entzifferung. Dies ist schon innerhalb weniger Tage möglich. Dadurch können Erbinformationen gelesen und umgeschrieben werden. Mithilfe der DNA-Synthese werden die Stränge chemisch im Labor erzeugt. Dies wird durch Syntheseautomaten ermöglicht, denen die gewünschte DNA per Datei übermittelt wird. Diese maßgeschneiderte DNA ist sozusagen eine Art von Dienstleistung. Gene und Steuerelemente lassen sich derart kombinieren und am Stück fertigen, um sie anschließend en bloc in die Zellen einbauen zu können. Am Ende werden dann die einzelnen DNA-Abschnitte mithilfe von enzymatischen Verfahren im Reagenzglas zusammengefügt. Die bisherigen Ergebnisse waren übrigens vielversprechend, beschränkten sich aber nur auf das Gebiet von Viren und Bakterien. Dann entwickelte man die Designer-Nukleasen, mit denen es möglich wurde, gezielt und einfach Veränderungen von Genomen in lebenden Zellen vorzunehmen. Diese Nukleasen sind so etwas wie Genscheren, die sich an einem bestimmten Ort im Genom programmieren lassen, um dort ihre Schnitte zu setzen. Dadurch werden Doppelstrangbrüche erzeugt, die die Auto-Reparaturmechanismen der Zelle in Gang setzen, die die DNA wieder reparieren. Im Zuge dieser Reparatur ist es möglich Gensequenzen einzubauen, auszutauschen oder aber zu entfernen. Natürlich lassen sich auf diese Weise auch kurze Gensequenzen oder auch einzelne Basen in der DNA manipulieren.

Wir nennen das Verfahren: ‚Genome-Editing'. Bisher wird diese Methode in der Landwirtschaft eingesetzt, um Pflanzen zu kultivieren oder aber bei der Zucht von Nutztieren. Neue Methoden finden ihren Einsatz in der Gentherapie bei Krebspatienten oder auch bei der bakteriellen Immunabwehr."

Auf der nächsten Folie stand nur ein Wort:

- DREAMS -

Barnes und Warner warfen sich einen Blick zu.

„Mit der Entwicklung des Humangenomprojektes wurde vor einigen Jahren zum ersten Mal das komplette menschliche Genom sequenziert. Das Genom beinhaltet die gesamten Erbanlagen eines Lebewesens. Es ist gewissermaßen unser Bauplan, unsere Blaupause. Beim Menschen finden sich 23 Chromosomen, auf denen sich wiederum zwischen 24 und 25000 Gene verteilen. Dieser Bauplan ist in der DNA codiert und umfasst ca. 3,27 Milliarden Basenpaare. Das Personal Genome Project hatte das langfristige Ziel, allen Menschen den Zugang zu ihrem Genotyp zu ermöglichen, um damit z. B. eine individuelle Diagnose,

Prävention oder gar eine Behandlung zu verbessern.“ Er sah auf. „Das war die Grundlage für DREAMS. **D**ifferent-**R**eproduce-**E**diting-**A**nd-**M**odulation-**S**ystems.“ Er machte wieder eine Pause und sah nun Jack direkt an. „In Fachkreisen nennt man mich einen sogenannten Genomingenieur, der mithilfe der synthetischen Biologie und DREAMS in der Lage ist, einen humanen Genotyp so komplex zu verändern, dass man damit einen neuen Phänotyp kreieren kann.“

„Ich dachte, Sie sind Genetiker?“, mischte sich Warner ein.

Nigel nickte. „Wir Genomingenieure bedienen uns der Genetik und der synthetischen Biologie.“

„Sie reden vom Aussetzen des Alterungsprozesses?“, fragte Warner.

Nigel schnalzte mit den Lippen. „Nein. DREAMS erschafft nicht neues Leben. Es verändert und erfindet uns auf eine gewisse Art und Weise neu.“

Barnes lachte. „Ist das nicht ein bisschen zu visionär?“

„Wir leben in der Zukunft, Jack. Die Genetik und die synthetische Biologie haben in den letzten Jahren große Fortschritte gemacht. Indem wir den Genotyp verändern, erschaffen wir einen völlig neuen Phänotyp.“

Barnes Lächeln erstarb. „Sie machen aus mir doch keinen Mr. Hyde?“

Nigel schüttelte den Kopf. „Dr. Jekyll und Mr. Hyde waren zwei Persönlichkeiten in ein und der derselben Person. Gut und Böse vereint in einem Körper. Ein Vorgang, ausgelöst durch die orale Einnahme und Wirkung eines Elixiers, bis dessen Wirkung verbraucht war. Sie hingegen werden zu Raymond Philips und tauschen Ihre Persönlichkeit gegen seine ein. Sie leben sein Leben. Alles an und in Ihnen wird er sein, bis ich Sie zurückverwandele. Jack Barnes' DNA gibt es dann nur noch als Backup."

Barnes schluckte merklich. „Sie schicken mich in ein Reagenzglas, wie beruhigend."

Nigel beruhigte ihn. „Keine Angst. Wenn Ihr Einsatz erfolgreich abgeschlossen ist, werden Sie wieder Jack Barnes sein und niemand anderer. Das verspreche ich Ihnen!"

„Wie sind denn Ihre bisherigen Erfahrungen auf diesem Gebiet?", wollte Warner wissen.

„Ich habe diese Technik bereits sechs Mal angewendet und sie verlief jedes Mal erfolgreich." Nigel nippte an seinem Glas.

„Auf was habe ich mich da nur eingelassen", murmelte Barnes und sah auf. „Wie geht es denn jetzt weiter?"

„Als Erstes legen wir eine Gen-Bibliothek von Ihnen an. Das ist der erste Schritt. Danach durchläuft DREAMS drei Schritte: Schneiden, Sequenzieren und Zusammensetzen. Wir haben das Genom von Raymond Philips bereits analysiert, vorbereitet und ebenfalls eine Gen-Bibliothek angelegt."

„Wie lange wird diese Prozedur in etwa dauern?", hakte Warner nach.

„Das kann ich noch nicht sagen, wir können den Vorgang nicht beschleunigen." Er sah zu Barnes. „Sie können die Übergangszeit nutzen und alles über Raymond Philips lernen. Er muss Ihnen in Fleisch und Blut übergehen."

Barnes lächelte schief. „Ist mit Nebenwirkungen zu rechnen?"

„Das ist nicht auszuschließen. Jeder reagiert anders auf die Prozedur."

Barnes schnalzte mit den Lippen. „Was, wenn mein Körper ablehnend reagiert?“

„Es ist ein Vorgang, Agent Barnes, keine Behandlung im wortwörtlichen Sinn.“ Nigel zupfte sich am Kinn.

Barnes nickte. „Sie sind der Experte, das hoffe ich zumindest. Äh, eine letzte Frage.“

„Stellen Sie so viele Fragen wie nötig.“ Nigel lehnte sich wieder zurück.

„Ist ein innerer Konflikt zu erwarten?“

„Wie meinen Sie das?“ Nigel verengte die Augen.

„Das ich und er ...“ Barnes wiegte den Kopf hin und her.

„Ein Konflikt zwischen den beiden Persönlichkeiten?“ Er überlegte kurz. „Ich denke nicht, weil nur eine Persönlichkeit anwesend ist und die andere, wie gesagt, durch den Tausch unterdrückt wird.“

„Sie denken das?“, fragte Barnes.

Nigel nickte. „Nun, im Grunde ist Raymond Philips da noch irgendwo vorhanden. Vielleicht tritt die eine oder andere Vision auf.“

Barnes verzog das Gesicht. „Visionen? Sie schließen es also nicht aus, dass der Typ mich heimsuchen könnte?“

„Nun eine Heimsuchung halte ich ehrlich gesagt für übertrieben. Sie sind von ihm nicht besessen. Aber - um Ihre Frage dennoch zu beantworten - wir wissen nicht, wie eine Persönlichkeitsverschiebung auf psychologischer Ebene ablaufen könnte.“

„Na, das sind ja tolle Aussichten!“

Warner räusperte sich. „Meine Herren, halten Sie mich auf dem Laufenden!“

Die beiden Männer nickten. Warners Gesicht erlosch und der Bildschirm wurde wieder schwarz.

Nigel erhob sich und rückte mit seinem Stuhl näher an Agent Barnes heran. „Ich möchte Ihnen ein Geheimnis anvertrauen, Jack."

Barnes legte die Stirn in Falten. „Das Mrs. Warner nicht hören durfte?"

Nigel nickte. „Genau. Ich habe Ihnen gesagt, dass ich dem FBI nicht vertraue."

„Geht es um die Männer, die hinter Ihnen her sind?"

Nigel nickte. „Ja. Ich habe sechs Schwerverbrechern nicht nur neue Identitäten verschafft, ich habe diese Männer zu neuen Menschen gemacht. Meine Technik war so erfolgreich, dass sie sich seit Jahren schon problemlos der Justiz entziehen und unter uns leben können. Keine Untersuchung wird je deren wahre Identität herausfinden, es sei denn ..."

„... Sie verraten sie.", beendete Barnes den Satz.

Nigel schüttelte den Kopf. „Nein, so einfach ist das nicht. Ich bin zwar ein Mitwisser, aber was die ganze Sache so kompliziert macht, ist die Tatsache, dass ich ihre alten Genotypen allesamt auf Datei gespeichert habe. Sie wissen schon, für die Syntheseautomaten. Nur dass meine Datei alte und neue Genotypen jederzeit wieder zuordnen könnte. Es wäre also einem eifrigen Ermittler möglich, eins und eins zusammenzuzählen, verstehen wir uns?"

Barnes verschränkte die Arme vor der Brust. „Das ist also der wahre Grund für diese ganze Heimlichtuerei."

„Wir lassen uns hier auf ein gefährliches Spiel ein, Jack. DREAMS ist eine sichere Technik, wenn es um nicht umkehrbare Verfahren geht. Bei Ihnen allerdings muss der Vorgang wieder rückgängig gemacht werden. Um das Auftreten von sogenannten Genmutationen zu vermeiden, müssen die Genspuren hin und zurück absolut identisch sein."

Barnes kaute auf der Unterlippe. „Sie haben diese Männer auf eine Weise verändert, die nicht mehr rückgängig gemacht werden kann?“

Nigel zögerte. „Stimmt.“

„Okay, aber wie können Sie sicher sein, dass der Vorgang in meinem Fall dennoch rückgängig gemacht werden kann?"

Nigel verzog das Gesicht. „Ich habe es in einem Selbstversuch ausprobiert.“

„Sie haben sich dieser Prozedur selbst unterzogen? Weiß Warner davon?“

Nigel schüttelte den Kopf. „Natürlich nicht. Ich glaube kaum, dass sie mir dann so viel Befugnis einräumen würde. Für die wäre ich ein Psycho!“

Barnes runzelte die Stirn. „Sie sind ein Psycho, Nigel.“

Der Genomingenieur grinste schmal. „Es gibt einen kleinen Unterschied zwischen der umkehrbaren und der nicht umkehrbaren Phase.“

„Und der wäre?“

„Ein kleiner Baustein im System, ein Nadelöhr sozusagen.“

„Dann hoffe ich, dass meine Zukunft nachher wieder durch das Öhr passt.“ Barnes machte eine Pause. „Holen Sie mich ja wieder zurück!“

„Wenn Ihr Genpool sauber bleibt!“, erwiderte Nigel und schaltete den Projektor aus.

„Ich werde auf Raymond aufpassen und ihn gleichzeitig von mir fernhalten, falls Sie das meinen!“

„Das hoffe ich, Jack.“

„Ihr Geheimnis ist bei mir sicher, Nigel, ich kann schweigen wie ein Grab.“

„Wir stehen das durch, Jack, Sie und ich!“

Barnes nickte. „Enttäuschen Sie mich nicht!“

## Kapitel 11

*Am Treffpunkt im Nirgendwo*
*3 Monate später ...*

Es war eine einsame Landstraße mit einem einsamen Bushäuschen. Mehr hatte Raymond im Vorbeifahren nicht gesehen, bevor er in der nächsten Ortschaft in irgendein Diner gegangen war. Auf dem Parkplatz standen ein paar Pickups, zwei Trucks mit Landmaschinen und ein halbes Dutzend Motorräder. Eine Gruppe von Jugendlichen stand davor und begutachtete die aufgemotzten Rennmaschinen. In den Gesichtern konnte Raymond lesen, dass sie Hinterwäldler waren, deren Leben sich eher auf dem Sitz eines Traktors oder hinter dem Tresen eines Eisenwarenladens abspielte. Zwei von ihnen trugen Latzhosen, die viel zu kurz geraten waren, ein Dritter steckte in einer Cordhose, die wohl noch aus den siebziger Jahren stammte, und das Mädchen war in ein hübsches Sommerkleid gehüllt. Die Gruppe lachte, und zwei der Jungen setzten sich großspurig auf eine Harley Davidson mit indianischen Satteltaschen und einem Wolfsgesicht auf dem Benzintank. Die hübsche Maschine gehörte vielleicht einem Menschen, dem die Details des amerikanischen Westens sehr wichtig waren, um sie offenkundig zur Schau zu stellen.

Raymond parkte seinen dunkelblauen Chevrolet vor einem mickrigen Gartenzaun, der auch schon bessere Zeiten gesehen hatte. Die abblätternde Farbe zwischen den Sprossen war deutlich zu sehen und auch der Versuch, Blumenkästen mit

Stoffblumen zu versehen, änderte nichts daran, dass der Laden in die Jahre gekommen war. Die Jugendlichen alberten noch immer zwischen den Maschinen herum. Raymond schaltete den Motor ab und stieg aus. Als er zum Eingang des Diners ging, warf die junge Frau ihm einen kurzen Blick zu. Einer der Jugendlichen, der gerade im Begriff war, ihr seine Zunge in den Schlund zu führen, bemerkte dies und machte ein finsteres Gesicht. Raymond ließ sich davon nicht beeindrucken und öffnete die Türen zum Diner, der trotz der kleinen Ortschaft gut besucht war. An mehreren Tischen saßen Leute, die aßen, tranken oder einfach quatschten. An der Theke schlummerte ein älterer Mann mit grauem Bart und Truckermütze. Von den Bikern war nichts zu sehen. Raymond lächelte der Kellnerin zu, die sich sofort in Bewegung setzte und mit einer Kaffeekanne, Kaugummi kauend, näherkam. Über der linken Brust ihrer pastellfarbenen Uniform prangte ein vergilbtes Schild, auf dem der Name *Maggie* stand.

„Na, mein Lieber, wie wäre es mit einem Kaffee?", fragte sie und lächelte ihn verschmitzt an.

Raymond nickte. „Danke. Was gibt´s denn hier so zu essen?"

Die Kellnerin klimperte mit ihren Wimpern und reichte ihm die Speisekarte. „Eier mit Speck und Käse sind gerade echt der Renner, Schätzchen." Sie schürzte die Lippen, wodurch ihr Lippenstift besonders gut zur Geltung kam.

„Klingt gut, das nehme ich und packen Sie es mir bitte ein."

Die Kellnerin runzelte die Stirn.

Raymond sah sich um. Keiner der anwesenden Personen schien sich für den Fremden zu interessieren.

„Auf der Durchreise, was, Mister?"

Raymond drehte sich wieder zu ihr um. „So in etwa."

Die Kellnerin zuckte mit den Schultern. „Wir haben hier nicht allzu oft Fremde zu Besuch." Sie begutachtete Raymond von oben bis unten. Dann drehte sie sich um und gab die Bestellung an den Koch weiter.

Der alte Mann neben ihm hob den Kopf.

Raymond nickte ihm zu.

„Sie reden wohl nicht viel, was?", fragte der Alte.

„Was geht Sie das an?" Raymond lehnte sich an den Tresen.

Der alte Mann nippte an seinem mittlerweile abgekühlten Kaffee. „Hey, Mann. Alles in Ordnung?"

Die Kellnerin kam zurück und stellte ihm das Essen in einer Tüte auf den Tresen. „Macht Zwölffünfundsiebzig."

Raymond kramte in seiner Hosentasche.

Die Kellnerin zückte einen Kugelschreiber, den sie sich hinter das Ohr geklemmt hatte, und kritzelte auf dem Bon herum.

Raymond holte ein paar Scheine und Münzen aus der Hosentasche und legte ihr das Geld auf den Tresen.

Die Kellnerin sah ihn direkt an. „Sie wollen wirklich nicht bei uns essen?"

Raymond schüttelte den Kopf. „Keine Zeit. Hier, der Rest ist für Sie!"

Die Kellnerin strich das Geld ein und zuckte wieder mit den Schultern. Gerade als er sich die Tüte unter den Arm klemmen wollte, kamen vom hinteren Bereich des Diners zwei Biker auf ihn zu. Der eine war ein Indianer, der andere hatte einen glatt rasierten Schädel. Beide Männer hatten tätowierte Arme und wirkten sehr kräftig. Raymond sah nicht auf und verließ den Diner.

Der Indianer kam auf Maggie zu. „Wer war das denn?"

„Keine Ahnung, irgendein Typ, der die Zähne nicht auseinanderbekommt."

Sie sah seinen Kumpel an. „Wollt ihr was trinken?"

Der Indianer sah Raymond nach, wie der in sein Auto stieg, rückwärts aus der Parklücke fuhr und dann davonbrauste. Dabei fiel sein Blick auf die Jugendlichen, die auf ihren Maschinen herumturnten. Wild fluchend rannten die beiden Biker nach draußen. Maggie hingegen sah den alten Mann an und schüttete sich und ihm eine Tasse heißen Kaffee nach.

***

Raymonds Arme juckten und er kratzte sich an der Stelle, wo schon vor Stunden eine große runde Rötung entstanden war. Seine Haut glänzte im Sonnenschein, sah aber irgendwie seltsam aus. Kurz betrachtete er sich im Rückspiegel und dachte an das zurück, was hinter ihm lag. Nur ungern erinnerte er sich an die Schmerzen, den fensterlosen Raum und die Schlaflosigkeit. Nigel hatte ihm zwar erklärt, dass eine Veränderung des Genotyps aufwendig sei und durchaus Monate in Anspruch nehmen könne. Trotzdem hatte er ihm verschwiegen, dass es eine Tortur für seinen Körper war; immerhin wurde sein altes "Ich" gegen eine neue Persönlichkeit getauscht. Anfangs schien sich sein Körper gegen diese Prozedur zur Wehr zu setzen. Die Folgen waren Fieber, Übelkeit und ein Kollaps nach dem nächsten. Sein

Körperkreislauf drohte zu kollabieren, so dass es ärztlichen Beistand bedurfte. So hatte er auf dieser Pritsche gelegen und sich tagelang übergeben, bis sie ihn an den Tropf legten. Die ständigen Blutentnahmen und Transfusionen waren für seinen Körper einfach zu viel gewesen.

Raymond fuhr sich mit der Handfläche über seinen von Einstichen übersäten Unterarm und kam sich dabei vor wie ein Junkie. Soweit sie in Erfahrung bringen konnten, war auch der echte Raymond der Spritze nicht abgeneigt gewesen. Die Kopfschmerzen wurden unerträglich und zwangen seinen ohnehin geschwächten Körper in die Knie. Nigel entschied sich schließlich dafür, Jack ins künstliche Koma zu legen, bis die ganze Prozedur abgeschlossen war. Aus Jack Barnes wurde Raymond Philips und der erste Augenaufschlag ein Augenöffner für den erfahrenen Polizisten. Ein Gefühl für Zeit existierte nicht und wie lange die Verwandlung doch gedauert hatte, darüber schwieg sich der Genomingenieur am Ende aus. Jack, jetzt Raymond, dachte an Woody, und wie der wohl auf sein neues Herrchen reagieren würde?

Tage später war Nigel wieder bei ihm gewesen und hatte ihm im Spiegel den Lohn der Arbeit präsentiert. Für Jack, jetzt Raymond, kam die Erkenntnis, dass sein altes Leben für eine Zeitlang vorbei war. Auf das Leid folgte eine Zeit der Regeneration, auf das Ende ein Anfang. Sprechen, essen, laufen, riechen, hören. Sinnesorgane in einem neuen Gewand. Jack Barnes war fort. Als die letzten Schlingen seines alten Ichs fielen, blickte er in das Gesicht eines Mannes, wegen dem er so viele Albträume gehabt hatte, der seinen Partner getötet und ihn so schwer verletzt hatte. Nun waren ihrer beiden Leben auf unbestimmte Zeit miteinander verknüpft.

Nigel hatte zufrieden gegrinst, als er das Ergebnis gesehen hatte. Raymond hatte eine Genmutation besessen, in der Art unterschiedlicher Augenfarben, die ihm, Barnes, damals in dem Hinterhof bei strömendem Regen nicht aufgefallen war. Rechts blau, links grün. Zudem war er ein gut trainierter Mann gewesen, mit kräftigem Bartwuchs und einer stattlichen Körperbehaarung, was auch den Frauen nicht entging. Er erinnerte sich an die fast unmenschliche Kraft, die der Kerl in jener schicksalhaften Nacht zum Ausdruck gebracht hatte. Das Gute schwand, das Böse wurde gestärkt. Er tauchte in eine Seele ab, die finsterer als die Nacht und alles Schaurige dahinter war. Allein die Frage nach dem Bösen blieb zurück - inwiefern er es übernommen hatte und zu etwas werden würde, vor dem er sich am meisten fürchtete. Gene waren so am Ende eben doch die Herrscher über uns.

Ein lautes Knattern ließ ihn aufschrecken und die Reste von seinem Mittagessen verteilten sich auf seiner Hose. Wütend warf er die Schachtel aus dem Seitenfenster. Er gähnte kurz und rieb sich die Augen. Dann sah er die Motorräder, die auf der Landstraße vorbeifuhren. Auf der vordersten Maschine erkannte er den Indianer, der mit den Satteltaschen und dem Wolfsgesicht eins geworden zu sein schien. Hinter ihm folgten weitere fünf Biker, deren Westen alle ein gemeinsames Logo zierten. Die schwarzen Haare des Indianers wehten im Wind und unterschieden ihn von seinen Kameraden, die Helme trugen oder Glatzen hatten. Raymond war froh gewesen, der Bekanntschaft mit dieser Bruderschaft aus dem Weg gegangen zu sein, denn er hatte sich kurzerhand dazu entschieden, sein Auto in einem Waldweg zu parken, der abseits von der Hauptstraße lag, wo die Bäume dichter waren und enger beieinanderstanden. Als die Motorengeräusche endlich in der Ferne verhallten, stieg Raymond aus dem Auto und klopfte sich die letzten Krümel von der Hose. Er hob den Kopf, lehnte sich gegen den Wagen, schloss für einen Moment die Augen und sog die Stille in sich auf, unterbrochen nur vom entfernten Zwitschern einiger Vögel und dem Wind zwischen den Blättern.

Das alte Bushäuschen war sehr heruntergekommen und Raymond stellte sich die Frage, ob hier je ein Bus vorbeikommen würde. Hinter dem vergilbten Glas eines Schaukastens hingen verdreckte und unleserliche Zettel, die wie alte Fahrpläne aussahen. Raymond schielte wieder auf den Zettel in seiner Hand. Dies war auf jeden Fall die korrekte Adresse. Plötzlich hielt ein Pickup neben ihm. Er hatte das Fahrzeug weder hören noch kommen sehen. Auf dem Beifahrersitz saß Maggie, die Kellnerin. Am Steuer neben ihr ein kräftiger Mann mit Kinnbart und Sonnenbrille. Sie lächelte und kaute noch immer Kaugummi; die oberen Knöpfe ihrer Bluse waren weit geöffnet.

„Warten Sie hier etwa auf den Bus?“ Maggie beugte sich aus dem Fenster, wodurch sein Blick fast automatisch in ihren ausladenden Ausschnitt fiel.

Raymond zuckte mit den Schultern. „Ist das ein Problem?“

Der Typ am Steuer würdigte ihn keines Blickes.

„Nun, eigentlich nicht.“ Sie klimperte wieder mit den Wimpern.

„Nur dass hier seit Jahren kein Bus mehr fährt!", knurrte der Typ mit der Sonnenbrille.

„Ach ja?", erwiderte Raymond trotzig.

„Al hat recht, Mister." Maggies Augen ruhten auf ihm.

„Warum steht dann hier noch ein Bushäuschen?"

Raymond zeigte hinter sich.

„Weil sich bisher niemand daran gestört hat." Maggie lächelte ihn immer noch an.

Raymond zuckte mit den Schultern.

„Können wir sonst noch etwas für Sie tun?" Maggie zwinkerte ihm zu, aber Raymond schüttelte weiter den Kopf.

Al knurrte wieder etwas, das der andere nicht verstand, dann startete er den Motor. „Schönen Tag noch, Mister!"

Der Pick-up setzte sich ruckelnd in Bewegung und Maggie sah ihm aus dem Rückfenster nach. Raymond protestierte still. Er knüllte den Zettel zusammen und steckte ihn zurück in seine Hosentasche. Er wartete, bis der Pick-up hinter der nächsten Kurve verschwunden war, und überquerte dann die Straße. Auf dem Rückweg zu seinem Auto fragte er sich, ob er möglicherweise einen Fehler gemacht hatte. Er sah auf die Uhr. Es war später Nachmittag und die Sonne hatte den Zenit schon überschritten. Bevor er wieder zurück ins Auto stieg, sah er sich rasch noch einmal um. Der Wald lag ruhig da. Ein Waldkäuzchen schrie in der Ferne. Aus dem Handschuhfach holte er das Etui mit dem X-Bay und eine Straßenkarte hervor. Plötzlich nahm er hinter dem Auto eine Bewegung wahr. Blitzschnell drehte er sich herum, als die Seitenscheibe splitterte und kräftige Hände ihn aus dem Auto zerrten. Raymond hatte die Ablenkung nicht bemerkt. Mit dröhnendem Schädel lag er am Boden und versuchte aufzustehen, als ihm jemand gegen den Kopf trat. Die stumpfe Gewalteinwirkung war so stark, dass er das Bewusstsein verlor. Schwärze überkam ihn. Gute Nacht!

*Warners Büro – FBI-Außenstelle*

Das Gesicht von FBI-Direktorin Samantha Warner war kreidebleich. Die Nachricht vom Verschwinden des Agenten Barnes war eine Katastrophe. Vor Stunden hatte die State Police den Chevrolet bei einer Routinekontrolle in einem Waldgebiet gefunden, nachdem ein älteres Ehepaar den Wagen mit der eingeschlagenen Seitenscheibe per Zufall entdeckt hatte. Spuren eines Kampfes oder sachdienliche Hinweise gab es nicht. Da es eine laufende Ermittlung war, sollten keine weiteren Fragen gestellt oder Aufsehen erregt werden. Also blieb die ganze Angelegenheit im Dunkeln und Agent Barnes von der Bildfläche verschwunden.

*In einem dunklen Loch*

Raymond schmeckte Blut zwischen den Zähnen und sein Schädel dröhnte, als hätte ihn ein LKW überrollt. Er hatte die Angreifer nicht kommen gesehen, war sich aber sicher, dass sie nur auf ihn gewartet hatten. Er öffnete die schmerzenden Augen und sah nur Finsternis. Im selben Augenblick zuckte er zusammen, weil seine Rippen schmerzten. Zaghaft breitete er die Arme aus. Zu seiner Linken ertastete er eine Wand aus kaltem Stein, zur

Rechten öffnete sich der Raum in die Finsternis. Er war nackt und fror, nicht einmal die Unterhose war geblieben. Doch wer hatte das getan? Fragen über Fragen, die bestimmt bald beantwortet werden würden. Tausend Dinge schossen ihm durch den Kopf. Irgendjemand hatte ihn brutal überfallen, aus dem Auto gezerrt und bewusstlos geschlagen. Danach war er seiner Kleider beraubt und in dieses Loch gesteckt worden. Langsam versuchte er aufzustehen, was aber misslang. Seine Beine fühlten sich taub und kraftlos an. Vielleicht hatte man ihn unter Drogen gesetzt, was bei Entführungen in der Regel üblich war. Aus Erfahrung wusste er, dass es Verbrecherbanden gab, die ihren Opfern Drogen verabreichten, um sie anschließend verhören zu können. Für einen kurzen Moment schloss er die müden Augen, um sie im nächsten Augenblick wieder aufzureißen, denn er hatte mit einem Mal das untrügliche Gefühl, nicht mehr allein zu sein. Irgendjemand war in den Raum gekommen oder hatte schon die ganze Zeit gelauert und ihn beobachtet. Jetzt bewegte sich etwas, hockte oder stand ihm gegenüber, glotzte ihn an wie ein Raubtier, das seine Beute umkreist.

„Hallo? Ist da jemand?“, rief Raymond.

Die Stille war unerträglich.

„Hallo? Ich weiß, dass Sie da sind!“, wiederholte er und seine Stimme schmerzte bei jeder Silbe, je lauter er wurde.

Plötzlich zischte etwas, krächzend und schwer.

„Hallo, Philipe!“

Raymond räusperte sich, vielleicht auch, um den Schmerz zu überdecken. Kurz dachte er darüber nach, wie der echte Raymond jetzt wohl reagieren würde. „Hallo, Finsternis!“

Nicht weit von ihm hörte er schnelle kleine Schritte, als rannten viele kleine Rattenfüße durch den Raum. Er zog die Beine an, starrte weiter in die Richtung, wo er den Ursprung der Stimme vermutete, und horchte auf jedes noch so kleine Geräusch.

Die Stimme kicherte. „Ich beobachte dich!"

„Echt? Und gefalle ich dir?" Er machte eine Pause. „Schade, dass das hier eine verdammte Ein-Mann-Show ist!"

Die Stimme veränderte sich, gab aber die Richtung, aus der sie kam, nicht preis. „Tja, jammerschade, was?" Die Stimme kicherte wieder. „Das ist er also, der große Philipe du Mont!"

Raymond rutschte auf dem harten Untergrund hin und her. „Was soll dieser Scheiß?"

Die Stimme lachte ein raubeiniges Lachen.

„Erst kriege ich eins auf die Fresse und jetzt hocke ich hier in diesem Loch und werde begafft wie eine Hure zur Aktionszeit."

Die Stimme kicherte wieder. „Schön, dass du es aber trotzdem einrichten konntest."

Raymond schnaubte. Etwas bewegte sich rechts von ihm. Er kniff die Augen zusammen. „Ha! Ich sehe dich!"

„Also das glaube ich nicht!"

Raymond grunzte.

„Wir haben auf dich gewartet, Philipe."

„Ich heiße Raymond Philips!"

Wieder eine Bewegung, dieses Mal vor ihm, keine zwei Meter entfernt. Es schien, als bewegte sich jemand langsam auf ihn zu.

„Wer sind, wir'?" Er versuchte Zeit zu gewinnen.

Keine Antwort.

Raymond beugte sich nach rechts und tastete sich an der Wand entlang.

„Wir waren so gespannt auf dich, Philipe,

und ..."

Es entstand wieder eine Pause, die sich hinzog wie Kaugummi. Er hielt kurz inne und verlangsamte seine Atmung. „Und was?"

Stille. Es war eine eigenartige Unterhaltung.

„Hast du Angst, Philipe?"

Raymond presste sich flach auf den Boden. „Ich bin die Angst!" Raymond horchte wieder in die Dunkelheit, dann erhob er sich und bewegte sich weiter vorwärts. Plötzlich stieß er mit einer Hand in eine weiche Masse, die einen widerwärtigen Geruch verströmte. Er stutzte und verzog das Gesicht, während seine Finger in einer wabbeligen, klebrigen und teilweise flüssigen Substanz verschwanden. Schnell zog er die Hand zurück, roch daran, prustete, denn der Gestank war einfach unerträglich. Dann krabbelte etwas über seinen Handrücken. Es war ekelerregend.

„Oh, der feine Herr suhlt sich wohl gerne?"

Er riss die Augen auf. „Wie bitte?"

„Du suhlst dich wie ein Schwein!" Die Stimme kicherte. „Dein Vorgänger hatte leider nicht so viel Glück!"

Plötzlich wurde der Raum in ein grelles Licht getaucht und Raymond sah auf die verwesenden Überreste einer Person mit eingefallenen und toten, trüben Augen. Eine Heerschar von Insekten, Käfern und anderem Getier wütete in dem Leichnam.

Raymond sah auf seine stinkenden Hände, sah die braunen Gewebereste, die sich wie getrockneter Kleber anfühlten. Mit einem Aufschrei wischte er sich die Hände und die Finger am Boden und an den Wänden ab, fiel dann zurück auf den Rücken, trat nach den Insekten, die ihm folgten. Aus den Augenwinkeln nahm er wieder eine Bewegung wahr. Blitzschnell drehte er den Kopf in die Richtung, als das Licht wieder erlosch.

Was hatte er gesehen?

Es war eine in Schwarz gehüllte Gestalt gewesen, die etwas vor den Augen hatte. Eine Maske oder gar ein Nachtsichtgerät? Das würde erklären, wieso die Gestalt ihn in der Dunkelheit sehen konnte. Gerade als er sich abermals erhob, kam etwas Unscheinbares auf allen Vieren auf ihn zugekrochen. Kam über ihn, drückte ihn zu Boden und presste sein maskenhaftes Aussehen an sein Gesicht. Raymond versuchte sich mit aller Kraft aus den Fängen zu lösen, aber die Gestalt hatte übermenschliche Kräfte. Ihr Körper war zierlich, athletisch und weiblich. Sie war über ihm, atmete schwer und hielt ihn fest umklammert. „Test bestanden, Philipe!“ Die Stimme zischte und eine klebrige Zunge leckte ihm über das Gesicht. „Gute Nacht!“

Er zuckte zusammen, als der Einstich kam, dann hörte er die gläserne Ampulle neben sich zu Boden fallen. Einen Augenblick später erschlafften seine Muskeln und die Schwärze kehrte zurück.

# Kapitel 12

*FBI-Außenstelle*

Homeland-Direktor Mark Levinson hatte die Fingerspitzen aneinandergelegt und hörte Samantha Warner aufmerksam zu. Die stellvertretende Direktorin des FBI gab eine offizielle Erklärung zum aktuellen Fall und den jüngsten Ereignissen ab. Levinson war ein gestandener Mann Mitte fünfzig, groß, drahtig und ein erfahrener Ermittler. Viele Jahre war er im Außeneinsatz gewesen, bevor er zum Direktor befördert worden war. Damit unterstand ihm eine Behörde, die den Schutz und die innere Sicherheit zur Aufgabe hatte, um seine Bürger vor allerlei Terror zu beschützen. Ähnlich wie das FBI war sie in der Strafverfolgung aktiv und besaß über den ganzen Kontinent verteilt Agenten. Die Verfolgung besonders schlimmer Straftäter oblag zwar in erster Linie dem FBI, sollte jedoch die bestehenden Behörden unterstützen. Entgegen allen Plänen waren Polizei und FBI der Homeland-Security nicht unterstellt.

Levinson hatte die Berichte zwar alle sorgfältig gelesen, trotzdem wollte er mehr Einzelheiten wissen, da sich auch seine Leute im Außeneinsatz befanden und eine Verwicklung beider Bundesbehörden unbedingt vermieden werden musste. Was ihn aber stutzig machte, war die Tatsache, dass es Samantha Warner gestattet war, so ein kompliziertes Projekt überhaupt leiten zu dürfen. Sie war noch nicht lange in ihrer Position und hatte im Grunde zu wenig Erfahrung. Zudem waren bisher keine weiteren

Leichen gefunden worden und so wie Levinson Jack Barnes in Erinnerung hatte, würden sie auch keine finden.

*In einem geheimen Raum*

Raymond fühlte sich sehr müde und seine Glieder waren wie Blei. Was auch immer man ihm injiziert hatte, es sollte ihn ruhigstellen, bis vielleicht die Tests zur Identitätsfindung abgeschlossen waren. Raymond dachte an die gläserne Ampulle, dessen Inhalt vermutlich für die Muskellähmung verantwortlich war, in der Art, wie man sie bei Hinrichtungen in der Strafverfolgung einsetzte. Langsam öffnete er die Augen. Der grelle Schein einer Lampe traf ihn mitten ins Gesicht. Die Dunkelheit war gewichen und er fand sich sitzend auf einem Stuhl wieder. Der Raum war ein anderer und der Gestank der Leiche ebenfalls verschwunden. Der Boden und die Wände waren mit weißen Kacheln gefliest und nicht mehr aus kaltem Beton. Vor ihm stand ein niedriger Tisch, auf dem das X-Bay lag. In einer Ecke war eine Kamera montiert, die sich just in diesem Moment in seine Richtung drehte.

Raymond blinzelte. Als er seine Finger bewegte, knackte es in den Gelenken. Seine Beine kribbelten und er wagte nicht aufzustehen, aus Angst, wie ein nasser Sack zusammenzufallen. Dabei fiel ihm die breite, matte Verglasung auf, die eine ganze Wand einnahm und den Look eines Verhörzimmers verlieh. Das Glas war so konzipiert, dass man nur von einer Seite hindurchschauen konnte. Raymond wollte gerne wissen, wer da war. In einer anderen Ecke, vor ihm zur Linken, kauerte ein Bündel, in dem sich etwas bewegte. Raymond verengte die Augen, als die Kamera summte.

„Guten Morgen Raymond!“

Raymond blinzelte wieder.

„Na, ausgeschlafen?“ Es war wieder diese Stimme.

Raymond verzog die Mundwinkel. „Sehr witzig!“

Die Stimme kicherte und es rauschte, was wohl an der Übertragung lag.

„Könnt ihr vielleicht mal diese scheiß Lampe ausmachen?“

Die Stimme kicherte wieder und die Übertragung wurde besser.

„Unser Raymond ist wohl etwas lichtscheu was?“

Raymond legte Verärgerung in seine Stimme. „Hey, hört ihr schlecht?“

Die Kamera surrte und änderte den Winkel.

„Das ist ein Test, Raymond, ein einfacher, schlichter und sehr simpler Test.“

Raymond lachte heiser. „Schon wieder?“

„Gehorche und lerne.“

„Fuck you!“, prustete er.

„Es ist ganz einfach. Du tust, was du immer tust, und der Test ist beendet.“

Raymond hob den Kopf.

„Wie ich sehe, hast du es verstanden.“

Die Kameralinse hatte sich nun auf sein Gesicht fokussiert.

„Ach ja? Und was soll ich tun?“

„Du brauchst dafür den Gegenstand, der vor dir auf dem Tisch liegt.“

„Das X-Bay? Wie originell." Raymond hob verächtlich die Mundwinkel.

„Lass den Sarkasmus!", herrschte ihn die Stimme an, doch der Tonfall währte nur kurz. „Maggie war sehr nett zu dir, nicht wahr?"

Raymond runzelte die Stirn.

„Sie war so nett zu dir und du hast sie nur angeschnauzt. Dabei machte sie nur ihren Job. Euch ungehobelten Kerlen Kaffee und andere Leckereien anzubieten – und was macht ihr? Ihr verteilt euren scheiß Hass auf die Welt unter die braven Bürger, die im Grunde nichts dafürkönnen."

Raymond verzog den Mund. „Was soll dieser Mist von Moral und Anstand?" Er traute seinen Ohren nicht.

Die Kamera blieb auf ihn fokussiert.

„Werde ich jetzt noch für mein Auftreten bestraft?"

Die Stimme wurde ernster. „Man sollte dir Manieren beibringen. Aber vielleicht lernst du es irgendwann von ganz allein."

Eine Pause entstand.

„Was würdest du Maggie sagen, wenn du sie wiedersehen würdest? Würdest du dich entschuldigen?"

„Wie bitte? Verdammt nein, warum?"

Die Stimme kicherte wieder. „Gut so, Raymond, also bist du wirklich so ein Arschloch. Den Gerüchten kann man also Glauben schenken."

„Die Leute sollen mich einfach in Ruhe lassen und die Alte ging mir auch am Arsch vorbei, war eh nicht mein Typ. Wer mir blöd kommt, kriegt eine zwischen die Linsen, verstanden?"

Die Stimme klang vergnügt. „Gut, gut. Ich sehe schon, du packst die Sache gerne selbst an. Wie bei deiner Freundin, die hast du ja auch schön angepackt!“

Raymond versuchte aufzustehen. Als seine nackten Füße den Boden berührten, zuckte er kurz zusammen. „Du scheinst mich aber gut zu kennen. Würde gerne wissen, wie du aussiehst!“, fragte Raymond.

Die Stimme war nun messerscharf. „Ach ja? Macht dich meine Stimme an? Bist du scharf auf mich?“

Raymond lachte wieder.

„Du musst wissen, dass ich auf so einen Scheiß echt stehe, Raymond, doch bevor wir uns miteinander befassen, habe ich einen anderen Vorschlag.“

Raymond sah zur Kamera auf. „Kommst du jetzt endlich mal zur Sache, Süße?“

Die Stimme normalisierte sich. „Also noch mal zurück zu Maggie. Was würdest du gerne mit ihr anstellen?“

„Du geiles Miststück!“

„Beantworte die Frage!“ Die Stimme blieb hart.

Raymond hob abwehrend die Hände. „Ich hätte Lust, Macht über sie zu haben!“

Die Stimme lachte und jemand klatschte in die Hände. „Wirklich? Zeige es mir!“

Raymonds Miene erstarrte. „Wie soll das gehen? Die blöde Kuh ist nicht hier!“

„Nimm das Messer! Damit kennst du dich aus.“

Raymond wusste nicht, wie ihm geschah.

Die Kamera blieb fokussiert, dann drehte sie sich in die Richtung des Bündels und ihm stockte der Atem.

Das Bündel bewegte sich tatsächlich. Etwas wimmerte darin. Elendig, verzweifelt, wie unter Fesseln und einem Knebel.

„Ich habe ein Geschenk für dich!"

Raymond lief es eiskalt den Rücken runter. Als er sich trotzdem nicht bewegte, drehte sich die Kamera wieder zu ihm.

„Das ist deine Chance, Raymond. Nutze sie, bevor ich an dir zu zweifeln beginne."

„Was befindet sich in diesem Sack?"

„Wer, nicht was!"

Raymonds Hand zitterte unmerklich.

„Maggie wartet auf dich, lieber Raymond. Sie kann es praktisch kaum erwarten, dass du sie rannimmst. Sie steht echt auf dich!"

„Blödsinn. Die Alte geht mir am Arsch vorbei, wie ..."

Die Stimme unterbrach ihn. „So erntest du keine Macht! Mäuse fängt man mit Käse, lieber Raymond. Die Tussi war so dumm, mir zu vertrauen."

„Aber sie saß in einem Auto mit diesem Typ, ich glaube, sein Name war Al!"

Die Stimme kicherte wieder. „Glaubst du das? Wer ist Al?"

„Al war, glaube ich, ihr Chef."

Die Stimme war schrill. „Es geht hier aber nicht um diesen Al, Raymond!"

Es entstand eine Pause, die sich hinzog wie Kaugummi.

„Verdammt noch mal, jetzt zeig dich endlich und quatsch mir hier nicht die Ohren voll!", herrschte Raymond der Kamera entgegen.

„Spar dir deine Energie, Raymond, denn du wirst sie noch brauchen!"

Die Linse fokussierte ihn weiter.

„Nimm das Messer und entscheide dich. Aber ich will jetzt endlich Action sehen!" Die Stimme veränderte sich wieder im Tonfall.

Raymonds Hände verkrampften sich. Dann erhob er sich und packte das Messer, dass die Fingerknöchel weiß hervortraten. „Darf ich sie mir ansehen?"

„Nein!"

Raymond hob verwundert den Kopf. „Warum nicht?"

„Weil du so mehr Macht über sie hast und es die Spannung erhöht!"

„Aber ich will ihre Angst sehen, ihr in die Augen sehen, wenn sie stirbt!" Er zeigte ein teuflisches Grinsen.

Die Stimme lachte wieder. „Du mieser Scheißkerl. Ekelhaft, aber gut!"

Eine kurze Pause entstand. „Also los, Raymond, zeige mir, was du kannst!"

Raymond spürte Furcht in sich aufsteigen und die Nässe in seinen Handflächen. Langsam bewegte er sich auf das Sackbündel zu, wodurch das Wimmern lauter wurde. Der Kloß in seinem Hals wuchs. Er wusste, dass er unter Beobachtung stand, doch er wollte nicht versagen. Er war so weit gekommen und wurde nun mit dem Unausweichlichen konfrontiert. Der Tod und das

Sterben waren in seinem Job als Polizist immer präsent gewesen, aber nun musste er eine Grenze überschreiten, die von Grund auf alles verändern könnte. Er musste töten, Lust dabei empfinden und keine Reue zeigen. Widerstand würde seinen Tod bedeuten und die ganze Scharade auffliegen lassen. Er wollte leben und die Sache zu Ende bringen. Raymond Philips war ein Serienmörder gewesen, ein ausgesprochen perfides Subjekt. Er musste es richtigmachen.

Hinter ihm surrte wieder die Kamera.

„Mach sie mir zum Geschenk, Raymond! Oder bist du auch nur so ein kleiner, mieser Schlappschwanz wie alle Männer in der normalen Welt?"

Die Stimme war wie ein schauriges Flüstern.

Raymond verharrte. Dann trat er gegen das Bündel und der Inhalt schreckte zusammen.

„Tu es endlich, du Schlappschwanz!", schrie die Stimme. „Soll ich dir verraten, wie Maggie über dich gedacht hat. Sie hat dich nur angeheizt. Hast du gedacht, sie würde auf dich stehen? Auf dich?" Die Stimme provozierte und verhöhnte ihn. „Sie hat mit den Gästen über dich gelacht. Du bist ein Niemand, Raymond. Ein Psycho, der seinen Riemen niemals wieder irgendwo reinstecken wird, noch nicht einmal bei so einer Wanze wie dieser Maggie!" Die Stimme lachte schallend.

Raymond wurde wütend. Er spürte die aufkeimende Wut. Sein Magen zog sich zusammen. Er war der Übelkeit nahe. Er hasste diese Maggie und diese Stimme - oder wer immer sich dahinter verbarg. Der echte Raymond kroch aus der Finsternis zu ihm empor und stahl ihm alle Gefühle.

„Tu es!", zischte die Stimme wie eine hinterhältige Schlange.

Er warf der Kamera ein teuflisches Gesicht zu. Dann widmete er sich wieder dem Bündel, hob das Messer und stach zu. Einmal, zweimal, dreimal. Immer tiefer drang die Klinge durch den Stoff. Schon zeigten sich erste Rinnsale von Blut und tränkten seine Hände, die immer und immer wieder auf das Bündel einstachen. Raymond war im Rausch. Die Stimme schrie, lachte und heulte wie ein Wolf, der das Gemetzel aus der Ferne beobachtete. Raymond war endlich in seinem Element und wie von Sinnen. Plötzlich und aus heiterem Himmel stockte er und ließ das Messer fallen. Seine Hände und Arme waren blutrot. Sein immer noch nackter Körper war mit Blutflecken übersät und das Blut tropfte aus seinen Haaren. Er wich zurück und sah auf sein Werk hinab. Der Stoff des Bündels war an zahlreichen Seiten zerrissen und tief getränkt. Eine Blutlache sammelte sich unter dem Bündel und empfing Raymonds nackte Füße. Das X-Bay fiel klirrend auf die Fliesen. Er packte den Sack und zerriss das Leinen. Zum Vorschein kam ein blutiger Kadaver. Er drehte den Kopf und verengte die Augen.

„Das war besser als jeder Orgasmus, Raymond. Danke!"

„Du hast mich verarscht, Miststück!", brach es aus ihm heraus.

„Oh, enttäuscht? Stell dir einfach vor, sie wäre es wirklich gewesen. Sie war doch ein Miststück, oder?"

Raymond ballte die Hände zu Fäusten. Da fühlte er einen Stich am Nacken und das Licht erlosch.

„Test bestanden, willkommen zu Hause!"

Der Geruch war ekelerregend, muffig, wie abgestandener Moschus. Schreckliche Kopfschmerzen zermarterten sein Gehirn und er erwachte nur langsam aus einem unruhigen Dämmerschlaf. Als Raymond die Augen öffnete, bemerkte er, dass er auf der Seite lag. Angewidert zuckte er zusammen, als er den vergilbten und verdreckten Teppich sah, auf dem er mit der einen Hälfte seines Gesichts lag. Reflexartig fasste er sich in den Nacken und fühlte die Einstichstelle der Kanüle, die ihn zum zweiten Mal ins Reich der Träume geschickt hatte. Eine Kruste aus geronnenem Blut bedeckte die Stelle und war druckempfindlich. Raymond stöhnte und drehte den Kopf zur Seite. Seine Augen fühlten sich wie Blei an. Die Unterlage stank erbärmlich. Das Licht war diffus. Plötzlich wurde er aus seinen trüben Gedanken gerissen und gepackt. Das Gesicht einer panisch aussehenden Frau erschien in seinem Blickfeld. Ihr Haar war zerzaust, das Gesicht war angespannt und zeigte die Überreste eines billigen Make-ups.

„Was machen Sie denn hier? Schnell, wir müssen weg!" Sie war dem Wahnsinn nahe und flüsterte, aber Raymond bemerkte sofort die Panik in ihren Worten.

Stumm blickte er der Frau ins Gesicht, die ihn rasch auf die Beine zerrte. Unsagbare Übelkeit überkam ihn, ließ ihn torkeln. Er röchelte nach Luft und erbrach sich schließlich. Seine Nacktheit war verschwunden. Die Frau warf panisch den Kopf hin und her. Raymonds Magen tanzte Polka und er stützte sich unsicher an einer Wand ab, die mit einer zerfetzten Tapete bedeckt war.

Ein lautes Poltern und Gebrüll rissen ihn aus seinen Schmerzen. Die Frau wimmerte.

Raymond drehte sich zu ihr um und musste sich dann abermals übergeben.

„Wenn wir zusammenbleiben, haben wir vielleicht eine Chance.“ Ihre Augen waren weit aufgerissen.

Raymond wischte sich mit der Hand den Mund ab. Das Poltern wiederholte sich, das Gebrüll klang dieses Mal deutlich näher. „Was ist hier los?“

Die Frau zitterte. „Das wissen Sie nicht?“

Raymond schüttelte den Kopf. „Verdammt nein!“

Die Frau kam auf ihn zu. „Wir müssen weg, schnell, bevor sie uns holen!“

Raymonds Augen verengten sich. Er packte die Frau am Arm. „Sie? Von wem reden Sie hier?“

Die Frau reichte ihm die Hand. „Ich bin Anna. Anna Wilkox.“

„Raymond Philips“, gab er zurück.

Sie nickte. „Wir müssen weg, Raymond.“

„Sie haben meine Frage nicht beantwortet.“

„Dafür haben wir im Moment keine Zeit.“ Ihre Stimme war hysterisch.

„Wieso, was meinen Sie?“

Genau in diesem Moment zerbrach irgendwo ein Fenster.

„Oh Gott, sie kommen! Schnell raus hier!“

Raymond verstand noch immer nicht. Der Raum, in dem sie sich befanden, war ein heruntergekommenes Zimmer. Dreckig, muffig und in fahles Licht getaucht. Die alten Bodendielen quietschten und knarrten bei jedem Schritt. In der Mitte lag dieser alte verdreckte Teppich, dessen dunkle Flecken nicht zu deuten waren. Die Frau war hager und schmuddelig. Sie trug eine dunkelrote Sportjacke und ein Cappy, unter dem ihre dunklen Locken hervorlugten. Ihre einst wahrscheinlich blaue Jeans wirkte abgetragen und ihre Turnschuhe waren schmierig und abgenutzt. Was war hier los?

Plötzlich verstummten das Poltern und das Gebrüll. Für den Bruchteil eines Augenblicks kehrte die Stille zurück. Auf der gegenüberliegenden Seite bemerkte Raymond eine breite Eingangstür und zwei Fenster zu beiden Seiten, deren Gläser so vergilbt waren, dass man nicht nach draußen sehen konnte. An der Decke waren Spinnweben und eine alte Lampe, aus deren Lampenschirm eine vergilbte, halb flackernde Glühbirne heraushing. Die Frau drehte den Kopf in seine Richtung und legte einen Finger an die Lippen. Raymond verengte die Augen.

Genau in diesem Moment flammte vor den vergilbten Fenstern etwas sehr Grelles auf und die Klinge einer Axt hieb durch das Holz der Eingangstür.

„Oh, nein, was machen wir jetzt?“ Die Frau schrie auf.

„Die Tür, wir müssen durch die Tür.“ Raymond packte Anna am Arm, doch sie weigerte sich.

„Aber das ist Selbstmord!“, kreischte sie.

„Das werden wir noch sehen!“ Raymond sprang nach vorn und der Schmerz in seinen Eingeweiden kehrte zurück. Mit unbändiger Kraft stemmte er sich gegen die Tür, als nur wenige Zentimeter von seinem Gesicht entfernt die Klinge erneut durch das Holz trieb. Raymond schrie Anna an, ihm zu helfen. Doch die Frau wirkte wie versteinert, schüttelte unbändig den Kopf.

Raymond stürmte auf sie zu, packte sie wieder am Arm und riss sie dabei aus ihrer Starre. „Wenn Sie mir schon nicht sagen wollen, was hier los ist, sollten wir lieber zusammenbleiben. Dann haben wir vielleicht eine Chance!“

Annas Gesicht nahm wieder Farbe an und sie nickte.

Hinter ihnen zersplitterte die Klinge weiter die Tür. Kräftige Hände erschienen und rissen die ersten Bretter aus dem Spalt. Ein Ledergesicht zeigte sich, in dem wilde Augen loderten. Raymond nahm Anlauf und trat gegen die Tür. Das unheimliche Gesicht verschwand. Die Tür knarrte und die Scharniere knackten. Wieder hieb die Klinge durch den Spalt und riss daran herum. Geistesgegenwärtig packte Raymond den unteren Schaft der Klinge und drehte diesen. Draußen vor der Tür wurde das Gebrüll nun stärker.

Anna stand bereit und half ihm. Mit einem kräftigen Ruck gab der Widerstand nach und beide polterten zurück auf den Teppich. In dem Spalt klaffte nun ein viel größeres Loch und ein Schaft ohne Klinge steckte darin. Die Klinge lag am Boden. Gerade als die beiden wieder auf die Beine kamen, gab die Doppeltür nach und flog über ihre Köpfe hinweg durch den Raum. Ihr Blick fiel auf eine am Boden liegende Gestalt, die so massig wie ein Wrestler wirkte. Raymond sah die Gelegenheit zum Angriff und riss die Frau hoch. Das Ledergesicht sah auf seine leeren Hände herab und wollte gerade angreifen, als ihn die Klinge am Kopf traf und er zusammensackte. Raymond packte Anna und zusammen rannten sie aus dem Haus ins Freie. Um sie herum war Chaos. Riesige Fackeln zu beiden Seiten der Türen brannten lichterloh und in der Ferne herrschte Kreischen und Schreien. Das

Ledergesicht lag mit aufgerissenen Augen am Boden, die Klinge steckte in seiner Stirn. Raymond sah sich um. Was sollten sie jetzt tun? Direkt vor ihnen erstreckte sich ein großes Maisfeld, dessen Halme vertrocknet und dessen Früchte verfault waren.

„Wohin sollen wir nur?“, schrie Anna keuchend.

„Ins Maisfeld, da können wir uns erst einmal verstecken!“, schlug Raymond vor.

Die Frau nickte hoffnungsvoll und er sah ihre Tränen.

„Verdammte Scheiße!“, fluchte er.

## Kapitel 13

*Im Spiel des Todes*

Die Zeit verstrich und je weiter sie in das Maisfeld vordrangen, umso unheimlicher wurde es um sie herum. Irgendwann brach Anna zusammen und schluchzte. Stille umgab die beiden, doch irgendwie hatte Raymond das Gefühl, dass das noch nicht das Ende war. „Sie sagen mir jetzt sofort, was hier los ist!", herrschte er Anna an, die offensichtlich mit ihren Nerven am Ende war.

Sie schluchzte und wischte sich die Tränen mit dem Ärmel ihrer Sportjacke ab. „Ich weiß ja selbst gar nicht so viel."

„Anna, bitte!", hakte Raymond nach.

Die Frau nickte wieder. „Okay, also das Letzte, an das ich mich erinnere, war, dass ich von der Arbeit nach Hause fuhr. Ich weiß noch, wie ich in diesem Bus saß, an der Haltestelle ausgestiegen bin und zu meiner Wohnung wollte.

„Sie waren zu Fuß unterwegs?", fragte Raymond.

Die Frau nickte. „Es war schon dunkel. Ich erinnere mich noch an den Haustürschlüssel, aber ab dann nur noch Nebelschwaden."

Raymond nickte. „Es muss Ihnen jemand aufgelauert haben."

„Aber da war niemand."

„Warum sind Sie dann hier?", fragte er weiter.

Anna schien darüber nachzudenken. „Ich bin dann in einem alten Schuppen wieder aufgewacht."

„In einem Schuppen?" Raymond verengte die Augen.

„Ja.“

„Okay, waren Sie alleine dort?“

„Nein, da war noch ein junger Mann“, erinnerte sich Anna.

„Okay und wo ist der Typ jetzt?“ Raymond wurde hellhörig.

„Er ist tot.“

Raymond zuckte zusammen. „Wie bitte? Tot?“

Die Frau nickte wieder und erstarrte. „Wir waren wohl nicht allein. Irgendjemand hatte auf uns gewartet.“

„Wer?“

„Einer von denen.“ Anna hob den Kopf und sah Raymond direkt an. Unter all dem Schmutz verbarg sich ein hübsches Gesicht.

Raymond versuchte sich darauf einen Reim zu machen.

„Das Todesspiel!“ Annas Stimme war mehr ein Flüstern.

„Wie bitte?“, fragte Raymond.

„Das ist ein perfides Spiel. Ihr Spiel!“ Annas Augen rollten wild hin und her, immer auf der Suche nach dem absoluten Grauen.

Raymond versuchte sich zu erinnern. Dann endlich kehrte die Erinnerung zurück. Das Schauspiel, von dem ihnen das FBI berichtet hatte. Die Schauermär auf dem Monitor. Die Erkenntnis eines anderen Lebens.

„Sie wissen, wovon ich spreche?", fragte Anna.

Er sah auf. „Wer sind die?“

Die Frau zuckte mit den Schultern. „Sie sind die Jäger und wir die Beute.“

Sie schluchzte wieder.

„Die fauligen Felder …“, sagte er ganz nebenbei.

Die Frau schüttelte den Kopf. „Wir haben denen doch nichts getan!"

„Das stimmt, aber wie Sie selbst gesagt haben, ist das Ganze ein perfides Spiel." Er sah sich um. Die fauligen Ranken der Maishalme verbreiteten einen ekelhaften Gestank. Auf einigen der verdorrten Halme tummelten sich fette Fliegen mit dicken Leibern und in den Furchen am Boden lagen Würmer und tote Maden.

„Sie bleiben hier, ich schaue mich mal um." Sein Tonfall war scharf.

Die Frau riss panisch die Augen auf. „Lassen Sie mich bitte nicht allein!"

Raymond versuchte sie zu beruhigen. „Ich bin gleich wieder zurück, versprochen."

Die Frau schüttelte den Kopf und begann wieder zu zittern.

Raymond fasste sie an der Schulter und deutete ihr mit einem festen Händedruck an, dass sie sich zusammenreißen sollte. „Ich versuche, in Sichtweite zu bleiben, okay?"

Die Frau nickte zitternd. Dabei zog sie schützend die Schultern hoch.

Raymond bahnte sich langsam und vorsichtig einen Weg durch den toten Boden. Jedes Mal, wenn er einen Halm beiseite bog, fiel ihm das eklige Viehzeug entweder ins Haar oder es kroch über seinen Handrücken. Nach einigen Metern versperrte ein schrottreifer alter Mähdrescher, der eigentlich in ein Museum gehörte, den Weg. Plötzlich zupfte etwas an seinem Hemd und er fuhr erschrocken herum. Anna hockte direkt hinter ihm und zitterte immer noch. Eine fette Raupe kroch ihre linke Schulter herab.

Raymond legte einen Finger an die Lippen. Mit der anderen Hand packte er die Raupe und warf sie weg. „Verdammt Anna, ich habe fast einen Herzinfarkt bekommen."

Sie entschuldigte sich sofort bei ihm. „Ich wollte bei Ihnen sein."

„Okay, okay, aber bitte nicht mehr anschleichen."

„Was ist das hier?", fragte sie.

„Das ist ein alter Mähdrescher. Ich glaube wir sind auf irgendeiner alten Farm und wie das hier aussieht, wird die auch schon länger nicht mehr bestellt."

Die Frau nickte und zog den Reißverschluss ihrer Sportjacke bis ganz nach oben.

Plötzlich knackte es nicht weit von ihnen im Unterholz. Raymond und Anna duckten sich. Irgendjemand schlich sich an sie heran. Vorsichtig hob Raymond den Kopf und lugte aus dem Feld heraus. Nebelschwaden waren aufgezogen und machten alles nur noch unheimlicher.

Die Frau zupfte wieder an seinem Ärmel. „Können Sie was sehen?"

Raymond schüttelte den Kopf. „Nein." Doch dann sah er eine halb gebeugte Gestalt aus dem Nebel auftauchen, deren Schritte schlürfend und nicht menschlich wirkten. In einer Hand, die das Ende eines unnatürlich langen Armes war, hielt sie eine Art von kurzer Sense. Der Nebel ließ die Gestalt schaurig wirken, wie eine Kreatur aus Albträumen. Die Gestalt röchelte und zischte. Für den Bruchteil einer Sekunde sah er das Antlitz ohne Augen. Eine leere Hülle Finsternis. Die Kreatur schleifte die Sense hinter sich her. Einen Moment später war sie vorüber und verschwand in der Nacht.

*In einem Diner an der 3rd*

Der Diner an der 3rd and Pride – einer dieser Läden, der vierundzwanzig Stunden geöffnet hatte - war Direktor Levinsons Stammrestaurant, bevor er heim zu Frau und Familie fuhr. Man kannte sich und jeder wusste, dass Levinson nie ohne seine Arbeit kam. In seinem dunklen Anzug fiel er meist nicht auf, da die zahlreichen anderen Kunden aus den nahen Investmentbüros und Geschäftszentralen ebenfalls mit Schlips und Anzug gekleidet kamen. Levinson saß wie jeden Abend an einem der Zweiertische, genoss ein leichtes Essen und grübelte über einem aktuellen Fall. An der Theke standen zwei Streifenpolizisten und läuteten mit einem Bierchen den Feierabend ein, was die Kellnerinnen hinter dem Tresen mit einem Lächeln bedachten. Da das Präsidium direkt auf der gegenüberliegenden Seite lag, war der Diner stets in einer sicheren Position vor Räubern gewesen. Trotzdem bemerkten die beiden Polizisten nicht den Gast, der an einem anderen Tisch saß und unablässig in Levinsons Richtung starrte. Dabei schob er sich fast beiläufig sein Essen in den Mund und war ohne jede Regung. Fast wie ein Zombie. Der Mann verharrte zwischen den Bissen und seine Hände zitterten. Seine Augenlider zuckten unablässig. Als eine der Kellnerinnen zu seinem Tisch kam, aß er einfach weiter, ohne sie wahrzunehmen.

Die junge Frau zögerte. „Ist alles in Ordnung, Sir?“

Der Mann reagierte nicht und aß emotionslos weiter.

"Sir?" Sie drehte sich um.

Der Mann starrte weiter in Levinsons Richtung.

Die Kellnerin folgte seinem Blick.

Einer der Streifenpolizisten drehte sich zu ihr um.

Die Kellnerin zuckte mit den Schultern und ging davon.

Einer der Beamten sah die Kellnerin fragend an, dann runzelte er die Stirn. Sein Kollege schlug vor, das Verhalten des Mannes zu untersuchen. „Ähem, entschuldigen Sie, Sir?"

Der Mann glotzte weiter in Levinsons Richtung.

„Sir? Hey, Sie!" Sein Kollege schnippte mit den Fingern direkt vor dem Gesicht des Mannes herum.

Dieser setzte die Gabel ab, kaute aber weiter. Schließlich drehte er den Kopf in einer Geschwindigkeit, die fast an Zeitlupe erinnerte. Seine Haut war blass und seine Hände umklammerten das Besteck, so dass die Knöchel weiß hervortraten.

Der Beamte lächelte. „Entschuldigen Sie die Störung, Sir, aber ist alles in Ordnung mit Ihnen?"

Der Mann kaute hörbar weiter.

Die Hand des zweiten Polizisten wanderte zu seinem Holster.

Sein Kollege hakte nach. „Sir?" Er schnippte wieder mit den Fingern. Schlagartig hellte sich das Gesicht des Mannes auf und er sah die beiden Beamten nun völlig normal an, gleichzeitig entspannte er sich. „Was gibt es denn, Officer?"

Die beiden Polizisten tauschten wortlose Blicke aus. „Wir wollten Sie nicht stören, Sir, aber wir hielten Sie für abwesend."

Der Mann lächelte und schluckte den Bissen hinunter. „Ist das etwa eine Straftat?"

Die beiden Polizisten schüttelten den Kopf.

Aus der Ferne hob Levinson den Kopf und sah zu der Unterhaltung hinüber. Er schien in Gedanken. Teilnahmslos senkte er wieder den Blick.

Das Funkgerät des ersten Polizisten rauschte und er nickte seinem Kollegen zu. „Alles in Ordnung, lassen Sie sich nicht stören, Sir."

Der Mann grinste schief und nickte. „Die Polizei, dein Freund und Helfer!"

„Einen schönen Abend noch und guten Appetit."

Der Mann bedankte sich, trank sein Wasser aus und gab der Bedienung ein Zeichen, dass er zahlen wollte. Die beiden Beamten kehrten zur Theke zurück. Der Mann kramte in seiner Brieftasche und holte das Geld hervor. Dabei sprang noch ein Trinkgeld für die Kellnerin heraus. Sie lächelte und er erwiderte ihre Geste. Dabei fiel ihr auf, wie sehr er sie anglotzte. Außerdem klebten da noch Speisereste zwischen seinen Zähnen, was sie als eklig empfand. Einen Moment später erhob er sich, setzte sich einen Stetson auf, nahm die Jacke und seine Tasche und ging in Richtung Ausgang. Als er an den beiden Beamten vorbeikam wanderten deren Blicke zu ihm. Auf Höhe von Levinsons Tisch blieb der Mann plötzlich abrupt stehen.

Levinson hob den Kopf und sah zu dem Mann auf. „Ja, bitte?"

Der Mann stand einfach da, seine Hände zitterten wieder. Dann drehte er den Kopf in Levinsons Richtung. „Direktor Levinson von Homeland-Security?"

Levinson verengte die Augen, dann nickte er. „Und wer sind Sie?" Levinson wirkte ruhig.

Die Lippen des Mannes bebten, dann legten sie Zähne frei. „Ich habe eine Nachricht für Sie!"

Die Klinge eines Messers blitzte auf. Levinson erschrak und fasste sich reflexartig an sein Innenholster, in der seine Smith & Wesson allzeit bereit und geladen war. Doch der Angriff des Mannes war schnell, gezielt und brutal. Levinson blieb nicht die Zeit, sich zu wehren. Blut spritzte, als das Messer seinen Weg in Levinsons Kehle fand. Die Augen des Angreifers loderten vor Hass. Levinson taumelte, schlug nach dem Mann, der auf ihn einstach. Hinter ihnen schrien erst die Kellnerinnen und dann die Gäste an den Nachbartischen. Die beiden Beamten zogen ihre Waffen. Die erste Kugel traf den Angreifer in die Schulter und er ließ endlich das Messer los, das jetzt tief in Levinsons Hals steckte. Der Direktor von Homeland röchelte und starrte mit weit aufgerissen Augen ins Leere, bevor er leblos zusammensackte. Ein Blutschwall ergoss sich über die weiße Tischdecke und den Boden. Der Angreifer zuckte kurz zusammen, bevor eine zweite Kugel ihn in die Brust traf. Trotzdem stand der Typ noch immer aufrecht und lachte. Mit einem blutverschmierten Zeigefinger zeigte er drohend in die Menge. „Das ist erst der Anfang, meine Kälbchen, die Ernte steht unmittelbar bevor!" Er breitete die Arme aus, als die beiden Beamten das Feuer eröffneten. Endlich ging der Mann zu Boden und starb, als weitere Beamte zur Tür hereinstürmten und verzweifelt versuchten, Levinson das Leben zu retten, doch für den Direktor kam jede Hilfe zu spät.

Raymond und Anna krochen durch die Finsternis und hatten das faulige Maisfeld lange hinter sich gelassen, bevor sie in einem kleinen Wäldchen eine kurze Rast einlegten. Der Vollmond war aufgegangen und erhellte die Nacht mit seinem Licht. Die wenigen Nebelschwaden, die noch zwischen den Stämmen der alten Bäume hingen, lösten sich allmählich auf. Vor wenigen Minuten hatten sie eine weitere Gestalt beobachtet, die sich geduckt im Nebel bewegte. Dann war sie auf einen Stapel mit alten Strohballen geklettert und hatte in die Nacht gebellt – wie ein Tier auf Beutesuche.

Anna fröstelte und hörte einfach nicht auf zu schluchzen.

Raymond musste einen Ausweg finden. Wie viele von diesen Dingern waren hier unterwegs? „Anna?" Er flüsterte und sie sah auf. „Wir können nicht hierbleiben, irgendwann werden sie uns finden."

Anna schüttelte den Kopf. „Ich will hier nicht sterben, Raymond!"

„Das wird nicht passieren, solange ich noch kämpfen kann", entgegnete er.

Sie schluchzte wieder. Er wusste, dass ihr Kampfgeist mit jeder Stunde, die verstrich, weiter abnahm. Sie mussten handeln.

„Was sollen wir bloß tun?", fragte sie schluchzend.

„Ich werde mir die Mistkerle schnappen!" Sein Blick war starr in die Finsternis gerichtet und er ballte die Hände zu Fäusten.

Sie schüttelte wieder den Kopf. „Sie werden dich töten, sie werden uns töten!"

Raymond schüttelte den Kopf. „Sie wissen nicht, wo wir sind."

Eine Wolke schob sich vor den Vollmond und die Finsternis gewann wieder die Oberhand.

„Lass mich nicht allein." Sie drückte seine Hand.

„Wir müssen etwas tun, sonst holen sie uns!" Er erwiderte ihre Geste.

„Dann brauchen wir eine Ablenkung." Sie zitterte, als fürchtete sie sich vor dieser Entscheidung.

Raymond sah sie an. „Das kannst du vergessen, ich übernehme das!"

Sie schüttelte den Kopf. „Es gibt einen Ausgang!"

Er sah sie mit großen Augen an. „Was? Wo? Warum erzählst du mir das erst jetzt?"

„Weil, weil ich nicht wusste ..." Ihre Worte versagten.

„Ob du mir trauen kannst?", beendete er ihren Satz.

Sie schüttelte den Kopf.

„NEIN! Weil sie ein kleines, dummes Ding ist, Raymond!"

Die beiden fuhren zusammen und Anna hielt sich zitternd eine Hand vor den Mund, um nicht loszuschreien.

Die Stimme lachte laut. „Danke, Raymond, dass du sie hierhergelockt hast!"

Anna fuhr herum und Raymond zuckte mit den Schultern.

„Du mieses Schwein!", schrie sie ihn an.

„Anna, nein!" Er versuchte sie zu beruhigen.

Im Hintergrund lachte die Stimme wieder.

„Du verdammtes Miststück! Komm endlich raus und zeige dich mir!", schrie Raymond in die Nacht.

Anna erhob sich und rannte los.

„Anna! Bleib stehen." Raymond rief ihr hinterher. Als sie nicht reagierte, nahm er die Beine in die Hand und rannte ihr hinterher.

Plötzlich trat aus dem Halbschatten eine Gestalt hervor, die eine kurze Sense nach Anna schwang, sie jedoch damit verfehlte. Raymond trat der Gestalt die Sense aus der Hand. Die Gestalt schrie und zog ein langes Beil aus ihrem Gürtel. Anna stoppte und drehte den Kopf in seine Richtung.

Raymond ruderte mit den Armen. „Anna, hau ab, ich halte sie auf."

Die Gestalt mit dem Beil kam drohend und irre lachend auf ihn zu. Raymond sah sich zu beiden Seiten um, als er stolperte. Zu seinen Füßen lag die kopflose Leiche eines Mannes, der der Länge nach hingestreckt worden war. Die Gestalt vor ihm kreischte und hob das Beil. Raymond warf sich mit aller Kraft nach hinten und stieß mit beiden Beinen der Gestalt zwischen die Beine, wodurch diese aus dem Gleichgewicht geriet. Raymond erhob sich und rannte wieder hinter Anna her. Als er aus dem Maisfeld kam, sah er kurz nach rechts und links. Irgendwo hinter ihm kreischte die Kreatur mit dem Beil. Als er abermals eine Bewegung ausmachte, rollte er nach vorne ab und sah plötzlich Anna, die stocksteif keine zehn Meter vor ihm stand. Ihr Blick sprach Bände, denn irgendetwas stimmte nicht. Die Frau zitterte am ganzen Körper und sie schluchzte wieder. Eine breite Gestalt trat hinter ihm aus dem Maisfeld und wischte sich die Würmer von der nackten Haut. Das Gesicht verbarg die Gestalt hinter einem Fetzen aus Haut und Knochen. In den Händen hielt der Nackte eine rostige Sichel.

„Du warst sehr unartig, Philipe!" Die Stimme war zurück.

Anna zitterte und schien dem Wahnsinn nahe.

Raymond ballte die Fäuste.

„Ich hatte gedacht, du würdest dich über das Schlachtfest freuen, was wir dir zu Ehren aufgeführt haben!" Die Stimme war noch immer gestaltlos.

Raymond lachte auf. „Mir zu Ehren? Warum hat mich dieser Fettsack dann angegriffen?"

„Nun, er wusste nicht, wer du warst." Die Stimme machte eine Pause. „Jetzt weiß er es!" Sie lachte.

Anna stand noch immer wie angewurzelt da. Ströme von Tränen rannen über ihre Wangen.

„Deine Marionetten sind ein Witz!" Raymond wollte nicht aufgeben.

„Das stimmt, Philipe, denn du bist das Meisterstück, was es zu veredeln gilt!" Die Stimme veränderte sich in der Tonlage.

„Warum zeigst du dich nicht endlich, Miststück!"

„Warum nicht!" Im selben Moment betrat eine weitere Gestalt die Bühne. Es war eine Frau mit langen, blonden Haaren und einem eher zierlichen Körper. Das Gesicht verbarg sie hinter einer schwarzen Ledermaske, die ihre kalten Augen besonders zur Geltung brachte. Ihre Aura war teuflisch und Raymond bemerkte sofort, dass sie etwas hinter ihrem Rücken verbarg.

„Sehr aufreizend!" Raymond leckte sich über die Lippen.

„Gefalle ich dir, Philipe?" Sie spielte mit ihm, das war offensichtlich. „Mein Name ist übrigens Pan."

In Raymond zuckte es. Pan, die Schlächterin, stand nur einige Meter vor ihm. Doch wo waren ihre anderen Mordgesellen? Der nackte Psycho hinter ihm jaulte und knurrte wie ein Raubtier, dabei rotierte die Sichel in seinen Händen.

Pan machte eine Handbewegung und der Nackte tanzte nun von einem Bein auf das andere. „Was machen wir denn nun mit der süßen Anna?“ Pan trat nahe an die zitternde Frau heran und strich ihr mit der Hand über die Wangen.

„Sie gehört zu mir! Lass sie in Ruhe!“, schrie Raymond.

Pan drehte den Kopf in seine Richtung. „Sie gehört nicht zu dir, sie gehört DIR!“ Ihre Augen loderten. „Aber vielleicht überlässt du sie ja mir, damit ich sie schlachten kann!“

Raymond verlagerte ein Bein und machte sich bereit, ließ aber den Nackten hinter sich nicht aus den Augen. Er wusste, dass sie mit ihm spielte und ihn aus der Reserve locken wollte. Er musste Anna irgendwie helfen, auch wenn die ganze Sache jetzt schon verloren war. „Wenn du ihr etwas antust, mache ich dich fertig, Miststück!“

Pan lachte und nickte dem Nackten unmerklich zu. Im gleichen Augenblick stürmte der los, die Sichel hoch erhoben. Raymond machte einen Schritt zur Seite und der Nackte schwang seine Sichel ins Leere. Raymond nutzte den Schwung und packte den Angreifer am Arm, wodurch dieser aus dem Gleichgewicht geriet. Die Sichel ging zu Boden. Raymond stürmte nach vorn, um sich das Mordwerkzeug zu schnappen, doch der nackte Psycho umklammerte seine Beine. Raymond kam nicht an die Sichel heran. Der Nackte sprang auf seinen Rücken, wodurch ihm die Luft aus den Lungen getrieben wurde. Langsam kam der Psycho wieder auf die Beine und griff sich die Sichel. Raymond robbte vor und biss dem Psycho in die Hand. Abermals verlor dieser die Sichel, die sich nun Raymond schnappte. Beim nächsten Angriff des Psychos rammte Raymond ihm die Sichel in die Magengegend und zog im zweiten Schwung einen langen Schnitt durch dessen Gesicht. Der nackte Psycho schrie auf und rannte ins Maisfeld zurück.

Raymond drehte sich nun wieder Pan zu und fletschte die Zähne.

Pans Gesichtsmuskeln spannten sich, auch wenn die Ledermaske das meiste verbarg. „Du und ich im Zweikampf um die Beute. Uh, wie mich das erregt." Sie warf den Kopf in den Nacken.

„Ich mache dich fertig, du Miststück." Er ballte die Hände wieder zu Fäusten und griff an.

Pan war geschickt und blitzschnell. Immer wieder wich sie seinen Angriffen aus, lachte, rollte sich ab und stand wieder auf den Beinen. Anna zitterte. Raymond war bemüht, doch es reichte nicht. Er packte Pan und drückte sie an sich.

„Du riechst so gut, Philipe!" Sie war ihm immer einen Schritt voraus, dann biss sie ihn und er ließ sie los. Als sie sich abermals abrollte, warf er kurzerhand die Sichel nach ihr. Leider wich sie aus und die Sichel bohrte sich in Annas Brust. Die Frau schrie auf und ihre entsetzten Augen schienen aus den Höhlen zu treten. Sie japste und spuckte Blut. Dann erst schaute sie Raymond und schließlich die rostige Sichel an, die wie ein Horn aus ihrer Brust ragte.

Pan kicherte, drückte ihr Becken durch und jaulte den Vollmond an.

Danach ging sie zu Anna und rammte der Frau ein bis dato verborgenes Messer in die Kehle. Anna starb.

Raymond schrie und fiel auf die Knie.

„Philipe, mein Held!“ Pan kicherte.

Raymond hob den Kopf.

In diesem Moment wurde er gepackt und nach oben gerissen. Der Griff um seine Brust schien ihn zu zerquetschen. Als ihm die Puste ausging, fiel er abermals in einen schwarzen Schlaf.

## Kapitel 14

*Awful*

Jemand klopfte Raymond auf die Schulter, tippte ihn an. Als er schließlich aufschreckte, stand ihm ein unbekannter Mann gegenüber, dessen trübe Augen beinahe unheimlich wirkten. Der Mann trug eine alte Mütze und eine Art von vergilbter Uniform, dessen Schriftzüge am Revers unleserlich waren.

„Hey, Mister, aufwachen!"

Raymond starrte ihn an.

„Sie sind ja kaum bei sich, alles in Ordnung mit Ihnen?", fragte der andere wieder.

Raymonds Mund fühlte sich schrecklich trocken an. „Was … wie ...?" Er stotterte und die Müdigkeit übermannte ihn.

Der Uniformierte fasste ihn wieder an der Schulter, als wollte er ihn aufrichten. „Mann, Sie sind ja vollkommen weggetreten."

„Kann man so sagen. Und wer sind Sie?"

Raymonds Mund fühlte sich bleiern an.

„Ich bin Ihr Chauffeur, sozusagen."

Raymond verengte die Augen. „Wie meinen Sie das?"

Der Uniformierte verzog die Lippen und grinste komisch. „Ich bin der Busfahrer."

Raymond rieb sich die Augen, aber klarer wurden seine Gedanken dadurch nicht. „Wie, der Busfahrer?"

„Sie sitzen in einem Bus und jetzt sind wir am Ziel!", erwiderte der andere.

Raymonds Mund stand offen. „Ich sitze in einem Bus?"

Der Uniformierte nickte. „Sie standen an der Bushaltestelle und da habe ich Sie aufgelesen!"

Raymond stockte der Atem. Er erinnerte sich an die einsame Bushaltestelle, aber da fuhr doch angeblich kein Bus mehr. Dann fiel ihm sein Auto im Wald ein und dass ihn jemand durch die Seitenscheiben nach draußen gezerrt hatte. „Und wo sind wir jetzt?"

„Wir sind am Ziel. Awful. Endhaltestelle. Sie müssen aussteigen." Der Mann lächelte freundlich.

Raymond versuchte sich zu erinnern, was als Letztes passiert war. „Awful?"

Der Mann nickte wieder.

„Was ist das denn für ein Name?"

Der Mann setzte sich ihm gegenüber. „Ich sehe Ihnen an, dass Sie nicht wissen, wovon ich spreche."

Raymond nickte. „Wo sind die anderen Fahrgäste?"

Der Mann drehte den Kopf. „Sie waren heute der Einzige. Für gewöhnlich ist der Bus eher leer. Nicht viele verirren sich hierher." Ein dünner Speichelfilm sammelte sich zwischen seinen Lippen.

Raymond nickte abgehackt. „Scheint sich nicht so zu lohnen, was?"

Der Uniformierte starrte ihn wortlos an.

„Oh, entschuldigen Sie. Ich hatte einen anstrengenden Tag." Raymond hob die Hände.

Der Uniformierte lächelte süffisant. „Schon gut, ich verstehe den Sarkasmus hinter Ihren Worten."

„Sie kommen auch aus Awful?", fragte Raymond.

Der Mann schüttelte den Kopf. „Nein. Ich bin nur der, der die Dinge hier am Laufen hält."

Raymond runzelte die Stirn. „Die Dinge?"

Der Mann nickte wieder.

„Okay. Ihnen muss man aber auch alles aus der Nase ziehen."

„Ich rede nicht gerne übers Geschäft." Der Mann zupfte an seiner Mütze.

„Geschäft? Aha. Aber Sie können mir sicherlich mehr über dieses Awful sagen."

Der Mann lehnte sich nach vorn. „Was möchten Sie denn wissen, Mister?"

„Nun, was gibt's hier denn so zu sehen?"
Raymond konnte den Uniformierten nicht ganz einschätzen.

Der Mann schmunzelte. „Das ist Awful, Mister, hierher verirren sich für gewöhnlich keine Touristen."

„Ich bin aber kein Tourist."

„Stimmt. Sie sind ein geladener Gast." Der Busfahrer grinste breit, so als hätte er die Einladung gerade selbst ausgesprochen.

„Wie bitte?" Raymond sah ihn fragend an.

„Ich denke wir sprechen die gleiche Sprache, Mister." Er erhob sich und ging nach vorn zur Fahrerkabine. Dort zog er an einem Hebel und öffnete die vordere Seitentür. „Darf ich bitten? Awful erwartet Sie, Mister!"

Raymond erhob sich ebenfalls. Kurz bevor er den Bus verließ, drehte er sich noch einmal zu dem Uniformierten. „Vielen Dank für das nette Gespräch."

Der Mann salutierte. „Immer wieder gerne, Mister Philips."

Raymond verengte die Augen, doch die Seitentür hatte sich bereits geschlossen. Der Uniformierte setzte sich wieder hinters Lenkrad und grinste ihn an.

Dann setzte sich der Bus langsam in Bewegung und verschwand in der Nacht.

Raymond war allein. Irgendwo zirpten die Grillen. Er stand wieder an einer Bushaltestelle. Straßenlaternen warfen ein mattes Licht auf eine menschenleere Straße. Zu beiden Seiten war niemand zu sehen. Hinter dem vergilbten Glas eines Schaukastens hing ein alter Fahrplan, der schlecht zu lesen war. Sein Schädel dröhnte. Hastig durchsuchte er die Taschen seiner Jacke und der Jeans und fand eine Brieftasche. Darin waren Ausweispapiere, ein paar Dollarscheine und etwas Kleingeld. Er schmunzelte und überlegte, in welche Richtung er gehen sollte. Da der Bus weiter auf der Straße davongefahren war, entschloss er sich, diesem zu folgen. Ein lauer Wind wehte ihm entgegen, als er sich auf den Weg machte.

Nach einer gefühlten halben Stunde erreichte er die ersten Häuser, die alle in Dunkelheit gehüllt waren. Er fühlte sich beobachtet. Um die Lampen der Laternen summten Dutzende von Insekten und verbreiteten trotz der Vielfalt eine Art von Grabesstille. Hinter einer in Dunkelheit gehüllten Tankstelle erreichte er eine Art Bar, die noch geöffnet hatte. Zwei bis drei Autos standen davor. Raymond öffnete die Tür und trat ein. Die wenigen Gäste an den Tischen würdigten ihn eines kurzen Blickes, bevor sie sich wieder ihren Getränken und Gesprächen widmeten. Raymond ging direkt zur Theke und gab dem Kerl dahinter ein Zeichen. Der Barmann war ein rundlicher, speckig aussehender Typ mit dem Gesicht eines Kleinkindes. Seine Stimme erinnerte Raymond an den Stimmbruch aus seiner Jugend.

„Sie wünschen, Mister?"

„Bringen Sie mir ein Bier."

Der Barmann beäugte ihn misstrauisch. Über der Schulter hing ihm ein fleckiges Geschirrtuch, mit dem er hastig den Thekenbereich säuberte. Er entfernte sich und machte sich an die Bestellung. Kurz darauf kehrte er zurück, stellte ein ebenso fleckiges Glas Bier ab und grinste schief, was ihn noch dämlicher aussehen ließ.

Raymond hob das Glas und hielt es vor das Licht. „Gibt es in diesem Laden keine sauberen Gläser?"

Der Barmann verengte die Augen, dann hob er unvermittelt die Hände und trat einen Schritt zurück.

Raymond sah auf. Der Schaft eines Schlägers berührte die Theke neben ihm und jemand grunzte.

„Na, wen haben wir denn hier?", fragte jemand hinter ihm. Die Stimme war heiser und Raymond unbekannt.

Er drehte sich um, hielt aber immer noch das dreckige Glas in den Händen. Vor ihm standen zwei uniformierte Männer, dem Aussehen nach waren sie Polizisten mit Holstern und Cowboyhüten. Einer der beiden Typen war von kräftiger Statur, wohingegen der andere eher hager war. Die Wampe des einen Mannes spannte sich sichtlich unter dem Uniformhemd. Es war der mit dem Schläger. Der Hagere hatte ein schmales Gesicht mit Oberlippenschnauzbart und weit auseinander liegenden Augen, was ihm einen dümmlichen Gesichtsausdruck verlieh. Beide wirkten angespannt und nahmen bereits eine Abwehrhaltung ein.

„Ah Dick und Doof, wie passend", witzelte Raymond vergnügt.

Das Gesicht des Kräftigen zierte eine lange Narbe, die von der Stirn abseits bis zum Kinn reichte. Seine Schweinsaugen funkelten böse. Er stellte sich Raymond als Sheriff Hayworth vor, der andere war Deputy Marshall.

„Sie sollten aufpassen, was Sie sagen, Mister!"

Der Hagere kicherte, blieb aber weiter auf Abstand.

„Neu in der Stadt?", fragte Hayworth.

Raymond nickte und roch an dem Bier.

„Wir mögen hier keine Fremden, Mister!"

„Bis vor wenigen Minuten kannte ich Ihr Kaff noch nicht einmal." Angewidert vom Geruch und Aussehen seiner Bestellung stellte er das Glas zurück auf den Tresen.

Deputy Marshall öffnete sein Holster. „Er weiß unsere Gastfreundschaft anscheinend nicht zu schätzen, Sheriff!" Seine Stimme klang aggressiv.

„Das glaube ich auch." Der Sheriff nickte und gab seinem Deputy ein Zeichen, worauf dieser seine Position veränderte, Raymond aber weiter im Auge behielt. Die wenigen anderen Gäste hatten ihre Gespräche unterbrochen und beäugten das Schauspiel.

„Was machen wir jetzt mit ihm, Sheriff?", fragte der Deputy.

Hayworth fixierte Raymond, wodurch dieser abwehrend die Arme hob.

„Ausweis! Sofort!" Er schnippte mit speckigen Fingern.

„Ich habe nichts verbrochen, was also soll der Scheiß?" Raymond verzog den Mund.

„Er macht Zicken, Sheriff, genau wie der andere!“

Hayworths Gesicht wurde rot. „Schnauze, Andy!“

„Ich wollte hier doch nur was trinken, aber stattdessen kriege ich Spülwasser in einem dreckigen Glas!“ Er hielt das Glas Bier hoch. „Wenn das Ihre Gastfreundschaft ist, na dann, gute Nacht!“

„Reizen Sie mich nicht, Mister.“ Der Sheriff war nervös und streckte die Hand aus. „Zum letzten Mal - Ihren Ausweis!“

Raymond verlagerte das Gewicht auf sein anderes Bein. Vorsichtig fasste er sich in die Innentasche, um an die Brieftasche zu kommen.

Die Augen der beiden Männer flackerten. Plötzlich zog der Deputy seine Waffe aus dem Holster und zielte damit auf Raymond, der erschrocken zusammenfuhr und die Brieftasche fallen ließ.

Hayworth fuhr herum. „Waffe runter, Sie Idiot!“

Der Arm des Deputy zuckte.

Raymond hob die Brieftasche auf.

Hayworth wirbelte zurück und hob bedrohlich den Schläger. „Sie machen jetzt keine Zicken, Mister.“

„Hey Mann, es ist nur eine Brieftasche.“ Raymond protestierte. Es fiel ihm auf, wie unbeholfen die Männer wirkten.

„Geben Sie sie mir!“ Der Deputy glotzte ihn böse an.

Raymond warf sie dem Deputy zu, der dazu die Waffe senken musste.

Hayworth wischte sich den Schweiß von der Stirn.

Der Deputy zeigte dem Sheriff den Ausweis.

„Raymond Philips, soso.“ Sheriff Hayworth stockte und plötzlich spannten sich seine Gesichtsmuskeln. „Ich wusste doch, dass ich Sie kenne!“

Raymond stand noch immer vor dem Tresen und überlegte sich die nächsten Schritte.

„Dann ist er es?“, fragte der Deputy aufgeregt.

Hayworth nickte. „Sie haben Bolkan getötet!“

Raymond runzelte die Stirn und sah auf. Hinter ihm entfernte sich der speckige Barmann aus der Gefahrenzone. „Wie bitte? Wer ist Bolkan?“

Hayworth schmunzelte, hinter den Lippen verbargen sich die gelben Zähne eines Kettenrauchers. „Bolkan war unser Freund, Sie Scheißkerl! Es war ein Fehler, heute Abend hierherzukommen.“ Er machte einen Schritt nach hinten. Raymond sah, wie er den Griff um den Schaft des Schlägers verstärkte.

Raymond hob abwehrend die Hände. „Einen Moment, ich glaube, hier liegt eine Verwechslung vor. Ich kenne keinen Bolkan und ich bin erst heute Abend hier angekommen!“

Der Deputy hob die Waffe. „Was machen wir jetzt mit ihm?“

Hayworth grinste böse. „Wir erteilen ihm eine Lektion und dann ab ins Kittchen.“

Raymond ahnte, was passieren würde. Waren denn hier alle verrückt? Im selben Augenblick ging der Sheriff auf ihn los und schwang den Schläger. Raymond reagierte sofort und duckte sich. Er packte das Glas auf dem Tresen und schleuderte es in die Richtung des Deputy, der am Handgelenk getroffen wurde und die Waffe fallen ließ. Der Sheriff prallte gegen den Tresen und grunzte. Als Raymond herumfuhr, wirbelte der zweite Schlag nur knapp an ihm vorbei. Der Deputy hielt sich noch immer das Handgelenk, mit der anderen Hand kramte er an seinem Gurt herum. Raymond rutschte unter dem Sheriff hindurch und schlug dem Deputy ins Gesicht, als dieser gerade einen Elektroschocker ziehen wollte. Kreischend taumelte der Deputy zurück und fasste sich an die blutende Nase. Raymond trat ihm ans Schienbein und der Deputy ging zu Boden. Im nächsten Moment rammte ihn der Sheriff und zusammen gingen sie zu Boden. Schnaufend zog der Sheriff seine Waffe, Raymond rollte sich zur Seite und die erste Kugel bohrte sich in den hölzernen Fußboden. Der Deputy kreischte noch immer. Raymond stand wieder auf und schnappte sich den Schläger. Weit ausholend traf er den Sheriff an der rechten Flanke und schickte den Dicken erneut auf die Bretter. Dann wischte er sich den Schweiß ab. Langsam kam der Sheriff wieder auf die Beine, seine Augen loderten vor Hass.

„Dafür mache ich dich fertig, Philips!", schrie er.

Hinter ihm heulte noch immer der Deputy.

„Aufstehen, Deputy!", grollte der Sheriff.

„Er hat mir die Nase gebrochen!" Der Deputy krümmte sich vor Schmerzen.

Raymond hob den Schläger. „Wenn ihr mir noch einmal zu nahekommt, werdet ihr es bereuen!"

„Mörder!", prustete der Deputy und hielt sich die blutende Nase.

Im selben Moment stürmte der Sheriff los.

Raymond wich abermals der massigen Statur aus. Der Deputy hob gerade seine Waffe auf, als Raymond wieder bei ihm war und ihn mit dem Schläger ins Reich der Träume schickte. Der Sheriff nutzte diesen Moment der Unachtsamkeit aus und rammte Raymond seinen Elektroschocker in den Rücken. Der Schmerz war heftig und Raymond brach zusammen. Zuckend am Boden verlor er den Schläger. Der Sheriff grinste böse, hob seine Waffe auf, zielte und drückte ab. Raymond hatte den Bruchteil eines Augenblicks, um auszuweichen. Mit letzter Kraft trat er dem Sheriff den Schocker aus der Hand. Noch bevor dieser wieder reagieren konnte, traf ihn der Schaft des Schlägers zwischen die Augen. Blutend sackte Hayworth zurück und blieb endlich liegen.

Raymond grunzte, hielt sich den Bauch und lehnte am Tresen. Der Barmann mit dem speckigen Kindergesicht lugte darüber hinweg, als die anderen Gäste nach draußen rannten. Langsam zog sich Raymond an einem Barhocker hoch, als jemand im hinteren Teil der Bar beherzt zu klatschen anfing. Raymond sah auf und auch der Barmann schaute nun in dieselbe Richtung. Niemand war zu sehen, nur der Applaus nach getaner Arbeit schallte durch die Bar.

„Wer ist da?“ Raymonds Gesicht war schmerzverzerrt.

Im hinteren Teil der Bar, wo lediglich ein Billardtisch stand, saß jemand und applaudierte weiter. Raymond konnte das Gesicht der Gestalt nicht sehen. Gerade als er wieder auf den Beinen war, vernahm er eine Stimme.

„Applaus, Applaus!“

„Wer ist da? Zeigen Sie sich!“ Er wischte sich den Schweiß aus dem Gesicht.

Eine Pause entstand, dann zeichnete sich Zigarettenrauch ab, der aus der Dunkelheit hervordrang.

„Mister Philips, vielen Dank für diese grandiose Vorstellung!" Diese Stimme war männlich, mit Ausdruck und Schärfe darin.

„Vorstellung? Sie machen wohl Witze! Was sollte dieser Scheiß?"

„Sagen wir so, es war nicht geplant, Sie auf solche Weise bei uns willkommen zu heißen. Aber es war spannend, Sie bei der Arbeit zu sehen, Mister Philips!"

Raymond verengte die Augen. „Sie haben meine Frage nicht beantwortet! Wer sind Sie und warum dieser Auftritt?"

„Ich wollte sehen, ob Sie kämpfen können, Mister Philips. Ich habe schon viel von Ihrer Arbeit gehört", entgegnete die Gestalt.

„Aha, und?" Raymond strich sich die Hände an der Hose ab.

„Nun, ich bin mir sicher, dass wir von Ihnen noch viel mehr erwarten können!"

„Mehr?" Raymond wollte wissen, wer dasaß.

„In der Tat."

Es entstand wieder eine Pause.

„Sie sind kein ein Mann vieler Worte, was?"

„Nennen Sie mich Grey, Mister Philips!"

Da war sie wieder, die Erinnerung aus einem anderen Leben. Weit entfernt und doch so nah. Grey, der Wahnsinnige. Er erinnerte sich an den Vorfall im Präsidium, wo Grey gewütet hatte. Wo er Chief Rawson kaltblütig gemeuchelt hatte, versteckt unter dem Hautlappen eines seiner Opfer! Er schmorte also nicht in der Hölle!

„Wir sehen in Ihnen eine große Hoffnung, Mister Philips." Grey gab sich optimistisch.

„So? Inwiefern?", fragte Raymond.

Grey zog hörbar wieder an der Zigarette und blies den Rauch in die Dunkelheit. Ein leises Lachen war zu hören. „Wir haben Sie hierher nach Awful geholt, um Sie zu formen, um Ihre Talente spürbar zu verbessern."

Raymond lachte heiser. „Also deswegen bin ich hier, damit ich in Ihrer Scheißarena kämpfen soll?"

„Sie dürfen, Mister Philips, nicht sollen." Grey lachte wieder.

„Was ist das hier, ein Ausbildungscamp für Wahnsinnige?"

„Wenn Sie es so sehen, Mister Philips!" Grey wirkte weiter sehr gelassen.

„Und wer war dieser Typ, den ich angeblich getötet haben soll?"

„Bolkan? Nun Sie haben ihn schon getroffen." Grey starrte in Raymonds Richtung. „Und zwar im wahrsten Sinne des Wortes, leider."

Raymond wusste nun Bescheid. „Ich verstehe, Bolkan war der Typ mit der Axt. Tja, leider war er kein so guter Kämpfer Ihrer kleinen Runde!"

Grey blieb wortkarg. „Es wird noch viele Gegner geben, Mister Philips."

Raymond hob den Kopf des bewusstlosen Sheriffs und betrachtete die lange Narbe in dessen blutendem Gesicht. „Na, dann weiß ich ja auch, wer Specki hier war!"

Grey applaudierte wieder. „Pan hatte mit ihrer Einschätzung Ihnen gegenüber vollkommen recht!"

„Ach ja? Wo sind denn eigentlich Ihre anderen Kumpane?" Raymond wollte Grey aus der Reserve locken.

„Die werden Sie noch kennenlernen, Mister Philips. Ich hoffe, Sie leben sich bei uns ein, hier in Awful, Ihrer neuen Heimat!"

„Und wenn ich nicht hierbleiben will?"

„Sehen Sie es als Chance, Mister Philips, nicht als Strafe. Hier können Sie so sein, wie Sie wollen, unter Gleichgesinnten!" Grey schien sich zu amüsieren.

„Gleichgesinnte? Also doch ein Hort voller Verrückter!"

Grey lachte. „Ich sehe schon, wir haben den gleichen Geschmack, Mister Philips." Dann deutete er zur Tür. „Und jetzt sagen Sie ‚Guten Tag' zu Ihrer neuen Gastgeberin!"

Raymond runzelte die Stirn. „Wie bitte?"

Als er sich umdrehte, stand ein Teenager in der Tür. „Hallo, mein Name ist Kitty!"

Grey war verschwunden.

# Kapitel 15

*Awful*

Raymond hatte sie sofort erkannt. Kitty, wie sie sich nannte, war niemand anderer als Sophie, die ihre Eltern, sowie Liam und Nina damals angeblich getötet hatte. Nun stand sie vor ihm, nach all der langen Zeit. Das Gesicht nur eine Maske, hinter der sich sehr wahrscheinlich ein Monster verbarg. Er wusste, dass Sophie ein „Hello Kitty"-Fan war, daher auch der Spitzname. Tatsächlich hatte sie am Tag ihres Verschwindens ein solches T-Shirt und einen Rucksack getragen, als der Justiztransport im Unterholz verschwand. Damals hatte man vermutet, dass Sophie Hilfe von außen bekommen hatte. Womöglich hatte man sie danach direkt nach Awful gebracht.

Sophie streckte ihm die Hand entgegen, eine Geste, die er, ohne zu zögern, erwiderte.

„Hallo, ich bin Raymond."

Sie nickte nur. „Ja, ich weiß, wer du bist!"

Sie starrte ihn durchdringend an. Raymond lief es eiskalt den Rücken hinunter.

Dann drehte sich Sophie um und bedeutete ihm, ihr zu folgen. „Gehen wir nach Hause." Es folgte keine weitere Resonanz, nur Gleichgültigkeit. Sie ging voraus in die Dunkelheit und Raymond folgte ihr.

Awful schien menschenleer und totenstill zu sein. Wie in einem Grab. Kein Verkehr, keine Autos, keine Lichter in den Häusern, kein Vogelgezwitscher. Nichts. Das Haus, in dem Sophie lebte, lag zwei Straßenzüge entfernt, in einer Seitengasse, umsäumt von alten Bäumen und einem kleinen Vorgarten, der von einem weißen Holzzaun eingerahmt wurde. Schnell lernte Raymond den anderen Bewohner kennen. Einen dunkelhäutigen, alten Mann mit ergrautem Haar und Bart, den Raymond auf mindestens sechzig Jahre schätzte. In welchem Verhältnis die beiden zueinander standen, war zu diesem Zeitpunkt allerdings noch nicht klar.

Sophie hängte ihre Jacke an die Garderobe und wusch sich die Hände. „Raymond? Das hier ist Henry La Vance."

Der alte Mann trocknete sich gerade die Hände an einem Geschirrtuch ab und sah auf. Hinter ihm zeigte sich ein gedeckter Tisch mit reichlich Speisen darauf. Frisch geschnittenes Brot und der Duft von zahlreichen Kräutern stiegen Raymond in die Nase. Der alte Mann nickte und kam näher. „Sie sind also Raymond Philips. Schön, Sie endlich mal kennenzulernen." Er warf Sophie einen Blick zu. „Hast du dir schon die Hände gewaschen, Liebes?"

Sophie hob brav die Hände und nickte. La Vance betrachtete sie sorgfältig und tätschelte ihr dann, fast väterlich, den Kopf.

Raymond verengte die Augen. „Sie kennen mich?"

La Vance hob den Kopf. „Nein, aber ich habe von Ihnen gehört."

„Aha. Also ich gehe mir dann auch mal die Hände waschen."

„Das Bad ist am Eingang gleich links. Ich hoffe, Sie haben Appetit mitgebracht", rief er ihm hinterher.

Drei Teller standen auf dem Tisch. Sie waren vorbereitet gewesen und das Essen war zweifelsohne gut. Raymond hatte einen Mordshunger, seit er in diese Stadt gekommen war.

"Er macht das beste Chili der Stadt!", bemerkte Sophie.

Raymond beobachtete, wie sie miteinander sprachen, sich verhielten und miteinander umgingen. Ihre Körpersprache war echt. Doch wie musste er die beiden einordnen? Ein alter Mann und ein Teenager. Die Nachspeise bestand wahlweise aus einem Schokoladenkuchen oder Kaffee.

Raymond entschied sich für Kaffee. „Sie sind ein sehr guter Koch, wenn ich das mal anmerken darf."

La Vance schob sich gerade ein Stück Kuchen in den Mund. „Vielen Dank und das von Ihnen."

Raymond stockte. „Was soll das heißen?"

La Vance zuckte mit den Schultern. „Sie sollen ein harter Hund sein."

„Das stimmt, aber ein Kompliment wird ja noch erlaubt sein", erwiderte er.

La Vance lächelte und nippte an seinem Kaffee.

„Was ist?", hakte Raymond nach.

La Vance drehte den Kopf in seine Richtung. „Sagen wir mal so, Mr. Philips, nach dem, was ich über Sie gehört habe, glaube ich nicht, dass Sie so ein guter und ehrlicher Bürger sind. Aber danke für die Blumen."

Raymond schluckte. „Wieso habe ich das Gefühl, dass hier alle so nett zu mir sind? Ich habe mich nicht selbst eingeladen."

La Vance schüttelte mit dem Kopf. „Niemand kommt freiwillig hierher. Awful ist ein ganz besonderer Ort." La Vance stellte es richtig, ohne aufzusehen.

„Der natürlich auf keiner Landkarte verzeichnet ist, oder?", fragte Raymond.

La Vance nickte. „Das stimmt." Er drehte sich wieder zu seinem Gast um. „Noch Kaffee?"

Raymond deckte seine Tasse mit der Hand ab. „Ich habe noch, danke."

„Wie gesagt, Mr. Philips, wir kennen uns nicht. Sie haben uns über Sie aufgeklärt und nur gesagt, dass wir Sie aufnehmen sollen."

„Sie?" fragte Raymond.

La Vance nickte wieder. „Genau. Sie wissen, von wem ich rede?"

Dieses Mal nickte Raymond gleich. „Natürlich."

Sophie nippte an ihrem Kakao.

„In welchem Verhältnis stehen Sie beide eigentlich zueinander?"

La Vance räusperte sich und schenkte sich heißen Kaffee nach. „Jeder, der nach Awful kommt, wird jemandem zugewiesen, der ihm erklärt, wie es hier läuft. In Ihrem Fall verhält sich das leider etwas anders."

„Aha, und warum?"

La Vance zuckte mit den Schultern. „Keine Ahnung. Sagen Sie es mir?"

„Ich?", fragte Raymond zurück. Im Grunde wusste er, worauf sein Gegenüber hinauswollte.

La Vance hielt seinem Blick stand, dann sah er kurz zu Sophie hinüber. „Okay. Aber zurück zu Ihrer Frage."

Raymond hatte für den Bruchteil eines Augenblicks das Gefühl, dass La Vance ihm die Geschichte nicht abkaufte. Alles wirkte auf einmal zu fantastisch.

La Vance zupfte Raymond am Arm, so dass dieser aus seinen Gedanken gerissen wurde.

Raymond rieb sich die Stirn.

„Alles in Ordnung mit Ihnen?", fragte La Vance stirnrunzelnd.

Raymond nickte. „Ja, ja alles okay. Es ist in letzter Zeit einfach zu viel passiert."

La Vance nippte wieder an seinem heißen Kaffee. „Sie wollten wissen, wie ich zu Sophie stehe?"

„Richtig."

„Die Menschen, die nach Awful kommen, werden anderen Personen zugeordnet, die ihnen den Einstieg leichter machen. Im Falle von Sophie verhielt sich das anders, weil sie eine Ersatzfamilie brauchte."

„Eine Ersatzfamilie?", fragte Raymond.

„Sophie hat nämlich ihre Eltern verloren. Aber das wissen Sie ja bereits, nicht wahr?"

Raymond schwieg sich aus und kaute an der Unterlippe.

La Vance nickte. „Awful mag Ihnen vielleicht sonderbar vorkommen, aber die Menschen, die hier leben, sind, sagen wir, speziell."

Raymond lehnte sich zurück. „Wie speziell meinen Sie?"

La Vance lächelte. „Das werden Sie noch herausfinden, Mr. Philips. Es sind zumindest keine Schreckgestalten im eigentlichen Sinne!"

Raymond schnalzte mit der Zunge. „Sie halten mich für eine Schreckgestalt?"

La Vance nahm einen Schluck von seinem Kaffee. „Drehen Sie mir bitte nicht das Wort im Mund herum, Mr. Philips." Er machte eine Pause, dann verfinsterte sich seine Miene. „Was Sie mit dem Sheriff angestellt haben, interessiert mich nicht. Auch aus welcher Welt Sie kommen, interessiert mich nicht, hier geht es allein um Sophie. Sie liegt mir am Herzen und ich passe auf sie auf, egal was kommt." Seine Stimme wurde lauter, eindringlicher.

Raymond hob abwehrend die Hände. „Bitte entschuldigen Sie meinen Sarkasmus."

La Vance blieb finster. „Ich bin schon eine ganze Weile in Awful. Sie waren der Meinung, dass ich der Richtige für Sophie sei. Eine Art Großvater."

Raymond verengte die Augen. „Und jetzt komme ich hinzu und passe so gar nicht in Ihre ach so heile Welt."

La Vance runzelte die Stirn. „Wir hatten keine Wahl, so läuft das nun mal in Awful. Sie entscheiden, wir folgen."

Raymond verschränkte die Arme vor der Brust. „Ich bin nicht bereit, mich unterzuordnen."

La Vance funkelte ihn an. „Tja, da muss ich Sie enttäuschen, Mr. Philips. Sie werden es tun müssen. Und damit Sie nicht vom rechten Weg abkommen, erkläre ich Ihnen jetzt mal die Regeln in Awful."

Raymond sah auf. „Regeln?"

La Vance nickte wieder. „Es ist wichtig, dass Sie niemals davon abweichen."

„Und was sind das für Regeln?" Raymond war jetzt neugierig.

„Regel Nr. 1: Lege dich niemals mit ihnen an. Regel Nr. 2: Bleibe ein aktives Mitglied dieser Gesellschaft und Regel Nr. 3: Komme nie in die Lobby."

„Erklären Sie mir diesen Unsinn!", forderte Raymond La Vance auf.

„Jeder, der hierherkommt, ist aus einem bestimmten Grund hier. Jeder von uns hat ein Talent, das es zu formen und zur Perfektion zu bringen gilt."

„Irgendwie habe ich das Gefühl, Sie reden um den heißen Brei herum."

La Vance nahm sich noch ein Stück vom Schokoladenkuchen. „Fallen Sie hier auf, Mr. Philips, oder lassen Sie sich was zuschulden kommen, wird Ihr Status auf passiv zurückgesetzt. Dies bedeutet Regelverstoß Nr. 2 und Sie kommen in die Lobby!"

„Aber was ist die Lobby?" Raymond räusperte sich.

La Vance kaute weiter. „Das Rathaus!"

Raymond lehnte sich zurück. „Was ist so schlimm am Rathaus?"

„Glauben Sie mir, Mr. Philips das wollen Sie nicht wissen. Wer ins Rathaus kommt, also in die Lobby, kehrt nicht zurück."

„Sie reden jetzt aber nicht von diesem Spiel, oder?", meinte Raymond.

La Vance hielt inne. Sein Gesicht war kreidebleich. „Sie kennen das Spiel?"

„Das Todesspiel!"

„Es ist schrecklich, aber ja, es geht um das Spiel." Er atmete hörbar aus.

„Dann kennen Sie es auch?"

La Vance nickte. „Da sterben Menschen."

Raymond nickte. „Ich habe es gesehen."

La Vance fuhr wieder hoch. „Sie waren im Spiel? Auf der Seite der Jäger oder der Beute?"

„Ich passte wohl ins Beuteschema, würde ich sagen."

„Aber wie haben Sie das überlebt?"

Raymond zuckte mit den Schultern. „Keine Ahnung."

„Niemand kommt ungeplant ins Spiel. Waren Sie allein dort?"

Raymond schüttelte wieder den Kopf. „Nein. Es war jemand bei mir. Eine junge Frau. Leider ist sie umgekommen." Seine Stimme wurde leiser. Dann sah er wieder auf und sah Pan vor seinem inneren Auge, wie sie Anna den Gnadenstoß versetzte.

„Das Spiel trainiert unsere Talente, Mr. Philips. Es gibt Leute hier in Awful, die sind richtig versessen darauf, im Spiel mitzumachen."

„Sie gehören nicht dazu?"

La Vance schob den Teller mit den Krümeln von sich. „Ich bin ein alter Mann. Wem kann ich noch gefährlich werden?"

„Keine Ahnung. Ich kenne Ihr Talent noch nicht", antwortete Raymond.

La Vance lächelte schief. „Pah, Talent. Nein, das kennen Sie auch nicht."

Es entstand wieder eine Pause, in der niemand etwas sagte.

La Vance schaute auf die Uhr an der Wand. „Es ist spät geworden, Mr. Philips. Ich zeige Ihnen schon mal Ihr Zimmer."

Raymond nickte. „Ehrlich gesagt bin ich hundemüde."

***

Mitten in der Nacht wachte Raymond aus einem unruhigen Schlaf auf und sah Sophie an seinem Bett stehen. Sie starrte ihn an und sagte kein Wort. Ihre Augen waren voller Tränen.

„Sophie. Was machst du hier?", fragte Raymond und rieb sich die Augen.

„Wieso sind Sie wirklich hier?", flüsterte Sophie.

Raymond zuckte mit den Schultern. „Was meinst du?"

Sie trat näher an ihn heran. „Wollen Sie mich von hier fortbringen?"

Raymond schluckte. „Wieso sollte ich das tun?"

„Sie hätten die Männer in diesem Transporter nicht töten müssen!" Sophie formte ihre Hände zu Fäusten.

Raymond lächelte. „Ich musste etwas unternehmen." Er versuchte, ihr Spiel mitzuspielen.

Sophie entspannte sich wieder. „Tun Sie Henry bitte nichts, versprochen?" Sie hielt ihm ihre Hand hin.

Raymond verstand die Welt nicht mehr. Sie hatte ihn erkannt. Er war ihr Scheusal gewesen. Er hatte ihr ein Leben gestohlen. Er schüttelte mit dem Kopf. „Es geht hier nicht um euch, Sophie."

Sie starrte ihn weiter an. „Schwören Sie es!"

Raymond stockte der Atem, dann nickte er. „Ich schwöre es."

Sophie hielt den Kopf gesenkt. „Ich denke viel an Mum und Dad."

Raymond behielt die Nerven. Am liebsten hätte er sie in den Arm genommen. Doch er spielte hier ein gefährliches Spiel, eine Scharade, die nicht enttarnt werden durfte. Solange er für Sophie das Monster war, war alles in Ordnung.

Ihr Blick war trotzig. „Aber Sie sind nicht mehr der Mann, der Sie früher waren, darum vergebe ich Ihnen." Damit wand sie sich von ihm ab und verschwand in der Dunkelheit.

## Kapitel 16

*Im Polizeipräsidium*

Samantha Warner schlug mit der Faust auf den Tisch, was die anwesenden Beamten im Raum zusammenzucken ließ. Der Tod von Homeland-Direktor Levinson hatte alles verändert und sie angreifbar gemacht, was im System der Strafverfolgung nicht vorgesehen war. Das System musste stets die Oberhand behalten. Jetzt konnte man nicht mehr einfach irgendwo hingehen. Man musste sich umdrehen, wenn man das Haus verließ.

Der Polizeipsychologe Dr. Simon Waterkamp schlug die Beine übereinander. In seinem weißen Kittel hob er sich deutlich von den dunklen Uniformen der Beamten der verschiedenen Abteilungen ab. Der Psychologe wurde immer dann hinzugezogen, wenn es um das Erstellen von Profilen und um deren Verständnis ging. Zudem schien die Situation um den Fall Raymond Philips zu verworren zu sein. Das Verschwinden von Agent Barnes und der Tod des Direktors im Diner blieben rätselhaft. Warner war nur stellvertretende Direktorin. Sie wollte nicht darüber nachdenken, was passieren würde, falls sich diese Vorfälle häuften.

„Dr. Waterkamp, vielleicht können Sie uns die Psychologie in diesem Fall näher erläutern, damit wir verstehen, mit wem wir es hier zu tun haben?“ Warner war aufgestanden und übergab das Wort an ihn.

Waterkamp lächelte schief, wodurch sein blasses Mondgesicht und die Brille noch mehr hervorstachen. Zudem irritierte Warner der schmierige Seitenscheitel des Mannes, aber Waterkamp war nun mal Experte auf seinem Gebiet.

„Natürlich, Frau Direktorin." Er sah in die Runde. Die Männer und Frauen gehörten der lokalen Polizei, dem FBI und zum Teil auch Homeland an. Alle hingen an den Lippen des Psychologen. Waterkamp war ein Hänfling, der Respekt vor den Beamten hatte, vor allem vor den Deputys der US-Marshalls, die in einer Ecke des Raumes standen und ebenfalls gebannt zuhörten.

„Psychopathie und Soziopathie sind im Grunde schwer zu diagnostizieren und zu unterscheiden. Bei den Soziopathen liegt eine psychiatrische Störung im Sozialverhalten vor. Gemäß ihrer Definition sind Soziopathen keine Psychopathen. Diese Menschen sind zur Empathie befähigt, verhalten sich aber dennoch antisozial. Im schlimmsten Fall sind sie gefährlich, im besten Fall schwer im Umgang mit ihren Mitmenschen. Man sagt Soziopathen seien impulsiv, Psychopathen kontrolliert." Er machte eine Pause und trank aus seinem Wasserglas. „Bei einem Psychopathen hingegen liegt eine schwere antisoziale Persönlichkeitsstörung vor. Diese Störung geht mit einem völligen Verlust an Empathie, sozialer Verantwortung oder dem Gewissen einher. Sie sind oftmals gerissen und hochintelligent, aber mitunter sehr charmant und in der Lage, oberflächliche Beziehungen zu ihren Mitmenschen zu knüpfen. Wenn sie allerdings ihre Diagnose kennen, können sie sich leicht verstellen. Und das, meine Damen und Herren, macht diese Gruppe so brandgefährlich. Psychopathen sind unberechenbar, weisen sadistische Neigungen auf und leben diese auch aus. Aber, um das noch einmal zu wiederholen, sie sind kontrolliert. In der Psychopathie unterscheiden wir

Psychologen unterschiedliche Formen. Die interpersonell-affektive Form ist sehr gefährlich und verhält sich über die gesamte Lebenszeit stabil, wohingegen die antisozial-deviante Form als chronisch instabil gilt und tendenziell im Alter abnehmen kann. Fragen?"

Ein Deputy-Marshall hob eine Hand. „Sie haben gesagt, dass die Psychopathie und die Soziopathie schwer zu diagnostizieren sind. Wie aber kann man das erkennen, gibt es bestimmte Anzeichen, die einen Menschen dafür qualifizieren?"

Waterkamp nickte. „Das ist eine gute Frage. Nun, im Grunde sehen Sie einem Menschen sein wahres Ich nicht an. Aber es gibt bestimmte Merkmale wie die Persönlichkeit oder Eigenarten. Soziopathen sind selten unsicher, sprachlos oder schüchtern. Sie zeigen oft eine enorme sexuelle Energie, die sie auch ausleben möchten. Sie glauben, dass alles, was sie sagen und meinen, die Autorität im Universum sei, wodurch die Ansichten anderer missachtet werden. Zudem neigen sie zu Wutausbrüchen und Gewalt. Weiterhin sollte man die Vergangenheit und Gegenwart einer Person mit einbeziehen. So haben diese Menschen oft ein beachtliches Strafregister, sind professionelle Lügner und benötigen eine ständige Stimulation durch andere, da sie sich schnell langweilen. Zudem sollte man das Sozialverhalten auf den Prüfstand stellen, also: Wie geht jemand mit seinen Mitmenschen um? Ist diese Person manipulativ, übergriffig oder versucht sie eine Abhängigkeit aufzubauen? Bei einem Psychopathen hingegen werden Sie Ihre Schwierigkeiten haben, da sich diese Menschen oft normal verhalten und wie gesagt hochintelligent sind. Ein

Psychopath ist sprichwörtlich der nette Typ von nebenan." Waterkamp sah wieder in die Runde.

Eine Frau von Homeland meldete sich und Waterkamp nickte ihr zu.

„Gibt es Möglichkeiten, einen Psychopathen zu überlisten?"

„Nun, wenn Sie die eben aufgezeigten Beobachtungen bei einer Person gemacht haben, sollten Sie vorsichtig sein. Wenn Ihnen jemand aus irgendeinem Grund Angst macht, seien Sie auf der Hut. Gehen Sie verloren, bleiben Sie verloren. Egal ob es sich dabei um einen Soziopathen oder einen Psychopathen handelt, kann davon Ihr Leben abhängen. Bleiben Sie sich selbst treu. Wir Psychologen nehmen uns die Zeit, die wir brauchen, um diese Menschentypen zu verstehen. Oftmals bleibt selbst uns Experten eine Lösungsfindung verschlossen. Menschen mit psychopathischen Störungen sind unberechenbar und im Grunde unheilbar."

Samantha Warner erhob sich und schaute in die Runde. „Weitere Fragen an Dr. Waterkamp?"

Niemand sonst meldete sich zu Wort.

„Vielen Dank, Dr. Waterkamp, für Ihre Ausführungen."

Die Anwesenden klatschten in die Hände. Als der Polizeipsychologe den Raum verließ, verdrehte er die Augen und lächelte verächtlich.

Warner sah wieder in die Runde. Vereinzelt steckten die Anwesenden die Köpfe zusammen und es war Gemurmel zu hören. Jeder im Raum schien plötzlich abwesend zu sein, andere schauten nachdenklich ins Nichts. Warner griff unter den Tisch und holte eine 9-mm hervor, die noch in einem Holster steckte, und ließ sie geräuschvoll auf die Tischplatte fallen. Augenblicklich verstummte das Gemurmel und sie hatte wieder die volle Aufmerksamkeit aller Anwesenden. Mit einem schiefen Lächeln im Gesicht sprang der sarkastische Unterton ihr förmlich von den Lippen. „Wann, meine sehr verehrten Damen und Herren, waren Sie das letzte Mal am Schießstand?“

*Büro von Chief Turner - Polizeipräsidium*

Chief Turner war außer sich, als er Samantha Warner zu sich ins Büro zitiert hatte. Seine puterrote Gesichtsfarbe machte deutlich, dass er äußerst ungehalten über die stellvertretende Direktorin des FBI und ihre Verwendung von Schusswaffen in geschlossenen Räumen war. Turner war der legitime Nachfolger von Chief Rawson, der auf so entsetzliche Weise in seinem eigenen Präsidium zu Tode gekommen war. Gerichtet durch die Hand eines Monsters namens Grey.

„Bei allem Respekt, Frau Direktorin Warner, sind Sie eigentlich komplett übergeschnappt?“, fauchte er sie an.

Warner saß ihm direkt gegenüber und hatte einen guten Überblick über die zahlreichen und gut ins Licht gesetzten Familienfotos des Chiefs. Warum in aller Welt stellten hochrangige Polizisten ihre gut behütete Privatsphäre so offen zur Schau? Damit sie jedem zeigen konnten, wie herzensgut und familienfreundlich sie waren? Warner hatte dies nie verstanden. Kein Lustmolch sollte je erfahren, wie die eigene Familie aussah, wie hübsch die Kinder und die Partner waren. Niemand hatte das Recht, Einblick in diese verletzliche Seite zu haben.

Turner räusperte sich hörbar und riss Warner damit aus ihren Gedanken zu den Fotos. Trotzdem wartete sie ab, bis der Chief mit seiner endlos langen Tirade über ihr Verhalten und ihre Person fertig war.

„Ich glaube, Sie vergessen, dass Sie lediglich stellvertretend hier sind, Mrs. Warner."

„Was ich getan habe, war nötig, um den Ernst der Lage sicherzustellen, Chief. Sie machen aus einer Mücke einen Elefanten. Die Sonderkommission muss erkennen, dass der Tod von Direktor Levinson ein Angriff auf das System darstellte."

Turners Miene blieb ernst und seine Augen durchbohrten sie. „Aber so mit einer Waffe zu hantieren gehört nun mal nicht in die Trickkiste eines erfahrenen Ermittlers, Mrs. Warner."

„Ich brauchte ungeteilte Aufmerksamkeit. Ich hatte den Eindruck, dass die Leute nicht mehr bei der Sache waren."

Chief Turner erhob sich ruckartig von seinem Stuhl. „Wie bitte? Ungeteilte Aufmerksamkeit? Wollen Sie mich verarschen? Wenn Sie nicht in der Lage sind, den Sinn und Zweck dieser Sonderkommission zu erfüllen, muss ich mich fragen, ob ich Sie nicht von diesem Fall entbinden lassen sollte!"

„Das ist nicht Ihr Ernst, Chief ..."

„Das ist sogar mein voller Ernst, Mrs. Warner." Damit fiel er der Direktorin ins Wort. „Ihre Alleingänge sind mir schon lange ein Dorn im Auge."

Warner verengte die Augen. „Alleingänge? Ich mache keine Alleingänge, Chief. Ich gehöre zum FBI und nicht zur Polizei. Meine Vorgesetzten sind über alles informiert."

Turners Miene blieb hart. „Sie verkennen schon wieder den Ernst der Lage, Mrs. Warner. Das FBI hat Sie mir unterstellt und irgendwelche Absprachen mit Homeland oder Ihren Vorgesetzten sind mir ehrlich gesagt scheißegal."

Warner verschränkte trotzig die Arme vor der Brust.

„Der Fall gerät immer mehr außer Kontrolle. Jack Barnes ist immer noch verschwunden und jetzt ist auch noch Direktor Levinson tot." Er stand auf und kam um den Schreibtisch herum. „Dieser Peacemaker ist untergetaucht. Wie also haben Sie vor, in diesem Fall weiter zu agieren, Mrs. Warner?"

Sie versuchte sich zu beherrschen und sah trotzig auf. „Agent Barnes wurde aktiv eingeschleust. Sein Verschwinden muss also nicht unbedingt schlecht sein. Wir haben es hier mit einem sehr raffinierten und perfiden Gegner zu tun. Einen Angriff auf unsere Strukturen und Mitglieder dürfen wir uns nicht leisten. Wir müssen Barnes noch mehr Zeit geben."

Turner lehnte sich gegen die Kante seines Schreibtischs. „Was also schlagen Sie nun vor? Sollen wir uns einigeln und warten, oder wie?"

Warner schüttelte den Kopf. „Nein. Wir müssen uns vorbereiten."

*Awful*

Der fette Typ lag mit seiner Speckwampe auf dem Rasen des Nachbargrundstücks und kürzte die Halme am Rand mit einer Nagelschere. Er flüsterte und quiekte wie ein kleines Schweinchen, so als freute es sich über jeden Erfolg. Raymond saß auf der

Hollywoodschaukel auf der Veranda des Hauses, in dem Sophie und Henry La Vance wohnten. Er war in eine Decke gehüllt und hatte eine Tasse gut duftenden Kaffees in der Hand. Der Morgen war kühl und die Luft feucht vom Regen der Nacht.

Lange Zeit hatte er wachgelegen und darüber gegrübelt, was zuletzt passiert war. Ein heftiger Wind hatte die Regentropfen gegen die Scheiben des Zimmers geworfen und an den Fensterläden gezerrt. Sophie hatte ihn wiedererkannt. Doch ihre Aussage, dass er nicht mehr derselbe sei, hing wie ein Damoklesschwert über ihm und zerrte an seinen Nerven. Wusste sie womöglich Bescheid über ihn?

Jetzt war die Nacht vorüber und er hatte den Nachbarn wahrgenommen. Sein Name war Oskar Jones. Ein übergewichtiger, kleiner Mann mit Schweinsgesicht und viel zu kurzen Hosen. Seit über einer Stunde war der Typ damit beschäftigt gewesen, seinen Vorgarten zu pflegen. Mit einem Lineal hatte er die Höhe der Grashalme gemessen und mit sich selbst gequatscht. Jetzt lag er auf dem Bauch und hantierte mit dieser Nagelschere herum.

„Guten Morgen, Mr. Philips."

Raymond drehte den Kopf und entdeckte Henry La Vance in der Tür stehen. Der alte Mann sah an ihm vorbei zum Nachbarn hinüber.

„Guten Morgen, Henry."

„Wie ich sehe, haben Sie Oskar schon kennengelernt."

Raymond verzog das Gesicht zu einem schiefen Grinsen. „So ganz astrein ist der Kerl irgendwie auch nicht, oder?"

La Vance lächelte. „Er ist ein komischer Kauz."

„Macht der das immer so?", fragte Raymond.

Henry sah ihn fragend an. „Was meinen Sie?“

„Nun, das Schneiden mit der Nagelschere.“ Er lächelte und Henry nickte.

„Oskar nimmt alles sehr genau, müssen Sie wissen. Aber es geht keine Gefahr von ihm aus.“

Raymond nickte wortlos. „Tja, vielleicht ist das ja sein Talent.“

Sophie hatte den Frühstückstisch bereits gedeckt und goss gerade den Kaffee in die Becher. Die beiden Männer setzten sich zu ihr an den Tisch. Sie sah heute fröhlicher aus als gestern.

„Haben Sie gut geschlafen, Mr. Philips?“

Raymond nickte. „Danke, ja, nur der Sturm heute Nacht hatte mich noch etwas wachgehalten.“

Sophie nickte Henry zu.

„Was haben Sie heute vor, Mr. Philips?“

Raymond zuckte mit den Schultern. „Ich werde mir wohl mal die Stadt etwas genauer ansehen.“

„Wir könnten zum Halloweenpark fahren“, schlug Sophie vor und verteilte die Marmelade auf ihrem Brötchen.

Henry nickte.

Raymond sah auf. „Halloweenpark?“

Henry und Sophie nickten.

„Oh, ja bitte, Raymond.“ Sie klatschte in die Hände.

„Der Halloweenpark wird Ihnen gefallen, vor allem das ‚Haunted House‘, Mr. Philips.“

Raymond verengte die Augen. „Ist das so etwas wie ein Vergnügungspark oder eine Geisterbahn?“

Sophie wiegte sich hin und her.

Henry schüttelte den Kopf. „Weder noch. Sie sollten es sich anschauen. Es ist ein magischer Ort in Awful."

„Das hört sich aber sehr geheimnisvoll an, Henry. Ich grusele mich jetzt schon." Raymond ahmte Frösteln und Zittern nach.

Henry legte ihm eine Hand auf die Schulter. „Sie werden schon sehen, was wir meinen." Dann sah er auf die Uhr an der Wand. „Doch vorher setze ich Sie bei Linda ab."

Raymond runzelte die Stirn. „Wer ist Linda?"

***

Die alte Frau hielt ihm die Hand hin.

„Kowalski, Linda Kowalski. Und Sie sind Raymond Philips?"

Er erwiderte ihre Geste. „Sie sind eine Hellseherin, Mrs. Kowalski. Ich wusste nicht, dass ich hier so bekannt bin."

Linda schmunzelte und strich Sophie eine Strähne aus dem Gesicht. „Neuankömmlinge bleiben hier nicht lange anonym."

„Aha", entgegnete Raymond und sah sich um.

Linda Kowalski war eine alte Frau mit grauen Haaren und Krähenfüßen unter den Augen. Sie besaß einen kleinen Kräuterladen an der Hauptstraße. Autos parkten zu beiden Seiten und nur wenige Leute waren auf den Beinen. Der Himmel war wolkenverhangen und es sah wieder nach Regen aus.

Raymond sah zu Henry. „Was soll ich hier?"

La Vance sah zu Linda.

„Sie wollten doch etwas über Awful wissen?", fragte Linda.

Raymond verengte die Augen. „Und Sie veranstalten so etwas wie Stadtrundfahrten, oder wie?"

Linda schmunzelte und schüttelte den Kopf.

„Linda kennt die Stadt am besten von uns“, warf La Vance ein.

Raymond drehte sich wieder Linda zu. „Na, dann legen Sie mal los. Henry hatte mir gestern Abend einen ersten Vorgeschmack gegeben.“

Linda und La Vance sahen einander an. „So?“

„Ich habe ihm nur vom Rathaus erzählt.“

„Ah, okay. Nun, am besten fahren wir ein bisschen herum“, schlug Linda vor.

Sie nahm die Autoschlüssel vom Tresen und öffnete die Tür zur Straße.

Raymond grinste. „Also doch ′ne Stadtrundfahrt, cool.“

Linda besaß einen alten Van, der nicht nur klapprig aussah, sondern auch so fuhr. Alle hatten ausreichend Platz und Raymond machte es sich auf dem Beifahrersitz bequem. Sie fuhren die Hauptstraße entlang und bogen an der nächsten Kreuzung nach links ab. Nach zwei weiteren Querstraßen und einer Kreuzung kamen sie am Rathaus vorbei, einem alten, düster aussehenden Bau aus Kolonialzeiten. Das Dach war schief und das Gemäuer wirkte ebenso bedrohlich wie geheimnisvoll. Eine breite Treppe führte hinauf zu den großen Eingangstüren. Die Fenster waren wie tote Augen, die auf die Bewohner von Awful glotzten und diese heimtückisch beobachteten. Raymond bekam eine Gänsehaut. An der nächsten Kreuzung bogen sie nach rechts ab und Raymond hatte plötzlich das Gefühl, dass sie hier schon einmal vorbeigekommen waren. Am Fuß einer Anhöhe parkte Linda den Van in einer Haltebucht und schaltete den Motor aus.

Mit einem Blick auf Raymond bedeutete sie diesem, auszusteigen. Henry und Sophie blieben jedoch sitzen.

Von der Anhöhe aus hatte man einen guten Blick über Awful, welches in ein trübes, waberndes Licht getaucht war. Leichter Regen war aufgezogen und dunkle Wolken krochen über den Horizont. In der Mitte der Stadt, gut zu sehen, thronte das Rathaus und schien sich von allem abzuheben.

Linda hatte das Revers ihres Mantels tief ins Gesicht gezogen. In der Ferne erhob sich ein fades Licht.

„Das Licht dort drüben gehört zum Halloweenpark."

Raymond nickte.

„Was halten Sie nun von unserer Stadt, Mr. Philips?", fragte sie ihn.

„Ich weiß nicht. Vorhin hatte ich ein paar Mal das Gefühl, das wir im Kreis gefahren sind."

Linda nickte. „Da haben Sie gut aufgepasst, Mr. Philips. Awful ist wie ein Labyrinth. Kein Weg führt hinein und keiner hinaus. Und inmitten der Stadt thront das Rathaus, das von jedem noch so entfernten Winkel immer gut zu sehen ist."

„Aber ich bin mit dem Bus hier angekommen. Wie kann das sein?" Er drehte sich zu Linda um.

„Der Bus ist eine Pforte."

Raymond runzelte die Stirn. „Eine Pforte?"

Linda nickte wieder. „So bringen sie uns hierher. Aber es gibt keinen Weg zurück."

„Okay und wie lange bleibt man gewöhnlich hier?"

„Solange es vonnöten ist. Jeder von uns erfüllt eine Funktion", antwortete Linda.

„Ich dachte, es geht hier um das Talent, das es zu formen gilt?“, fragte Raymond.

Linda zuckte mit den Schultern. „Hat Ihnen das Henry erzählt?“

„Ich weiß von dem Spiel, Linda.“ Er fasste sich kurz.

„Halten Sie sich an die Regeln. Ich bin zu alt für das alles.“

„Worin liegt denn Ihr Talent, Linda?“

Linda schmunzelte. „Als Talent würde ich das nicht bezeichnen. Wir alle hier haben etwas getan, was uns zu Bewohnern von Awful macht, Mr. Philips.“

Raymond blieb stur. „Das war nicht meine Frage.“

„Ich weiß.“ Sie lächelte.

„Sie weichen mir aus, wieso?“

Ihr Blick war plötzlich wie versteinert. „Warum wollen Sie das eigentlich wissen?“

Raymond zuckte mit den Schultern. „Nun, ich möchte gern wissen, mit wem ich es zu tun habe.“

Linda fuhr sich mit der Zunge über ihre Lippen. „Ich habe meinen Ehemann getötet.“

Raymond drehte sich zu ihr um. „Okay, war das Ihr erster Mord?“

„Warum glauben Sie, dass es Mord war?“, gab sie zurück.

Raymond zuckte mit den Schultern. „Sicherlich hatten Sie einen Grund für die Tat, aber trotzdem danke, dass Sie es mir erzählt haben.“ Er lächelte.

„Ich bin eine Art Kräuterhexe, Mr. Philips.“

„Eine Hexe also, interessant. Glauben Sie, dass das der Grund ist, warum Sie hier in Awful sind?“

Linda verengte die Augen. „Wie meinen Sie das?"

„Nun, ein einfacher Mord erscheint mir doch eher wie eine billige Eintrittskarte als wie ein Auftritt auf dem roten Teppich, der diese Typen veranlassen sollte, sich Ihrer zu bemächtigen, meinen Sie nicht?"

Sie nickte. „Sie haben recht. Ich habe oft darüber nachgedacht, Mr. Philips."

„Was also haben Sie wirklich getan, Linda?" Raymond hakte nach.

Linda atmete hörbar aus. „Mein Mann war ein schlechter Mensch, Mr. Philips, der viel getrunken hatte und gewalttätig war."

Raymond hörte ihr aufmerksam zu, während sein Blick weiter über die düstere Stadt wanderte.

„Ich habe mein Kräuterwissen genutzt, um ihn langsam zu vergiften. Die Tollkirsche war sein ständiger Begleiter und hat ihn schließlich elendig zu Grunde gehen lassen. Ich genoss es, wie er litt." Sie sah auf. „Ich schäme mich heute dafür, Mr. Philips, aber ich war früher voller Hass. Vielleicht ist das mein Talent!"

Raymond nickte wieder. „Ja, vielleicht."

Eine Pause entstand.

Linda verzog den Mund. „Diese Stadt ist voll von Sünde!"

Raymond zog sich den Kragen seiner Jacke tiefer ins Gesicht. „Aber warum baut man eine Stadt als Labyrinth?"

Linda zuckte mit den Schultern. „Weil wir vielleicht etwas Besonderes sind, dass die Welt da draußen nicht versteht?"

„Oder nicht davon erfahren darf", ergänzte er diese Annahme.

Linda steckte ihre Hände in die Taschen ihres Mantels.

„Awful ist wie die Analogie zum Labyrinth des Minotaurus und dieses Rathaus ist wirklich unheimlich. Wie eine versteinerte Kreatur aus der Unterwelt!"

Linda warf ihm einen Blick zu.

„Die Stadt ist wie ein Netz aus falschen Fährten, Geheimwegen und Sackgassen ohne Ausweg ..."

„... damit die menschenfressenden Minotauren nicht entkommen können." Linda vervollständigte den Satz.

Raymond gab ihr recht. „Vorerst zumindest."

## Kapitel 17

*Awful – Halloweenpark*

Der Eingang zum Halloweenpark ähnelte einem schaurigen Monument aus längst vergangenen Zeiten. Hunderte von Laternen und Lampen mit Papierschirmen warfen ein buntes Licht und tauchten den Park rund um das ‚Haunted House' in eine gespenstische Atmosphäre. Nachdem sie ein quietschendes, verrostetes Eisentor passiert hatten, tauchte das ‚Haunted House' plötzlich hoch vor ihnen auf. Es schien uralt zu sein und das schiefe Dach erinnerte Raymond an so manche Albträume aus Kinderzeiten. Über dem Torbogen hingen zahlreiche Kürbislaternen, die ausgehöhlt worden waren, um ihnen schreckliche Grimassen zu verleihen. Sophie schien von diesem Ort magisch angezogen zu werden und Raymond hatte sie an die Hand genommen, um sie nicht zu verlieren. Mittlerweile war eine weitere Nacht herangekommen und Raymond fragte sich, ob die Zeit in Awful anders verstrich. Die Stille, die sie umgab, war so furchterregend wie ein nächtlicher Spaziergang über einen Grabhügel bei Vollmond. Aus dem ‚Haunted House' drangen unheimliche Lichter, die an Irrlichter erinnerten und jeden Besucher in seinen Bann ziehen sollten. Doch

Raymond ängstigte sich nicht. Er war zu erfahren, um an Geister zu glauben; trotzdem hatten der Park und das Haus durchaus den Schrecken und die Furcht verdient. Den Sinn dahinter musste er allerdings noch ergründen. Sophie drückte seine Hand fester, als hätte sie Angst. Raymond dachte wieder an ihre

Vergangenheit, an all das Leid, das sie in ihrem Leben hatte erleiden müssen und welchen Monstern sie dabei in die Fänge geraten war. Der Tod der Eltern als ein ewiges Mahnmal an einem Ort wie Awful.

Plötzlich hörten sie Geräusche aus den finsteren Ecken und Raymond blieb stehen. Jemand schien durch die Nacht und um sie herumzuschleichen. Seine Augen suchten die Umgebung ab, doch nichts war zu sehen. Sophie sah zu ihm auf, und er legte einen Finger an die Lippen.

„Vielleicht ist es der schwarze Clown." Ihre Stimme war ein Flüstern.

Raymond runzelte die Stirn. „Ein schwarzer Clown?"

Sie nickte.

„Na, den würde ich ja gerne mal sehen", antwortete Raymond und betonte seine Worte tapfer.

Sophie schüttelte den Kopf.

„Komm schon, Sophie, das wird bestimmt ein Spaß – und keine Angst, ich bin ja bei dir!"

Wieder schüttelte sie den Kopf.

„Komm schon, wir sind gleich am Haus."

Sophie strich sich eine Strähne aus dem Gesicht. Schließlich sah sie auf und lächelte. Gemeinsam stiegen sie die schiefen Treppen hinauf zum Haus. An der Eingangstür prangte der Kopf eines Gargoyle. Gerade wollte Raymond den schweren Eisenring betätigen, der als Türknopf fungierte, da schwang die große Tür von ganz allein auf.

„Oh, wir werden erwartet", rief Raymond.

Das Foyer war in ein Licht schwarzer Kerzen getaucht. In der Mitte stand ein großer ovaler Tisch, auf dem eine wuchtige Schale stand. Darin lagen verfaulte Früchte, auf denen sich die Fliegen tummelten. Die Bilder an den Wänden zeigten wilde und zerfurchte Gesichter von allerlei Schreckgestalten, die sie auf Schritt und Tritt beobachteten. Die langen Wandteppiche zu beiden Seiten waren alt und zerschlissen, die Wände faulig und an manchen Stellen durchlässig. Am Treppenaufgang, der noch tiefer in die Finsternis führte, wandten sie sich nach links in einen weiteren Raum. Das Licht der schwarzen Kerzen flammte auf, als sie den Raum betraten. An der gegenüberliegenden Seite brannte Feuer in einem alten Steinkamin. Direkt vor ihnen tauchten langsam die fahlen Umrisse einer langen Tafel auf, die mit allerlei verrotteten Blumen und Obst beladen war. Zu beiden Seiten standen Stühle und die Tafel war mit Tellern, Besteck und trüben Gläsern gedeckt. Am Ende der Tafel rekelte sich eine Gestalt, die in das schwarze Kostüm eines Clowns aus der Renaissance-Zeit gehüllt war. Das Make-up war dreckig, das Weiß fettig und die künstliche Nase war schwarz, wirkte aber alt und verfault. Genau in diesem Moment hob die Gestalt ihren Kopf und fletschte die gelben Zähne. „Hereinspaziert, Hereinspaziert! Willkommen im verfluchten Haus!" Der Clown verbeugte sich so tief, dass Raymond das Gefühl bekam, sein Rücken wäre aus Gummi. „Bitte nehmt Platz und speist mit mir! Bitte!" Der Clown war die reinste Schreckgestalt.

Sophie wollte der Aufforderung nachkommen, doch Raymond hielt sie zurück.

Dem Clown entging das nicht. Er hob den Kopf und richtete sich, wie von unsichtbaren Fäden gezogen, ruckartig wieder auf. Eine Bewegung, die Raymond aus einem anderen Leben kannte und die ihm schlagartig wieder ins Gedächtnis kam. Der Clown glotzte sie nur an. Seine Augen wirkten bedrohlich und verschlagen. Mit vor der Brust verschränkten Händen kam er nun näher, doch der Gang war seltsam, als bewegte er sich schwebend über den Boden. Je näher er kam, desto mehr konnte Raymond von seinem Gesicht erkennen. Doch dieser Clown war nicht das, was er vorgab, zu sein.

„Ihr kommt in mein Haus und lasst mich betteln wie einen Hund?“ Seine Stimme war schrill und unnatürlich. Er legte den Kopf auf die Seite.

Sophie wollte sich hinsetzen, doch Raymond hielt sie weiter zurück.

„Du! Wer bist du?“, fragte der Clown Raymond und machte eine kurze Pause. Dann fletschte er wieder die Zähne. „Ich kenne dich, Philipe du Mont!“ Der Clown lachte, schrie, dass sich Sophie die Ohren zuhielt. „Und du, Kind? Hm, ... Sophie, stimmt´s?“

Sophie nickte ängstlich und der Clown tanzte um sie herum. Bei Raymond wieder angekommen, blieb er stehen. Seine Augen glänzten fiebrig. „Ich wusste, dass du irgendwann zu mir kommen würdest, Philipe!“

„Ehrlich gesagt, mag ich keine Clowns und Sie mag ich auch nicht!“ Raymond fixierte sein Gegenüber.

Der Clown hechelte, dann klatschte er freudig in die Hände. „Du gefällst mir." Er drehte auf dem Absatz herum und watschelte zurück zum Ende der Tafel.

Raymond hob eine Hand. „Einen Moment."

Der Clown blieb abrupt stehen, ohne sich umzudrehen.

„Sie haben sich mir nicht vorgestellt!"

Der Zeigefinger des Clowns bewegte sich hin und her. Sein Kopf drehte sich herum und erst dann folgte sein Körper. „Nenn mich ... Tobe!"

Raymond grinste in sich hinein. Drei von vier. „Warum diese Aufmachung? Was ist das hier für ein Ort? Ist Awful nicht schon schrecklich genug?"

Der Clown grinste schief. „Das ist meine Welt, Philipe. Ich bin der Herr der Schmerzen." Er machte eine Pause und setzte sich auf den Rand der Tafel. „Warum so viele Fragen, Philipe? Du bist zu Hause. Was vorher war, ist uninteressant. Das, was du sein wirst, Philipe, ist viel entscheidender!"

„Aha!" Raymond überzeugte dieses Geschwafel nicht.

Tobe blieb wortlos und stand da, wie angewurzelt, die Arme schlaff herunterhängend. „Was ist dein Problem? Ich bin nicht dein Feind!"

Raymond ballte die linke Hand zur Faust, ein Kraftakt, der auch Sophie nicht entging. „Dieser Maskenball, diese Scharade, wozu soll das alles gut sein?"

Tobe verengte die Augen. „Erkläre du es mir, Philipe. Was ist mit deiner Maske? Wozu ist die gut?"

Raymond stockte der Atem.

Tobe kam heran, schnell, zielsicher packte er Raymonds rechte Hand und riss sie von Sophie los. Ihre Gesichter berührten sich fast und schon konnte Raymond die abbröckelnde Farbe im Gesicht erkennen. „Wir alle haben viele Gesichter, Philipe, aber wir können uns selbst nicht verleugnen! Ich war so gespannt auf dich und nun bist du hier, in meinem Reich!" Er lachte schallend und breitete wieder die Arme aus. „Dein Gesicht, so wie ich es in Erinnerung hatte, ist das Gesicht einer Scharade, eines Wolfs im Schafspelz." Sanft strich er über Raymonds Gesicht und hielt inne. „Wir haben Großes mit dir vor. Heute bist du hier, damit wir uns kennenlernen. Dein Gesicht ist das Gesicht eines Toten." Er flüsterte, drehte sich zu Sophie und hielt ihr einen leckeren Apfel hin. „Hier für dich, mein Kind. Lass ihn dir munden. Den habe ich extra nur für dich aufgehoben!"

Sophie streckte die Hand aus und nahm die Frucht entgegen.

Gleich darauf löste sich der Clown in Rauch auf und verschwand.

Zurück blieb eine verdorbene Frucht, aus der sich Maden schälten.

Angewidert warf Sophie den Apfel weg.

Raymond lächelte schief. „Das wird ja noch interessant."

*Awful*

La Vance betrachtete Raymond eingehend, als er mit Sophie zurück nach Hause kam. Er sah auf die Uhr. „Hat Ihnen der Halloweenpark gefallen?"

Raymond holte sich kaltes Wasser aus dem Kühlschrank und goss sich etwas davon in ein Glas. „Der Halloweenpark ist ganz nett, der Clown hingegen echt scheiße!"

La Vance' Augen weiteten sich. „Sie sind dem Clown begegnet?"

Sophie kam gerade aus dem Bad. Ihre Hände waren noch feucht. „Raymond war so mutig. Er hat dem Clown die Stirn geboten."

La Vance schüttelte den Kopf. „Sie haben gegen Regel 1 verstoßen!""

Raymond genoss das kühle Nass. „Ist mir doch egal. Ich mag nun mal keine Clowns."

„Sie sollten vorsichtig sein."

Raymond fuhr herum, seine Miene war ernst. „Reißen Sie sich zusammen, Henry. Das sind nur Menschen, keine Götter."

La Vance war aufgestanden. „Ich hatte Sie um Vorsicht gebeten, aber Sie können ja nicht hören."

Raymond lehnte sich weiter an die Küchenvitrine. „Ich lasse mich nicht gerne verarschen. Wenn die ein Problem in mir sehen, sollen sie nur kommen. Ich freue mich schon auf das Spiel."

La Vance ballte die Hände zu Fäusten, dass die Knöchel weiß hervortraten. „Tun Sie, was Sie nicht lassen können, Mr. Philips. Aber ziehen Sie uns da nicht mit rein!"

Die beiden Männer betrachteten einander wütend.

„Wieso habe ich das untrügliche Gefühl, dass Sie sich mit denen unbedingt anlegen wollen. Wieso die ganze Provokation?"

„Er hat mich beschützt, Henry!" Sophie versuchte, Henry zu beruhigen.

La Vance aber reagierte nicht.

„HENRY!“ Sie schrie ihn an.

La Vance entspannte sich und fuhr zu Sophie herum, deren Miene hart blieb. Für einen kurzen Moment starrten sie sich an, dann riss er sich von ihr los und ging, an Raymond vorbei, langsamen Schrittes die Treppe hinauf.

Raymond sah zu Sophie.

„Nehmen Sie es ihm bitte nicht krumm. Er will mich nur beschützen.“

Raymond sah sie fragend an. „Beschützen? Wovor?“

„Vor den Monstern, Mr. Philips!“

Raymond leerte das Glas. „Wir sind die Monster, Sophie. Wir alle.“

## Kapitel 18

*Stadthaus der Familie Warner*

Es regnete, als Samantha Warner aus dem Taxi stieg, und ein herbstlicher Wind fegte ihr um die Nase. Sie bezahlte den Fahrer und zog den Kragen ihres Mantels tief ins Gesicht. Vom Beifahrersitz nahm sie ihre Ledertasche. Der Taxifahrer, ein Inder mit einem roten Turban und einem freundlichen Lächeln auf den Lippen, bedankte sich herzlich für das üppige Trinkgeld und wünschte ihr einen schönen Abend. Unter dem Rückspiegel über der Mittelkonsole hing ein goldenes Mantra, in die eine Swastika eingearbeitet war: ein Symbol des Glücks im Hinduismus. Als sich das Taxi in Bewegung setzte, winkte ihr der Mann immer noch freundlich lächelnd zu.

Das Stadthaus lag in einer der ruhigen Seitenstraßen der Stadt, jenen Vierteln, die den Besserverdienenden und den Staatsbeamten vorbehalten waren. Samantha wohnte hier mit ihrem Mann Malcolm, einem Unternehmer aus der Stahlindustrie. Ihre beiden Söhne waren schon vor Jahren ausgezogen, um ihr Leben woanders zu führen. Es war bereits gegen 22 Uhr und eigentlich ein ganz normaler Abend. Auf den Straßen fuhren viele Autos, und etliche Menschen waren auch noch unterwegs. Samantha Warner war es gewohnt, spät am Abend nach Hause zu kommen, da dies ihr Job als stellvertretende FBI-Direktorin so mit sich brachte.

Auf der gegenüberliegenden Straßenseite, im Schatten hoch aufragender Bäume, stand ein schwarzer Lincoln in Sichtweite des Hauses. Zwei Männer saßen darin. Unmerklich nickte ihnen

Warner zu, als sie die wenigen Treppen hinauf zur Haustür ging und ihre Schlüssel aus einer der Manteltaschen holte. Bevor sie eintrat, öffnete sie die Knöpfe ihres Mantels und strich ihre Schuhe auf einem Vorleger ab. Die beiden Männer in dem Lincoln gehörten zu einem Observierungsteam des FBI und waren dazu abgestellt worden, die hochrangigen Mitglieder der Sonderkommission vor weiteren Übergriffen zu schützen.

*Awful*

Der Mann streckte ihm die Hand entgegen.

La Vance stellte Raymond den Fremden direkt vor. „Mr. Philips, darf ich Ihnen einen alten Freund vorstellen?“

Raymonds nasse Haare glänzten, als er die Küche betrat. Ein Handtuch umschlang seinen Nacken. Am Küchentisch saß ein ihm unbekannter Mann, der ihn freundlich angrinste. „Cher ami!“

Raymond stutzte.

Der Fremde redete Französisch mit ihm. Gut, dass man ihn auch darauf ausreichend vorbereitet hatte. Also begann zunächst eine Unterhaltung auf Französisch und Raymond bemühte sich so gut wie möglich, keinen Fehler zu machen.

„Ich dachte, du wärst tot?“, eröffnete der Fremde das Gespräch.

„Zurück aus dem Reich der Toten, sozusagen!“, antwortete Raymond selbstsicher.

„Wir haben uns ja lange nicht mehr gesehen!“

Raymond nickte. „Scheint so.“

Der Fremde grinste immer noch, als würde ihm gerade etwas bewusst werden. „Erinnerst du dich an mich?"

Raymond wartete einen Moment, als ob er sich zu erinnern versuchte. „Simmons, Andy Simmons." Nigel hatte ihm so viele Bilder gezeigt.

Sein Gegenüber nickte und sein Lächeln verschwand. „Schön, dass ..."

Raymond machte ein ärgerliches Gesicht und bat Andy darum, in der Sprache aller zu sprechen, da er vor Henry und Sophie nichts zu verbergen hatte.

Andy hielt einen Moment inne. Dann stand er unversehens auf und kam auf Raymond zu, der noch immer entspannt an einen Küchenschrank lehnte.

„Vielleicht wollte ich dich ja nur testen, Raymond!"

Die Gesichter der beiden Männer waren sich nun sehr nah.

„Es ist lange her, alter Freund, und ich wollte dich sehen, seit jeder in der Stadt weiß, dass du hier bist!" Er lächelte falsch.

„Aha." Raymond verschränkte die Arme vor der Brust.

„Jaja, und weißt du was? Ich wollte deine Augen sehen, ob sie immer noch dieselbe Wildheit wie früher versprühen?"

Raymond lächelte schief. „Und? Bist du jetzt zufrieden?"

Andy kniff die Augen zusammen, dann lachte er schallend los. „Fast hättest du mich damit überrumpelt."

Raymond hingegen verzog keine Miene und beugte sich vor.

„Iris Heterochromie, richtig, Mann!" Andy tätschelte Raymonds Schulter.

La Vance sah die beiden Männer fragend an.

„Ist dir das noch gar nicht aufgefallen, Henry? Unser Freund Raymond hier hat zwei unterschiedliche Augenfarben. Rechts grün und links blau!“

Raymond schüttelte den Kopf und grinste.

Andy stockte. „Was ist?“

„Du willst mich testen, nicht wahr?“, hakte Raymond nach.

Andy verengte die Augen. „Ich? Wieso?“

Raymond legte ihm eine Hand auf die Schulter. „Meine Heterochromie. Henry, schauen Sie mir in die Augen.“

Henry blinzelte. „Er hat recht, Andy. Es ist genau andersherum. Was soll das?“

Andy zuckte mit den Schultern und hob abwehrend die Hände. „Hey, Leute, kommt schon, man wird ja noch mal scherzen können.“ Ein schiefes Grinsen stahl sich in sein Gesicht.

Sophie sah zu Raymond, der die Hände zu Fäusten geballt hatte.

Andy versuchte das Thema zu wechseln, zog einen Stuhl heran und setzte sich. „Über dich erzählt man sich ja so einiges, Raymond.“

Raymond runzelte die Stirn. „Was denn so, Andy?“ Sein Blick war ernst und seine Augen düster.

Andy kaute an der Unterlippe. „Man erzählt sich, dass du tot seist, erschossen von der Polizei!“

Raymond blickte starr auf Andy, dann entspannte er sich sichtlich und lachte schallend los. „Ich? Tot? Andy, Andy. Du solltest dir mal zuhören. Glaubst du allen Ernstes, die Bullen könnten mir etwas anhaben?“ Er lachte weiter.

Andy sah kurz zu Henry. „Okay, okay. Ich habe verstanden, Raymond."

Plötzlich schoss Raymonds Gesicht vor, seine Bewegung war die eines Raubtiers, das die Gunst der Überraschung nutzte, um über seine Beute herzufallen.

Andy hob schützend die Hände vors Gesicht.

„Ich dachte, es wäre eine gute Idee, wenn Sie hier ein bekanntes Gesicht sehen würden." Henry wollte offenbar die Wogen glätten.

„Halten Sie sich einfach raus, La Vance. Awful geht mir auch so auf die Nerven."

„Sie halten sich aber auch nicht an die Regeln." La Vance wirkte trotzig.

Raymond machte ein verärgertes Gesicht.

Andy wurde hellhörig und sah zu La Vance. „Was hat er angestellt?"

Bevor La Vance antworten konnte, ging Raymond dazwischen. „Das geht dich nichts an, Andy."

Andy hakte nach: „Henry?"

Raymond wurde ungehalten. „Andy!"

„Er hat gegen Regel Nr. 1 verstoßen!"

*Stadthaus der Familie Warner*

Im Entrée des Hauses kam Samantha Nick Belafonte entgegen, der hauseigene Concierge. Er entschuldigte sich dafür, ihr nicht die Tür geöffnet zu haben, doch sie beruhigte ihn. Nick war ein absolut vertrauenswürdiger Angestellter, der schon viele Jahre für die Warners arbeitete. Sie führten kurz Smalltalk, bis sie den Mann in den wohlverdienten Feierabend schickte. Sie liebte das Entrée, das so prunkvoll ausgestattet und mit Stuck verziert worden war. Ein übergroßer Kristallleuchter vollendete das Bild und erinnerte an die goldenen 20er Jahre des letzten Jahrhunderts. Über Marmortreppen führte ihr Weg zur Wohnungstür. Mit einem zweiten Schlüssel öffnete sie diese und war endlich angekommen. Sie stellte ihre Ledertasche auf eine antike Kommode neben der Tür ab und atmete das erste Mal an diesem Abend richtig durch.

Unter der Woche war ihr Mann oft auf Geschäftsreise, so dass ihr das Stadthaus mit den vielen Räumen eigentlich viel zu groß vorkam und eher an eine Festung aus dem Mittelalter erinnerte. Samantha zog sich die Schuhe aus, knetete ihre gestressten Füße und schlüpfte in die gefütterten Hausschuhe, die sie sich vom letzten Skiurlaub mitgebracht hatte. Dann hängte sie ihren Mantel an die Garderobe und wusch sich die Hände im Badezimmer, das direkt gegenüber dem Eingang zur Küche lag. Dabei stieg ihr ein süßlicher Duft in die Nase und sie hob verwundert den Kopf.

„Malcolm?"

Niemand antwortete, auch konnte sie sich nicht daran erinnern, dass im Hause Licht gebrannt hatte. Zudem hätte doch Nick, der Concierge, etwas davon erwähnt.

Dann summte die Dunstabzugshaube und sofort dachte Samantha an ihren Mann, der ein leidenschaftlicher Koch und Ehemann war und der es liebte, seine Frau immer wieder zu verwöhnen. Bestimmt wollte er sie dieses Mal mit einem geheimen Dinner für zwei überraschen. An einem Handtuch trocknete sie sich die Hände ab und sah hinüber in die Küche. Töpfe standen auf der Herdplatte und heißer Dampf stieg daraus empor. Sie lächelte, wunderte sich aber kurz, warum er ausgerechnet heute Abend zu Hause war.

„Malcolm? Schatz?"

Niemand antwortete. Sie verließ das Bad und betrat die Küche. Niemand war da. Vorsichtig klopfte sie an die Tür, ging zum Herd. Dann wandte sie sich um und entdeckte ihren Mann, der mit dem Rücken zu ihr am Esstisch saß. Sie runzelte die Stirn. Sollte das wieder einer seiner Scherze sein, würde sie dieses Mal nicht darauf hereinfallen. Langsamen Schrittes ging sie zu ihm hinüber und runzelte die Stirn. Irgendetwas stimmte nicht.

*Awful*

„Das ist nicht gut, nicht gut." Andy wedelte mit den Händen und schaute auf. „Du musst unbedingt passiv bleiben, Raymond. Unbedingt, hörst du? Sie haben dich hierhergeholt. Vergiss das nicht. Wir sind hier was Besonderes."

Raymond lachte heiser. „Ich komme auch alleine klar."

„Sicher, aber hier hast du die Chance, größer zu werden. Größer als alles, was man sich vorstellen kann. Halte dich an die Regeln und du wirst im Spiel auf der richtigen Seite stehen!" Andys Augen leuchteten wie die eines Kindes vor der Bescherung.

La Vance mischte sich wieder ein. „Er kennt das Spiel bereits!"

Andy stockte wiederum der Atem. „Wie bitte?"

La Vance nickte.

„Danke, Henry, bald weiß es bestimmt die ganze Stadt. Es stimmt, Andy, ich war dort, und sie haben versucht, mich zu töten."

In Andys Gesicht kehrte das Lächeln zurück. „Cool, und wie war's?"

Raymonds Gesicht blieb ausdruckslos. „Hast du nicht zugehört?"

Andy zuckte mit den Schultern. „Erzähle es mir, Raymond. Ich bin so gespannt."

„Das Spiel ist schrecklich. Es sterben dort Menschen", antwortete Raymond.

„Gewiss ist es so, wie sollen wir sonst besser werden?"

Raymond schüttelte den Kopf.

„Was ist bloß los mit dir, Raymond? Ich dachte, du verachtest die Menschen?"

„Das hat nichts mit Verachtung zu tun."

Andy rollte mit den Augen. „Gewalt bestimmt unser Leben. Wir sind die Saat. Wir sind auserwählt!"

Raymonds Miene blieb ausdruckslos. „Du hörst dich gerne reden, was?"

Andy schüttelte den Kopf. „Du hast dich wirklich verändert, Raymond. Schade. Ich dachte, dein Geist wäre anders."

„Ich habe mit der Vergangenheit abgeschlossen. Ich will nicht in die Todeskammer. Sie haben mich bisher nicht erwischt, und sie werden mir auch weiterhin nicht auf die Spur kommen. Ich habe andere Pläne ..."

Andy lachte schallend los. „Der große Philipe du Mont will sich zur Ruhe setzen?"

Raymonds Augen durchbohrten ihn. „Du hast ja gar keine Ahnung, zu was ich fähig bin, Andy."

Andy grinste immer noch über beide Ohren und holte einen Zettel aus der Innentasche seiner Jacke. „Bleib cool, okay? Ich bin schon eine ganze Weile in Awful und endlich bekomme auch ich eine Chance. Sie geben sie mir. Ich habe einen Auftrag und den werde ich ausführen."

Raymond runzelte wieder die Stirn. „So? Was sollst du denn für sie erledigen?"

Andy lachte bitter. „Nicht was, wen!"

Raymond verengte die Augen. „Ich verstehe nicht ..."

Andy schüttelte sich vor Lachen, dann stockte er und sein Blick verfinsterte sich. Er hob ein Foto hoch. Das Bild einer Frau. Samantha Warner.

Raymonds Kehle wurde trocken. „Wer ist das?"

Andy lachte. „Sie ist eine FBI-Direktorin. Diese Schlampe muss weg und ich, ich habe die glanzvolle Aufgabe, sie zu erledigen!"

*Stadthaus der Familie Warner*

„Schatz, alles in Ordnung?" Samantha setzte zaghaft einen Fuß vor den anderen.

Der Brustkorb ihres Mannes hob und senkte sich. Sie fasste ihren Mann bei den Schultern, tippte ihn an, doch er reagierte nicht. Als sie ihn genauer betrachtete, kippte er plötzlich vornüber und schlug mit der Stirn voran auf die Tischplatte. Am Hinterkopf zeigte sich eine hässliche Platzwunde. Warner schreckte auf und fasste sich mit der Hand an den Mund, um nicht schreien zu müssen. Plötzlich bemerkte sie aus den Augenwinkeln eine Bewegung und fuhr mit dem Kopf herum. Am Eingang zur Küche stand eine gebeugte Gestalt. Sie war halb nackt und hatte Narben am ganzen Körper. Genau in diesem Moment hob die Gestalt den Kopf. Samantha war wie erstarrt. Das Gesicht der Gestalt war in eine zerfetzte Ledermaske gehüllt, aus der sie wilde Augen anglotzten. Die Gestalt bewegte sich von einem Bein auf das andere und schnüffelte wie ein Tier. Auf dem Rücken und vor der Brust war eine Art Waffengürtel zu sehen, in dem unzählige kleine Messer steckten. Die Gestalt war barfüßig und hinterließ auf dem hellen Parkett dunkle, dreckige Fußspuren, als käme sie direkt aus dem Garten.

Die FBI-Direktorin bewegte sich nicht und begann zu zittern. Sie sah sich um, wusste sie doch um die beiden Kollegen im Lincoln. Sie brauchte einen Plan.

*Awful*

Raymond prustete los, was Andy nicht entging.

Dessen Augen verengten sich und seine Finger krallten sich an der Stuhllehne fest.

„Dieser Aufgabe bist du nicht gewachsen. Überlass das anderen, die ihr Handwerk wirklich verstehen!“ Raymond versuchte Andy zu provozieren.

Dieser war kurz davor zu platzen und seine Schultern zogen sich zusammen wie bei einer Katze, die ihren Buckel vorbereitet. „Jemandem wie dir, nehme ich an, wie?“

Raymond nickte. „Zum Beispiel, ja."

Andy grinste tückisch. „Dann halte mich doch davon ab?"

Die Blicke der beiden Männer trafen sich wieder und durchbohrten sich.

La Vance versuchte zu intervenieren. „Es ist vielleicht besser, wenn du jetzt gehst, Andy. Ich will hier keinen Streit."

Andy nickte langsam, ohne dabei Raymond aus den Augen zu lassen.

„Es war schön, dich wiederzusehen, kleiner Mann!", verabschiedete Raymond sein Gegenüber.

In Andys Augen loderte der Hass. „Wir sehen uns wieder, Raymond und dann unterhalten wir uns noch mal richtig!"
Raymond grinste. „Ich kann es kaum erwarten, Andy!"
Im Flur blieb Andy stehen und drehte sich noch einmal herum. „Vielleicht sehen wir uns irgendwann im Spiel. Dann werden wir sehen, wer der Bessere ist, Raymond!"

Andy lachte und schlenderte nach draußen.

La Vance räusperte sich. „Er ist es nicht wert, Mr. Philips."
Raymond starrte La Vance an. „Sie hätten diesen Scheißkerl nicht einladen dürfen." Er trat näher an La Vance heran. „Wenn Sie das noch einmal tun, nimmt das hier ein böses Ende, das verspreche ich Ihnen!"

*Stadthaus der Familie Warner*

Die Gestalt war auf die Knie gegangen und schnüffelte wieder. Jede Bewegung war geschmeidig und ausbalanciert. Samantha Warner überlegte verzweifelt, wie sie sich aus dieser misslichen

Lage befreien konnte. Sie konnte nicht bleiben, irgendwann würde das Ding sie entdecken. Fieberhaft überlegte sie sich die nächsten Schritte. Dann fasste sie einen Entschluss: Sie musste einfach rennen und sich irgendwo verstecken. An ihre Tasche im Flur würde sie nicht herankommen. Also beobachtete sie ihr Gegenüber, das den Kopf hin und her rollen ließ. Warner war eine geübte Läuferin mit reichlich Power in den Beinen. Die Treppe nach oben war kein Problem für sie, aber was dann? Blitzschnell verwarf sie alle anderen Optionen und rannte los. Die Hausschuhe waren leise, aber eben nicht lautlos. Die Gestalt hob den Kopf, glotzte in ihre Richtung und schrie. Warner rutschte durch die Seitentür zum hinteren Flur und hätte fast das Gleichgewicht verloren. Schnell ergriff sie den Pfosten am unteren Teil der Treppe, machte eine Kehrtwendung und rannte die Treppe hinauf. Die Gestalt war ihr jaulend und kreischend dicht auf den Fersen. Am oberen Treppenabsatz packte sie Warners Fußgelenk, doch diese konnte sich losreißen und versetzte ihrem Verfolger einen Tritt in die Magengrube. Sofort schrie die Gestalt auf und fiel zurück. Warner rannte den oberen Flur entlang und riss die hintere Tür zum Schlafzimmer auf. Eine zweite Gestalt zwängte sich ihr entgegen. Warner verlor das Gleichgewicht und polterte auf den Parkettboden. Sofort war die erste Gestalt da und warf sich auf sie. Warner schrie, trat in alle Richtungen und schlug um sich. Die Gestalt stank erbärmlich nach Schweiß und Exkrementen. Endlich schaffte es Warner, sich zu befreien, indem sie der halbnackten Gestalt gegen die Schläfe schlug. Haare zum Reißen waren leider nicht vorhanden. Die zweite Gestalt quiekte wie ein Schwein und die ledrige Wampe quoll unter einem alten

Hawaiihemd hervor, was ihr einen noch ekelerregenderen Ausdruck verlieh. Warner stieß den Fettsack zur Seite, stürmte ins Schlafzimmer und verbarrikadierte die Tür, indem Sie die Lehne eines Stuhls unter die Klinke zwängte. Verzweifelt sah sie auf die Fenster, die aber keine Griffe zum Öffnen besaßen. Fast hysterisch riss sie die Vorhänge beiseite und trommelte gegen die Fensterscheiben.

Unten im Lincoln sah sie die beiden Beamten, die aber nicht zu ihr heraufsahen. Was also sollte sie tun? Hinter ihr hämmerten die beiden Fremden wie wild gegen die Tür, traten, schrien und jaulten wie wilde Bestien.

*Awful*

Andy war außer sich, immer wieder ballte er seine Hände zu Fäusten und übte seinen Schattenkampf. Wie gerne hätte er diesem Raymond eine reingehauen. Aber der würde noch Augen machen, wenn er erst einmal dieser Schlampe das Fell über die Ohren gezogen hatte. Er lachte innerlich, als er den kurzen Kiesweg an der Hofeinfahrt zu seinem Wohnkomplex einschlug. Das Haus bestand aus einem Dutzend Apartments, die aber zum Teil noch leer standen. Während er auf den Hauseingang zuging, kramte er in seinen Hosentaschen nach dem Schlüsselbund, als ihn jemand unversehens packte und zu Boden warf. Andy schüttelte sich und hob den Kopf. Raymond Philips stand im Schein des Mondes vor ihm und grinste.

„So schnell sehen wir uns also wieder, Raymond oder wer immer du auch bist!"

Raymond legte den Kopf auf die Seite. „Das spielt jetzt keine Rolle mehr!“

Andy lachte heiser. „Ich habe es in deinen Augen gesehen, dass dein Gesicht nur eine Maske ist. Tja, du hast wohl gedacht, dass ich das nicht merke, was?“

Raymond grinste böse. „Du stehst meinen Plänen im Weg, Andy. Das kann ich nicht zulassen!“

„Ach ja?“ Andy kramte in seiner Innentasche und holte ein Klappmesser hervor. „Ich schneide dir die Eingeweide raus, du verdammter Scheißkerl!“

*Stadthaus der Familie Warner*

Das Fensterglas zerbarst in tausend Splitter, als der schwere Gegenstand das Glas durchbrach. Mit einem lauten Scheppern schlug das Gewicht unten zwischen den Metalltonnen auf, was die beiden Männer im Lincoln zusammenschrecken ließ. Sofort waren sie alarmiert und sahen Warner im ersten Stock wild mit den Armen rudern. Sie reagierten sofort; zu schnell, zu unkoordiniert und auch zu überhastet, denn sonst hätten sie den feinen Draht entdeckt, der als Widerstand zu den Fahrgasttüren fungierte und damit eine Reaktion in Gang setzte. Denn als die beiden Männer fast gleichzeitig die Türen ihres Lincoln öffneten, um ihrer Chefin zu Hilfe zu eilen, war dies sogleich ihr Todesurteil. Eine gewaltige Explosion zerfetzte den Lincoln und seine Insassen in einem Feuerball. Die Druckwelle riss alles von den Beinen und fegte Mülltonnen, die am Wegesrand standen, in die Unendlichkeit.

Samantha Warner traute ihren Augen nicht, als sie den Feuerball auf der anderen Straßenseite sah. Sofort sprangen die Alarmanlagen der anderen Autos an und die Druckwelle zerbarst die Scheiben der anderen Häuser. Von ihren Kollegen war nichts übriggeblieben. Hinter ihr brachen derweil die Eindringlinge durch die Tür ins Schlafzimmer und Warner konnte sich gerade noch in den Wandschrank retten. Glücklicherweise steckte noch ein Schlüssel im Schloss, den sie herumdrehte und das Licht löschte. Draußen vor dem Haus war die Hölle los und im Haus das pure Böse auf Beutefang.

Warner hielt den Atem an und schluchzte, beide Hände auf den Mund gepresst. Die beiden Gestalten waren direkt vor ihrer Tür. In weiter Ferne ertönten die Sirenen der herannahenden Staatsmacht. Das Kreischen kehrte zurück, während sich die beiden Eindringlinge mit unverminderter Gewalt immer wieder gegen die Tür des Wandschranks warfen. Samantha Warner hielt die Luft an, als ihr das Jagdgewehr ihres Mannes einfiel, das er hier irgendwo verstaut hatte. Sie knipste das Licht wieder an und riss die Kartons aus dem Regal. Der Raum war gerade groß genug, um sich darin zu bewegen. Ihren Verfolgern war der Lärm nicht entgangen und sie trommelten jetzt noch stärker an die Tür. Hysterisch und zitternd, der Ohnmacht nahe, durchwühlte sie alles, was ihr in die Finger kam. Da brach die Tür an einer Seite auf und der Fettsack streckte seine speckige Hand durch den Spalt. Seine kräftigen Finger packten sie an den Haaren und rissen ganze Büschel aus ihrer Kopfhaut. Warner aber konnte sich befreien, und endlich fand sie das Gewehr hinter alten Büchern. In einer Schublade lagen die Patronen. Der Spalt in der Tür wurde breiter und immer mehr Arme und dreckige Hände erschienen. Doch immer wieder fielen ihr die Patronen aus den zittrigen Händen. Samantha Warner wollte nicht sterben, daher schrie sie den Eindringlingen entgegen, die sich immer weiter in den Wandschrank vorarbeiteten. Endlich hatte sie das Laden beendet, als der Fettsack schon durch die Tür brach. Warner kniete in einer Ecke. Das Gesicht des Dicken war dumm und kindlich zugleich. Sein Verhalten wild und hysterisch. Die Augen waren trübe, fast milchig. Trotzdem stürzte er sich auf sie, ein Fehler, den er mit dem Leben bezahlte, als Warner den Abzug durchzog. Die Geschosse drangen in seinen Unterleib ein und zerfetzten das Fleisch aus nächster Distanz. Durch den Aufprall wurde der Dicke zurückgeschleudert und blieb grunzend und wimmernd am Boden vor der gegenüberliegenden Wand liegen. Genau in diesem Moment war der Halbnackte wieder bei ihr, den Warner mit einem Schlag des Gewehrkolbens empfing. Der Getroffene ließ seine Messer fallen und taumelte zurück, stolperte über den Leib des Dicken und fiel nach hinten über. Diese Gelegenheit nutzte die FBI-Direktorin, um ihr Versteck zu verlassen. Sie war gerade auf der Treppe, als sie ein Messer in der Kniekehle traf und aus dem Gleichgewicht brachte. Polternd stürzte sie über das Geländer hinab auf die Treppenstufen im Erdgeschoss. Ihr Rücken brannte, als sie sich aufzurichten versuchte. Hinter ihr tauchte wieder der Halbnackte mit dem Ledergesicht auf. Er sprang ihr auf den geschundenen Rücken und riss ihr an den Haaren. Plötzlich torkelte ihr Mann Malcolm aus der Küche in den Flur und schlug den Angreifer mit einem Stuhl gegen den Kopf. Dieser ließ von Warner ab und ging abermals zu Boden. Malcolm warf seiner

Frau einen letzten Blick zu, als der Halbnackte ihm zwei Messer zu beiden Seiten in die Nieren stieß. Malcolm Warner fiel. Das Ledergesicht stand triumphierend über seinem Opfer und zog weitere Messer aus seinem Gürtel. Samantha Warner kämpfte sich wieder auf die Beine und krallte sich einen Regenschirm, der in einer Ablage stand, und stach dem Halbnackten blitzschnell in den Bauch, so dass dieser tot zusammenbrach. Malcolm grunzte und krümmte sich vor Schmerzen. Samantha Warner schleppte sich zu ihrer Ledertasche und holte das Mobiltelefon hervor, als sie abermals zu Boden ging. Ein brennender Schmerz im Unterleib machte sie kampfunfähig. Als sie aufblickte, war ihr Blick bereits trübe. Da kam eine weitere Gestalt auf sie zu und grinste diabolisch. Mit letzter Kraft hob Warner den Kopf und ihre Miene gefror. „Was machen Sie denn hier? Wieso, ich dachte, Sie wären ...?"

Die fremde Gestalt lächelte, drehte sich um und schoss ihrem Mann in den Kopf. Warner war der Verzweiflung nahe und konnte nur noch wimmern. Die Gestalt kam zurück und kniete sich neben sie. Dann flüsterte sie ihr etwas ins Ohr, das Samantha schaudern ließ und blankes Entsetzen in ihr Gesicht trieb. Als Letztes stellte sich die Gestalt wieder vor sie, lud die Trommel, zielte und schoss.

# Kapitel 19

*Awful*

Raymond Philips schrubbte seine Hände mit einer abgenutzten Handbürste, die er in dem Hängeschrank über dem Waschbecken gefunden hatte. Rinnsale von feinem Blut krochen über den Rand bis zum Siphon. Er sah in den Badezimmerspiegel und entdeckte immer noch vereinzelte Blutstropfen. Seine Augen, sein ganzes Äußeres wirkten müde, gestresst, wie ein alter Mann am Ende seines Lebens. Er hatte getötet, er hatte einen Menschen kaltblütig umgebracht, um ein anderes Leben zu retten. Er wusste, tief in seinem Innern, dass dies nicht lange unbemerkt bleiben würde, dass sie kommen würden, dass dies möglicherweise der einzige Weg war, um sie aus der Deckung zu locken. Die Konfrontation war unvermeidlich und vielleicht hatte er heute Nacht den Fehler seines Lebens begangen. Das heiße Wasser brannte auf seinen Händen, aber er schrubbte weiter, als plötzlich die Badezimmertür aufgestoßen wurde.

Henry La Vance stürzte ins Zimmer und stieß Raymond dadurch vom Waschbecken weg. Als er das Blut sah, war er bestürzt, regelrecht betroffen. „Was haben Sie getan, verdammt noch mal?" Er verengte die Augen und sah Raymond scharf an. Dann bemerkte er die blutige Handbürste und ballte die Fäuste. „Das Blut, woher kommt das viele Blut?" Er stockte. „Ihre Hände, Sie!" Der Ton in seiner Stimme war rasiermesserscharf.

„Das geht Sie gar nichts an!", schnaubte Raymond.

La Vance wollte protestieren.

„Verschwinden Sie, RAUS!“ Raymond wurde laut.

„Ich wusste vom ersten Tag an, dass Sie Ärger machen würden, Mr. Philips. Also noch mal, von wem stammt das Blut?“

Raymond richtete sich auf. „Provozieren Sie mich nicht, Henry, ich warne Sie!“

La Vance lachte heiser. Dann plötzlich erschrak er innerlich. „Sie haben Ihren Freund getötet!“

„Er war nicht mein Freund! Er war ein verdammter Scheißkerl, ich musste ihn stoppen.“

La Vance sah Raymond an. „Ich hatte Sie gewarnt, Mr. Philips. Ich hatte Sie gebeten, es nicht zu tun. Damit haben Sie Unheil über uns alle gebracht.“ Im nächsten Moment ging er auf Raymond los, doch dieser wich dem Angriff aus, packte La Vance' rechten Arm und wirbelte ihn herum. Krachend flog dieser gegen den Badezimmerschrank. Sofort setzte Raymond nach, riss ihn hoch und drückte ihn gegen die gekachelte Wand.

La Vance wollte sich befreien, trat um sich, versuchte sich loszureißen. Er schrie. „Ich bringe Sie um, sie Mistkerl! Ich ...“

Feuriges Licht flutete durch die Fenster des Badezimmers, das so grell war, dass Raymond La Vance losließ und dieser scheppernd zu Boden ging. Mit einer Hand schirmte Raymond seine Augen ab und kroch zum Fenster.

La Vance hockte keuchend in der Ecke und atmete schwer. „Sie haben uns alle zum Tode verurteilt, Mr. Philips. Verflucht sollen Sie sein!“ Tränen sammelten sich in seinen Augen. „Ich muss Sophie beschützen, ich muss sie beschützen ...“

„Es geht hier nicht um Sie oder Sophie", schrie Raymond La Vance ins Gesicht.

Die Hupe eines Busses erklang und dröhnte durch die Fenster ins Haus. Raymond hob den Kopf und riskierte einen kurzen Blick nach draußen. Vor dem Haus stand tatsächlich der Bus, der ihn hierhergebracht hatte, und davor, wie ein Schatten, der uniformierte Busfahrer. Raymond lächelte und sah zurück zu Henry. „Bringen Sie sich und Sophie in Sicherheit, Henry. Die Sache wird hier gleich hässlich werden!" Seine Stimme war jetzt wieder normal.

La Vance zog sich am Türrahmen hoch. „Was ist denn los?"

Raymond grinste. „Showdown!"

Dann öffnete er die Tür des Hauses und trat hinaus auf die Veranda. Der Busfahrer stand noch immer im Scheinwerferlicht. Aber er bewegte sich nicht. Raymond runzelte die Stirn, dann setzte er vorsichtig einen Schritt vor den nächsten und breitete die Arme aus. Hinter ihm schloss Henry rasch wieder die Tür und sah mit Sophie durch ein Fenster nach draußen.

Raymond lehnte sich gegen das Holzgatter am Ende der Veranda und stemmte die Hände in die Taille. „Was tun Sie hier?", fragte er.

Der Busfahrer lächelte. „Um ehrlich zu sein, ich hatte Sehnsucht nach Ihnen!"

Der Mann stand ungünstig zwischen den Scheinwerfern, so dass Raymond nur die Mütze sehen konnte, die sich der Typ tief ins Gesicht gezogen hatte.

Raymond betrat den Rasen. Ein leichter Regen setzte gerade ein und merkwürdige Schatten tanzten auf den Halmen des

Vorgartens. „Wenn Sie Sehnsucht haben, bin ich die falsche Adresse, Mister, aber danke für das Kompliment!"

Der Busfahrer lachte und klatschte in die Hände. „Ihre Auftritte sind bühnenreif, Mr. Philips. Wirklich sehr aufregend, doch Sie sollten die Texte erst lesen, bevor Sie die Szenen proben!" Der Unterton war scharf und drohend.

Raymond runzelte die Stirn. „Wie meinen Sie das?"

Der Busfahrer kam ihm entgegen, langsam, fast tänzelnd. „Ich glaube, dass Sie nicht die richtige Besetzung für unser Stück sind."

„Ich bin kein Schauspieler, Mister", entgegnete ihm Raymond.

Der Busfahrer war stehen geblieben. „Nennen Sie mich Curn, nicht Mister." Er machte eine Pause, um die Erkenntnis sacken zu lassen. „Ich glaube schon, dass Sie ein Schauspieler sind, Mr. Philips, und ein guter dazu, der schon viele Rollen gespielt hat."

Raymond war jetzt sehr vorsichtig. Irgendetwas stimmte nicht. „Curn also, der Blutige, stimmt's?"

Curn nickte und schob die Mütze aus dem Gesicht, dann verbeugte sich das Scheusal vor ihm.

Raymond verengte die Augen. Er wusste, zu was dieser Kerl fähig war, und durfte ihn nicht unterschätzen. Curn hielt die Hände hinter dem Rücken verschränkt, als ob er ein Geheimnis verbarg.

Raymond brauchte eine Ablenkung, um Zeit zu gewinnen. „Sind wir nicht alle Schauspieler? Und Awful die Bühne?" Er breitete die Arme aus, als wollte er diese Bühne umarmen.

Curn schüttelte den Kopf. „Sie wollen einfach nicht verstehen, was? Ich habe Sie durchschaut, Mr. Philips. Wir alle haben Sie durchschaut." Er machte wieder eine Pause.

Raymond nickte. „Welche Rolle bekleiden Sie eigentlich in diesem Stück?"

Curn lachte hässlich. „Ich bin der Fährmann. Wie gesagt, ich halte die Dinge hier am Laufen!"

Raymond fing an zu lachen. „Ein Fährmann? Sehr originell."

Curn nickte; seine Fratze wirkte jetzt diabolisch. „Sehr richtig, ich bin Charon, der Fährmann, der die Welt der Lebenden mit den Toten verbindet."

„Toller Name, den Sie sich da geben. Sie haben nur vergessen, dass ich Sie dafür nicht bezahlt habe." Seinen Worten gab er einen verächtlichen Ton.

Curns Miene war wie in Stein gemeißelt. „Oh ja, der Obolus, richtig ..." Er setzte sich wieder in Bewegung und begann Raymond langsam zu umkreisen.

Dieser spannte seine Muskeln an, der Angriff stand unmittelbar bevor.

„Der Obolus, Mr. Philips, ist Ihre unsterbliche Seele!" Mit diesen Worten zog Curn zwei Messer hinter dem Rücken hervor und ging zum Angriff über. Der erste Hieb verfehlte Raymond knapp, doch der zweite Schlag traf ihn an der Schulter. Ein brennender Schmerz durchzuckte seinen Körper.

Curn war geschickt und versiert im Umgang mit den Waffen. Gekonnt wirbelte er herum, machte einen Ausfallschritt und kreuzte die Messer vor der Brust. „Wir haben Sie nicht nach Awful geholt, damit Sie hier Ihre Spielchen weiterspielen können. Heute Nacht haben Sie einen Fehler gemacht, einen sehr bedeutsamen, möchte ich betonen. Da haben wir beschlossen, dass Sie sterben müssen, Mr. Philips." Er stockte und sortierte seine Worte. „Sie sind uns in die Falle gegangen, oh ja. Wie dumm von Ihnen, bei aller Raffinesse!"

Raymond stockte der Atem. Sie hatten ihm tatsächlich eine Falle gestellt und er war darauf hereingefallen. Also war Andy nur ein einfacher Köder gewesen? Hatten sie ihn tatsächlich durchschaut?

Curn griff wieder an, zielte dieses Mal auf Raymonds Brust, doch der Regen hatte den Untergrund und das Gras glitschig gemacht. Curn verlor das Gleichgewicht und stürzte.

Sofort war Raymond auf ihm, schlug ihm mit voller Kraft die Faust ins Gesicht und packte seine Hände.

Doch Curn war kräftig und riss sich immer wieder los. Im Schein des grellen Lichts kämpften die beiden Männer wie Streithähne, jederzeit darauf wartend, die Schwäche des anderen auszunutzen.

Raymond versuchte, den Hieben und Schlägen seines Gegners auszuweichen.

Curn verhielt sich wie ein in die Enge getriebenes Tier, das sich aufbäumte und hysterisch herumbrüllte.

Immer wieder spürte Raymond die enormen Kräfte seines Gegners, und je länger der Kampf dauerte, umso schwächer wurde seine Verteidigung. Es vergingen Sekunden des Aufbäumens und des Schreiens, als Raymond plötzlich einen heftigen Schlag an der Schläfe verspürte und Sterne sah. Schlaff fiel er zur Seite ins nasse Gras. Mit einem trüben Blick bemerkte er kurz

Henry La Vance, der mit einem Spaten in der Hand dastand und ihm etwas zubrüllte. Sophie stand weinend neben ihm und riss an La Vance' Schulter. Aus den Augenwinkeln entdeckte Raymond Curn, der mit zähen Bewegungen langsam und ächzend wieder auf die Beine kam. Raymond wollte sich bewegen, doch sein Schädel dröhnte und zwang ihn, weiter am Boden zu bleiben.

Henry La Vance wich zurück, als Curn sich vor ihm erhob. Fordernd streckte er die Hände nach dem Spaten aus, doch Henry kam dieser Aufforderung nicht nach, sondern hielt den Spaten schützend vor seinen Körper. Curn schrie Henry an. Dessen Körper verfiel in eine Art Trance. Als Curn eine Hand hob, sackte Henry in sich zusammen. Sophie war außer sich. Raymond rollte auf den Rücken und sah in eine regennasse Nacht. Wassertropfen bombardierten sein Gesicht. Curn hob den Spaten auf, als Raymond keine zwei Meter von ihm entfernt etwas im Gras funkeln sah. Es war die Nagelschere von Oskar Jones, mit der er jeden Morgen die Grashalme in seinem Vorgarten stutzte.

Curn packte Sophie und schubste sie weg.
Raymond hatte die Nagelschere fast erreicht, als Curn abermals bei ihm war, ihn herumdrehte und angrinste.

„Jetzt wirst du bezahlen, du Hund! Mit diesem Spaten hier befreie ich dich!" Curn hob den Spaten in die Höhe und platzierte das Ende direkt über Raymonds Gesicht. Der Regel trommelte immer noch vom Himmel herab. Genau in diesem Moment sprang ihm Sophie von hinten auf den Rücken und packte ihn an den Haaren. Curn ließ den Spaten herabsausen. Raymond hatte gerade noch Zeit, sich zur Seite zu rollen, die Nagelschere zu packen und sie Curn in den Unterschenkel zu rammen. Dieser schrie vor Schmerz brüllend auf, ließ den Spatel fallen und schüttelte sich. Voller Wut packte er Sophie und zog sie von sich herunter. Sie ging dabei hart zu Boden und brach zusammen. Raymond rollte sich ab und kam wieder auf die Beine.

Curn zog die Nagelschere aus dem Bein und warf sie von sich. „Hast du wirklich geglaubt, mich mit diesen Tricks aufzuhalten?“ Er schrie seine Worte in Raymonds Richtung, begleitet von zähem Speichel, der sich aus dem Mund löste. Dann lachte er wieder. „Wo zum Teufel ...?“ Er tastete sich ab, als vermisste er irgendetwas, und sah sich um.

Diesen Moment nutzte Raymond zum Gegenangriff, stürzte sich auf Curn und warf ihn um. Mit einem Trommelfeuer seiner Fäuste bearbeitete er das Gesicht des Scheusals, riss seine Haut auf und brach ihm die Nase.

Curn lachte und trat ihm von hinten an den Kopf. Er war unglaublich gelenkig.

Raymond Philips stürzte abermals.

Curn drehte sich mit schmerzverzerrtem Gesicht auf die Seite und packte Raymonds Kopf, umschlang mit beiden Armen seinen Hals. „Stirb endlich, du verdammter Mistkerl.“ Er schniefte das Blut weg. „Du hast mir die Nase gebrochen, dafür breche ich dir jetzt dein scheiß Genick.“

Raymond musste sich erneut gegen die unfassbaren Kräfte wehren, schlug aber ins Leere. Als Curn den Arm hob, entdeckte Raymond ein kleines Röhrchen, das an der Unterseite seines Handgelenks aus dem Fleisch ragte. Dämpfe quollen daraus empor. Er wirbelte zu seinem Widersacher herum und drehte das Handgelenk in einem unnatürlichen Winkel nach unten.

Curn schrie auf und lockerte seinen Griff.

„Das also ist das Geheimnis, billige Tricks von einem billigen Typen!“ Raymond war außer sich und riss sich endlich los.

Curn kniete immer noch vor ihm, grinste ihn aus blutigen Zähnen an.

Raymond schnappte sich den Spaten und hob ihn hoch, als Curn seine letzten Kräfte mobilisierte und nach seinen Messern im Gras griff. Doch dieses Mal packte Raymond den Spaten, holte aus und rammte ihn in Curns Magengrube.

Der Typ ächzte und ließ die Messer fallen.

Mit einem beherzten Schlag traf er die Schläfe des Monsters. Blut spritzte, Knochen knackten. Curn kippte auf die Seite, lebte aber noch. Mit einer zitternden Hand suchte er wieder nach seinen Messern.

Raymond wollte es beenden, holte abermals aus und rammte Curn den Spaten mit der Kante voran mitten in sein Gesicht hinein. Ein letztes Stöhnen und Curn war endlich tot.

Raymond atmete schwer. Er war am Ende seiner Kräfte. Plötzlich wurde er am Kopf gepackt und weggestoßen. Eine Gestalt jagte ihm nach und rang ihn nieder. Es war Pan, mit einem hasserfüllten Blick in den Augen, die mit Tränen gefüllt waren. Mit ihren spitzen Fingernägeln bearbeitete sie sein Gesicht.

Raymond hatte Mühe, sich vor den scharfen Krallen zu schützen.

„Du hast Curn getötet, DU HAST CURN GETÖTET, DU VERDAMMTES SCHWEIN!“ Sie schrie, heulte in die Nacht, packte dann Raymonds Kopf an den Haaren und visierte mit ihren langen Fingernägeln seine Augen an. Tränen flossen ihr wie Sturzbäche aus den Augen und ihre Hände zitterten, als wäre sie zum Todesstoß noch nicht bereit.

Da rasten grelle Scheinwerfer heran. Pan drehte gerade noch den Kopf, um zu erkennen, dass sie sich direkt im Fokus eines herannahenden Autos befand, das auf sie zuhielt. Einen Bruchteil später traf sie die Stoßstange des Fahrzeugs in die Seite, wirbelte sie in hohem Bogen durch die Luft und ließ sie auf dem Vordach der Veranda niedergehen, das nachgab und einstürzte. Pans Körper ging in einem Regen aus Holzsplittern und zerberstendem Holz hart zu Boden, wo sie schließlich liegen blieb. Der Aufprall von Stoßstange und Körper war so brutal, dass der Wagen abrupt zum Stillstand kam und Knochen grässlich knacken ließ. Sofort wurde die Fahrertür aufgestoßen und Linda trat auf den Plan. Ihr Blick war ernst und besorgt zugleich. Im Hintergrund erhob sich gerade Henry La Vance aus seiner Trance. Als er Sophie im Gras liegen sah, erschrak er und kroch auf allen Vieren zu ihr hin.

Linda lief hastig um das Auto herum und sah nach Raymond, der mit dem Gesicht auf der Seite im nassen Gras lag. „Mr. Philips!" Sie kniete sich neben ihn und drehte ihn auf den Rücken.

Im Hintergrund lief noch immer der Motor ihres Vans. Blutige Schrammen und Fetzen von Kleidung hafteten an der Stoßstange. Linda ohrfeigte Raymond, der unter Stöhnen langsam wieder zu sich kam. „Mr. Philips, hören Sie mich? Wir müssen weg von hier ..."

Er nickte und versuchte aufzustehen.

Linda sah auch nach La Vance und Sophie, die ebenfalls zu sich kamen.

Henry warf Linda einen Blick zu und nickte zaghaft.

Raymond öffnete die Augen. „Linda? Was ... in aller Welt machen Sie hier?" Seine Stimme war nur ein Flüstern.

„Ich bin wohl Ihr Schutzengel" Sie lächelte.

Henry kam auf sie zu, mit Sophie in den Armen. „Linda, um Gottes willen, was hast du getan?"

Linda verzog das Gesicht. „Wie ich sehe, bin ich gerade rechtzeitig gekommen. Verdammt, Henry, was war hier los?"

Henry sah zu Raymond und verzog sein Gesicht zu einer verächtlichen Miene.

Linda boxte ihm gegen den Arm.

„Aua, hey, Linda, was soll das?", meckerte Henry.

„Geht es Sophie gut?", fragte sie.

Henry kniete sich hin und legte Sophie eine Hand auf die Stirn. Dann überprüfte er ihren Atem und nickte Linda zu, deren Gesicht nach wie vor ernst blieb. „Sie ist schwach, aber ..." Er machte eine Pause. „... das wird wieder." Schließlich umarmte er Linda. „Danke Linda. Dich schickt der Himmel."

Raymond saß mit aufgerichtetem Oberkörper vor Linda und rieb sich die Stelle an der Schulter, wo Curn ihn mit den Messern getroffen hatte.

„Wir müssen hier weg, sofort!" Sie sah zum Haus.

Henry nickte.

Nur Raymond schüttelte den Kopf. „Sauberer Treffer, Linda. Danke, aber wir müssen erst wissen, ob Pan wirklich tot ist!"

Henry schüttelte den Kopf. „Sie haben schon genug angerichtet, Mr. Philips. Reicht es Ihnen immer noch nicht?" Sein Tonfall war scharf.

Linda warf ihm einen strafenden Blick zu. „Es ist jetzt nicht der richtige Zeitpunkt dafür, Henry."

Henry war wütend, und in seinen Augen loderte das Feuer. Tränen liefen ihm über die Wangen. „Er hat Curn getötet, Linda, und Sophie in Gefahr gebracht!"

Linda fasste ihn wieder am Arm. „Reiß dich zusammen, Henry." Sie sah wieder zu Raymond. „Immerhin habe ich Pan auf dem Gewissen." Sie nickte ihm zaghaft zu. Dann widmete sie sich wieder Henry. „Wir müssen los, Henry. Mr. Philips?"

Henry schüttelte den Kopf, als Raymond sich erhob. „Den nehmen wir besser nicht mit!"

Linda drückte Henrys Hände.

„Machen Sie, dass Sie wegkommen, Linda, und vielen Dank. Aber ich muss wissen, ob das Miststück wirklich tot ist." Raymond musste es zu Ende bringen.

Linda senkte den Kopf, dann deutete sie Henry an, Sophie auf die Rückbank im Van zu legen.

Raymond näherte sich langsam und vorsichtig dem Haus. Auf dem Weg dorthin hatte er eines von Curns Messern aufgehoben und näherte sich unsicheren Fußes den Überresten der eingestürzten Veranda. Vor ihm erstreckte sich das Chaos aus gebrochenen Dielen, Brettern und Ziegeln. Aber nirgends konnte er Pan entdecken. Mondlicht flutete die Veranda, aber Pan war nicht da. Außer vereinzelten Blutflecken, die sich in dem Chaos fanden. Raymond schlug mit der Faust schmerzhaft gegen einen

Querpfeiler und fluchte in sich hinein. Er drehte den Kopf und sah Linda an. „Sie kommen nicht zufällig am Rathaus vorbei?“

## Kapitel 20

*Awful – das Rathaus*

Wieder hatte die Nacht ihre langen Schleier über Awful ausgebreitet und die Finsternis kroch durch die Straßen wie die winzigen Arterien eines stetig wachsenden und lauernden Organismus. Nebelschwaden waberten umher und die Nässe schlich sich in Raymonds Atemzüge. Die Aura des Rathauses umgab Unheilvolles. Das Gemäuer wirkte auf Raymond alt und verdorben. Jedes der dunklen Fenster war kalt und strahlte Böses aus. Der Eingang, umgeben von einem Rahmen aus schwarzem Marmor, ähnelte einem Maul, das jeden Eindringling zu verschlingen drohte. An der Oberseite des Rahmens war eine Inschrift in lateinischer Sprache verfasst: *quaerere mortem.*

„Suche den Tod ..." Raymonds Stimme war mehr ein Flüstern. Er atmete schwer aus. Wie passend diese Worte doch waren und wie nah er ihnen schon immer gewesen war. Er drehte den Kopf und zog den Kragen seines Regenmantels tiefer ins Gesicht. Linda hatte ihm den Mantel in die Hand gedrückt. Sie hatte ihm und den anderen das Leben gerettet. Aber warum nur? Warum jetzt? La Vance war außer sich gewesen, hatte mit aller Macht verhindern wollen, dass Raymond zu ihnen in den Van stieg. Dieser Mistkerl. Jetzt irrten die drei ziellos im Labyrinth von Awful umher, ohne Aussicht auf Rettung oder Ausweg und immer auf der Hut vor denen, die sie jetzt jagen würden. Feuchtigkeit umgab ihn, und die Luft schmeckte salzig wie ein Tag am Meer. Er fröstelte bei dem Gedanken, sie alle in Gefahr gebracht zu haben, und er würde es sich niemals verzeihen können, sollte den anderen etwas Schlimmes passieren. Er würde dafür büßen müssen, wenn der Tod zu ihm kam. Solange der Minotaurus am Leben war, waren sie nicht sicher. Seine Hand fand in einer der Taschen des Mantels einen Revolver.

Ein Unwetter zog herauf und Raymond drückte die Klinke des Eingangsportals herunter. Die Türen schwangen quietschend auf und sein Blick fiel auf eine gemauerte Wand, die den weiteren Zutritt ins Rathaus versperrte. „Was zum ... Teufel?" Er runzelte die Stirn und klopfte das Mauerwerk ab. Kalt und doch solide. Er verstand die Welt nicht mehr. Wieso war der Eingang zugemauert worden und zu welchem Zweck? Sorgsam suchte er nach einem versteckten Mechanismus. War dies wieder ein Rätsel? Raymond wich einen Schritt zurück in die lauernde Nacht. Für einen Moment verharrte er, als würde er über seine nächsten Möglichkeiten nachdenken. Das Rathaus schien ihn zu fixieren, finster und durchtrieben. Da hörte er ein Geräusch hinter sich, doch der Schlag gegen seinen Hinterkopf kam zu schnell. Er brach zusammen.

Die dort standen, lächelten ...

Als Raymond wieder zu sich kam, brannten seine Arme und schwere Ketten rasselten. Über seinen trüben Augen lagen bleischwere Lider. Sein Hinterkopf brannte. Als er die Augen endlich öffnete, sah er die Ketten, an denen sein geschundener Körper hing. Die Metallringe, die seine Handgelenke ketteten, schnitten tiefe Wunden in seine Haut. Sein Atem war schwer und jede Bewegung tat höllisch weh. Bis auf die Unterhose war er wieder nackt. Ein langer Blutfaden rann ihm von der Brust über die Schenkel bis zu den Füßen, von wo die rote Brühe in die Dunkelheit tropfte. Wieder rasselten die Ketten und wieder versuchte er, seine letzten Kräfte zu mobilisieren. Doch ohne Erfolg.

Plötzlich flammten unzählige Kerzenleuchter auf. Schwarze Kerzen mit feurigem Licht, die lange Schatten warfen. Raymond warf den Kopf hin und her und versuchte herauszufinden, was um ihn herum vor sich ging. Da gab es einen Ruck und die schweren Ketten setzten sich langsam in Bewegung. Raymonds Körper glitt quälend langsam nach unten, bis seine Zehen geradeso den kalten Boden berührten. Quietschend kamen die Ketten zum Stillstand und so hing er nun da, völlig wehrlos seiner Umgebung ausgesetzt und angreifbar. Plötzlich hatte er das Gefühl, dass jemand da war. Drei Gestalten schälten sich aus dem Halbdunkel und Raymond bekam eine Gänsehaut. Die Minotauren waren gekommen. Tobe, Grey und Pan. Er spürte ihre finsteren Auren, die sie umgaben. Ihre Stimmen waren dämonisch und düster.

„Er hat unseren Bruder Curn getötet!“ Tobe war der Erste, der sprach.

Raymond sah einen dünnen Finger aus der Dunkelheit ragen, dessen Fingernagel lang und verfärbt war.

„Der Tod soll ihn holen, für diesen Verrat!“ Pans Stimme war mehr ein Flüstern. In ihrer Stimme lag tiefer Schmerz.

Raymond spürte eine dritte Aura, ganz in seiner Nähe. Jemand klatschte in die Hände, erst zaghaft, dann kräftiger. Es war Grey. Er war der Dunkelste von allen. Abscheu und Hass gingen von ihm aus. Dann stand Grey direkt hinter ihm, packte seinen Kopf und riss ihn nach hinten. Sein Antlitz war die Finsternis. Er hatte kräftige Hände mit scharfen Nägeln, die durch Raymonds Haut schnitten, doch er gab keinen Laut von sich.

„Für diese Sünde wirst du brennen!“ Greys Stimme war rasiermesserscharf.

Seine Gefährten forderten Raymonds Tod, doch Grey hob eine Hand und die anderen verstummten. „Das Spiel soll entscheiden!“

Raymonds Kopf sackte nach vorn und er sah unter sich eine zähe, breiige Masse, die sich über den Boden ausbreitete und langsam an seinen Beinen emporkroch. Der Brei waberte, rotierte wie ein Strudel, umschlang schließlich seinen Körper und zog ihn in die Finsternis hinab.

Als er abermals erwachte, lag er wieder auf kaltem Boden. Unzählige Kerzen flammten auf, als seine Lider sich hoben. Diesmal trug er wieder seinen Mantel. Das Rathaus war ein schrecklicher Ort. Albträume waren geschaffen worden, um alle, die hierherkamen, zu bestrafen. Raymond glaubte nicht an höhere Wesen oder an die Sage vom Bösen. Was hier gespielt wurde, war perfekt in Szene gesetzt und bis ins Detail perfektioniert worden. Angst beherrschte die Bewohner von Awful. Monster wachten über Monster. Er versuchte sich im Raum zu orientieren, doch irgendetwas stimmte wieder nicht. Wenige Meter vor ihm kauerte eine Gestalt im Halbdunkel. Er wusste sofort, wer dort saß.

„Hallo Raymond!“ Das Kerzenlicht flammte auf und er sah in sein eigenes Spiegelbild. Vor ihm saß niemand anders als Philipe du Mont, alias Raymond Philips. Das echte Monstrum.

Raymond verzog den Mund. „Warum überrascht mich das nicht?“

„Was hast du denn erwartet?", fragte Philipe vorwurfsvoll. Das Scheusal hockte im Schneidersitz auf dem Boden.

„Was machst du hier?", fragte Raymond.

Philipe schüttelte den Kopf. „Du bist ich, schon vergessen?"

Raymond versuchte aufzustehen, was ihm misslang. Er hatte einen Muskelkater wie nach einem Triathlon. „Geh' aus meinem Kopf!" Raymond fasste sich an die Schläfen.

Philipe musterte ihn. „DU bist in MEINEM Kopf!" Sein Gesicht verfinsterte sich. „DU bist in MEINEM Körper!" Er breitete die Arme aus. „Wie soll das jetzt weitergehen?" Das letzte Wort klang verächtlich und abweisend.

Raymond schüttelte den Kopf. „Du bist tot!"

Philipe nickte. „Das stimmt. Dank dir! Aber dank Nigel Peacemaker bin ich auch unsterblich geworden, auch wenn ich mir einen wahrlich besseren Körper hätte auswählen wollen!" Er lachte. „Jede Tat hat Konsequenzen. Veränderungen haben Nebenwirkungen!" Er drehte den Kopf unnatürlich auf die Seite. „Nigel hat dir das verschwiegen, nicht wahr?"

Raymond schloss kurz die Augen, schüttelte wieder den Kopf.

„Natürlich hat er das!", zischte Philipe.

„Geh' einfach aus meinem Kopf!"

Philipe weidete sich an den Schmerzen seines Wirts. „Schau dich an, du willst ich sein? Erbärmlich!"

Raymond öffnete die Augen. Das Scheusal stand nun direkt neben ihm. „Du weißt nichts über mich!" Er schnalzte mit der Zunge.

„Irrtum! Hast du dich nie gefragt, was passiert, wenn man der Natur ins Handwerk pfuscht? Genotyp, Phänotyp? Ha, alles Scheiße, mein Freund!“

Raymond dachte über diese Worte nach.

Philipe klopfte ihm auf die Schulter. „Bin ich endlich zu dir durchgedrungen? Man hat dich verarscht!“

„Blödsinn!“

Philipe klatschte beherzt in die Hände. „Du warst nur das Mittel zum Zweck. Die Wahrheit tut weh, aber finde dich endlich damit ab!“

„Blödsinn! Was für einen Grund hätte Nigel gehabt, mich anzulügen?“, hakte Raymond nach.

„Alles ist Sünde, alles ist Lüge!“ Philipe sah auf. „Es geht hier nicht um Nigel!“

Raymond packte Philipe am Revers, doch das Scheusal riss sich los.

Raymond verengte die Augen. „Die Wahrheit und keine Spielchen mehr!“

Philipe vernebelte sich und materialisierte an der gegenüberliegenden Seite des Raums. Raymonds Griff ging ins Leere. Wutentbrannt fuhr er auf. „Ich sagte, keine Spielchen mehr!“

Philipe kehrte in den Schneidersitz zurück. „Er war sich damals bei dem Einsatz wohl der Konsequenzen nicht bewusst gewesen.“

„Er?“ Raymond war plötzlich verwirrt. „Du sprichst in Rätseln, wen meinst du?“

Philipe antwortete nicht.

„Beantworte die Frage, Philipe!"

„Wenn du das hier überleben solltest - und um ehrlich zu sein, hege ich da große Zweifel - rate ich dir, alles noch einmal zu hinterfragen, denn euer Einsatz war im Grunde so nicht geplant gewesen! Du jagst einer Lüge nach!"

Raymond machte ein verächtliches Gesicht. „Aus deinem Mund kommt nur sinnloses Gequatsche, wie damals in dem Hinterhof!" Er breitete die Arme aus.

„Ja, vielleicht, aber du hättest zuhören sollen."

„Ich werde diesen Albtraum beenden und dann werden wir ja sehen, ob deine Worte wirklich von Bedeutung waren!" Raymond verengte die Augen zu schmalen Schlitzen.

„Zügele dein impulsives Verhalten. Du wirst es noch brauchen! Je länger wir hier quatschen, desto mehr erkenne ich da etwas von mir wieder." Er lachte wieder, lauter als je zuvor.

Raymond sackte auf die Knie. Er hatte Tränen der Wut in den Augen. Als er aufsah, war Philipe du Mont verschwunden ...

## Kapitel 21

*Zurück im Spiel des Todes*

Raymond war wieder zurück im Spiel. Ihrem Spiel, ihrer Hölle. Showtime.

Nachdem Philipe verschwunden war, sah er plötzlich Lindas Revolver auf dem Boden. In der Trommel befanden sich drei Patronen. Raymond atmete tief durch und steckte sich die Waffe vorne in den Gürtel, wie ein Revolverheld aus dem Wilden Westen. Er war bereit, sich den Scheusalen zu stellen, die auf ihn lauern würden. Dies war sein Schicksal. Obwohl ihn die letzten Worte von Philipe doch nachdenklich gemacht hatten.

Als er die in die Wand eingelassene Doppeltür endlich entdeckt und geöffnet hatte, war ihm Hitze entgegengeschlagen, denn dahinter brannte die Nacht. Gefasst trat er nach draußen. Er war wieder auf der Farm und vor ihm erstreckte sich das verfaulte Feld, das nun lichterloh in Flammen stand. Das Zerplatzen der Insekten hörte sich wie Popcorn an und ein bestialischer Gestank schlug ihm entgegen, der ihm den Atem raubte. Von der erhöhten Position einer Veranda hatte er einen guten Überblick, obwohl die Rauchschwaden fast den gesamten Himmel bedeckten. Mit der Hand schirmte er seine Augen ab, denn der Rauch quälte sie. Der Mantel schützte seinen Körper vor der Hitze. Er überprüfte seinen Revolver, als der erste Angriff kam. Es war ein Speer, der ihn haarscharf verfehlte. Raymond wich zur Seite aus, sah sich um. Die Sicht wurde schlechter. Irgendwo hörte er Gebrüll und Geschrei. Als er sich aus der Deckung wagte, kam ein zweiter Speer geflogen. Raymond hatte Mühe auszuweichen, schaffte es aber durch Abrollen. Kaum wieder auf den Beinen rannten zwei maskierte Männer auf ihn zu. Einer von beiden war mit einer Machete bewaffnet, der andere trug eine Art von Waffenscheide an der Hüfte. Raymond reagierte sofort, zielte auf den mit der Machete und schoss. Der Getroffene ging sogleich zu Boden, als die Kugel seine Stirn durchbohrte. Raymond war ein geübter Schütze, sparte sich aber die letzten Patronen auf. Bevor er sich die Machete greifen konnte, war der zweite Angreifer bei ihm, stürzte sich auf ihn. Laut brüllend rollten sie hin und her, bis sein Widersacher ein Messer zog. Raymond starrte in glühende Augen, die hinter einer Ledermaske verborgen waren. Der Kerl roch widerlich nach kaltem Schweiß. Er war ein massiger Typ mit kräftigen, behaarten Armen, an denen geronnenes Blut klebte. Raymond hatte Mühe, sich seiner zu erwehren. Mit aller Kraft trat er dem Kerl in die Weichteile, wodurch dieser erschlaffte. Diesen Moment nutzte Raymond zur Flucht, ohne dass er nochmals an die Machete kam, die irgendwo im Staub lag. Sein Revolver aber steckte noch im Gürtel. So hastete er keuchend durch das brennende Feld, das seinem Ende entgegenging, denn das Feuer würde alles verzehren. Plötzlich stoppte ein Hindernis seinen Lauf und trieb ihm vor Schreck die Luft aus den Lungen. Eine Kollision war unvermeidlich, und er stürzte. Seine Rippen schmerzten. Als er aufsah, entdeckte er im Schein der Rauchschwaden Lindas Van.

„Linda? Lindaaa!“

Sein Verfolger war wieder da und wedelte mit dem Messer in der Hand. Der Typ schnalzte mit den Lippen, und Speichelfäden rannen aus der Unterseite seiner Maske. Er grunzte und seine Augen loderten vor Hass.

Raymond tastete nach seinem Revolver, doch der Gürtel war leer. Erschrocken sah er zu seinem Widersacher, der ihn grausam angrinste und sich zum Angriff bereitmachte. Raymond verlagerte seinen Stand, jederzeit darauf bedacht, dass sich andere vielleicht anschließen könnten. Dann griff der Typ wieder an, warf sich auf ihn und stieß ihn gegen den Van. Hart gingen beide zu Boden. Der Kerl rammte Raymond sein Knie in die Magengrube, sodass dieser Staub fraß. Dann packte er Raymond an den Haaren und zog seinen Kopf hoch. Mit seinem Messer wollte er ihm die Augen ausstechen, doch ein heftiger Schlag gegen den Hinterkopf des Irren trieb diesem das Leben aus dem Schädel. Knochen brachen und Blut spritzte, als der Spaten den Hinterkopf spaltete. Der Typ mit der Ledermaske verdrehte die Augen und ging zu Boden. Hinter ihm stand Linda, den blutigen Spaten noch in der Hand. Raymond und sie sahen einander an, dann fielen sie sich in die Arme.

„Um Gottes willen, Linda.“ Raymond drückte sie an sich und keuchte. „Jetzt haben sie mir heute schon zum zweiten Mal das Leben gerettet!“

Lindas Gesicht war dreckig und mit winzigen Blutstropfen gesprenkelt. Ihr schiefes Lächeln war ihr Markenzeichen. „Gern geschehen, Mr. Philips.“

„Wieso sind Sie hier?“ Raymond war verwundert.

Linda nahm ihn bei der Hand. „Kaum hatten wir Sie am Rathaus abgesetzt, waren sie schon hinter uns her.“

Raymond runzelte die Stirn. „Sie?“

Linda lehnte sich gegen ihren Van und nickte. „Der Sheriff und sein Deputy und alle, die sie auftreiben konnten." Sie hustete. „Ihnen scheint es nicht anders ergangen zu sein."

Raymond nickte. „Das Rathaus ist nicht das, was es zu sein scheint."

Linda schmunzelte.

„Was ist?", fragte Raymond.

„Nun, das Rathaus ist nicht das Einzige, was nur vorgibt, etwas zu sein. Sie sind doch nicht der echte Raymond Philips?"

Raymond sah sie durchdringend an. „Wo sind eigentlich Henry und Sophie?"

Linda stemmte die Arme in die Hüften. „Lenken Sie nicht vom Thema ab, Mister!"

Raymond hob abwehrend die Hände. „Es ist eine lange Geschichte, Linda." Er sah sich um.

Linda wischte sich den Mund mit dem Ärmel ihrer Jacke ab. „Wir wurden getrennt."

„Wie bitte?" Raymond hob den Kopf und sah sich um.

„Erzählen Sie sie mir!"

„Was meinen Sie?", fragte Raymond.

„Die Geschichte Ihres Lebens, Raymond … Ach verdammt, ich weiß gar nicht, wie ich Sie anreden soll?", erwiderte Linda genervt.

„Hören Sie, Linda. Sie haben recht. Ich bin vom FBI."

Lindas Augen weiteten sich. „Sie sind hinter denen her!"

Raymond nickte und fasste sich in die Rippengegend. Die Prellung war druckempfindlich.

In der Ferne schrillten unheimliche Laute durch die Nacht.

Sie drehte den Kopf.

„Wo sind wir hier eigentlich?“, fragte sie.

„Auf einer Farm“, antwortete Raymond.

Linda legte die Stirn in Falten. „Sie waren ja schon einmal hier, nicht wahr?“

Raymond suchte derweil die Umgebung ab und fand seinen Revolver wieder.

„Diese Typen sind nicht totzukriegen.“ Linda betrachtete den Toten am Boden.

Raymond nickte. „Wir sollten nicht hierbleiben.“ Er fasste sie bei der Hand.

„Passen Sie mir ja auf das gute Stück auf.“

Raymond sah sie fragend an. „Was meinen Sie?“

Linda schmunzelte. „Den Revolver, mein Lieber, nicht das, was Sie meinen.“

Sie holten alles aus dem Van, was sie gebrauchen konnten. Neben zwei Taschenlampen ergatterten sie einen Schraubenschlüssel und einen Rucksack mit Sandwiches und einer Flasche Wasser. Dann schlichen sie im Schutze der Dunkelheit weiter, bis sie eine alte Scheune erreichten. Über eine Leiter erklommen sie das Obergeschoss. Hier vertilgten sie die Sandwiches und teilten sich das Wasser. Von einem kaputten Fenster aus hatten sie einen guten Überblick über das Terrain. Die Farm war nicht sonderlich groß, trotzdem verbargen sich viele finstere Stellen. Zwischenzeitlich hatte sich der größte Teil der Rauchschwaden verzogen und der Mond war aufgegangen. Der Geschmack von verbrannten Feldern und toten Insekten lag weiterhin in der Luft.

„Was machen wir jetzt?“, fragte Linda flüsternd. Sie sah Raymond, der am Fenster stand und in die Nacht hinausblickte, mit großen Augen an.

„Wir müssen Henry und Sophie finden“, antwortete er, ohne sich zu ihr umzudrehen.

„Wir?“

Er drehte kurz den Kopf zu ihr und für einen Moment fand das Mondlicht sein Gesicht. „Das hat Priorität.“ Seine Hand verkrampfte sich.

„Dass Sie ein Bulle sind, wäre mir nie in den Sinn gekommen!“ Sie hatte ein hübsches Lächeln.

Raymond schüttelte den Kopf. „Dann war meine Tarnung also doch perfekt!“

Sie boxte ihm gegen die Schulter und fing zu weinen an. „Wenn wir das hier überleben ...“

Raymond beugte sich zu ihr herab. „Wir werden diese Nacht überleben, so oder so.“

Sie sah ihn an. „Mein strahlender Held!“

Er sah sie an. „Ich bin ein Niemand, Linda.“

Linda biss sich auf die Unterlippe.

„Sie und die anderen werden nicht zurückgelassen.“ Sein Entschluss stand fest.

„Was aber, wenn wir sie nicht retten können?“, fragte sie wieder.

Raymond setzte sich neben sie auf den Boden und lehnte sich mit dem Kopf an die Wand. „Das wird nicht passieren.“ Er nahm ihre Hand in die seine. „Sophie gehört nicht hierher, sie braucht wieder eine Familie.“

Linda verengte die Augen. „Sie wissen mehr, als Sie zuzugeben bereit sind.“

Er nickte wieder. „Ich erzähle Ihnen alles, was Sie wissen wollen, aber erst müssen wir diesen Albtraum überstehen!“

Sie wollte etwas erwidern, doch Raymond legte ihr plötzlich eine Hand auf den Mund. Unter ihnen in der Scheune hörten sie ein schleifendes Geräusch. In den langen Schatten des Mondlichts bewegte sich eine lange, fast spindeldürre Gestalt und zog eine lange Kette hinter sich her, an deren Ende eine rostige Axt befestigt war. Die Gestalt sah surreal und gespenstisch zugleich aus. Sie röchelte, japste und zog ein Bein nach. Die Bewegung erinnerte an ein verwundetes Tier. Einst hatte Jacks Vater einen Rehbock angefahren. Das verwundete Tier hatte schwer verletzt am Straßenrand gelegen und schrecklich gefiept. Sie wussten sich damals nicht zu helfen. Ein anderer Autofahrer hatte das Tier damals erschossen, um ihm weiteres Leid zu ersparen. Jetzt, nach all der Zeit, hatte er wieder Tränen in den Augen. Die Kreatur war stehen geblieben und glotzte zum Mond hinauf. Linda und er sahen die Narben und die großen, dunklen Augen. Doch trotz der Umstände war dieses Wesen eine Gefahr für sie. Plötzlich waren da andere Gestalten zu sehen, die brüllend um den langen Lulatsch herumtänzelten. Sie schrien, tobten und rotteten sich zusammen.

Linda riss Raymond aus seinen Gedanken und zeigte auf die Überreste eines Hauses in der Ferne. „Was ist das dort hinten?“

Er erhob sich. „Sieht wie eine Ruine aus.“ Er sah zu Linda. „Wenn die da unten weg sind, machen wir uns auf den Weg.“

Sie nickte und packte ihre Sachen.

Die Ruine bestand aus den Überresten eines alten Sanatoriums. Dem Schild über dem Eingang zufolge eine ehemalige Anstalt für Geisteskranke. Das mehrstöckige Haus war zum Teil eingestürzt und das Dach löchrig wie ein Schweizer Käse. In der Ferne heulte ein Nachtkauz. Raymond nahm Linda bei der Hand und gemeinsam betraten sie das düstere Haus. Ein Rabe saß über dem Eingang und flatterte davon. Im Erdgeschoss lagen zerfallene Möbelstücke herum und die Fensterscheiben waren zerbrochen. Der zweite Stock bestand aus zwei größeren Schlafsälen, von denen die Metallskelette der Betten als einzige Zeugen übriggeblieben waren. Die Kacheln an den Wänden waren schmutzig, gerissen und blind, der Boden mit Unrat übersät. Es war ein trauriger Ort mit einer sicherlich schaurigen Vergangenheit. Das Leid der Insassen war förmlich zu spüren. Der nächste Treppenaufgang blieb ihnen leider verwehrt, da ein Teil des Aufgangs bereits eingebrochen war. Also traten sie den Rückweg an. Da hörten sie ein merkwürdiges Geräusch aus einem der Schlafsäle. Es klang wie das Schluchzen von Kindern. Linda verstärkte den Griff um Raymonds Hand. Vorsichtig spähten sie um eine brüchige Kante in die Dunkelheit und entdeckten ein kleines Mädchen, das mit dem Rücken zu ihnen auf dem Boden saß.

„Sophie? Bist du das, Herzchen?", flüsterte sie.

Raymond runzelte die Stirn. Irgendetwas stimmte nicht.

Das Kind wiegte sich schluchzend vor und zurück. Als sie näherkamen, verstummte das Kind.

Raymond hielt Linda zurück.

„Sophie?"

Endlich drehte sich das Kind herum. Es hatte kein Gesicht und kreischte.

Linda und Raymond taumelten zurück. Jemand stand hinter ihnen. Es war Tobe.

Das Kind schritt mit ungelenken Schritten auf sie zu, seine Finger wurden zu Krallen. Linda schrie, taumelte, verlor das Gleichgewicht und stürzte, als sich die Gestalt des Kindes vor ihren Augen in Nebelschwaden auflöste.

Tobe schrie und trat nach Linda. Raymond wirbelte herum und zog den Revolver aus dem Gürtel. Diesen Zug hatte Tobe vorausgesehen und machte einen Schritt zurück. Raymond zielte in die Dunkelheit. Tobe lachte schauerlich. Da erschienen zwei weitere Gestalten. Ein Fettsack und ein dürrer Typ. Dem Fettsack baumelte ein blutiger Hautlappen im Gesicht. Er hielt eine rostige Sichel in den Händen. Das Gesicht des Dürren war morbide entstellt und er hechelte. Seine Waffe war eine abgenutzte, kurze Axt.

Raymond wusste sofort, wen er hier vor sich hatte. Tobe lauerte in der Dunkelheit, beobachtete die Kontrahenten und flüsterte den Gefolgsleuten böse Dinge zu. Raymond sah nach Linda, die nur langsam wieder zu sich kam. Durch den Sturz hatte sie sich am Kopf verletzt. Sie nickte ihm zu, dass alles in Ordnung sei.

Raymond nahm ihren Schraubenschlüssel zu Hilfe, als der Dürre angriff. Er wich aus und trat dem Dürren zum Abschied in den Hintern. Zum Fettsack sagte er: „Hallo Sheriff, endlich bringen wir es zu Ende!"

Der Fettsack tänzelte und beugte den Kopf nach vorn. „Heute schlachte ich Sie aus, Mr. Philips!" Seine Stimme war durch den

Hautlappen gedämpft. Dann ging auch er zum Angriff über und schlug mit der Sichel um sich.

Raymond wehrte den ersten Schlag ab, der Linda zugedacht war. Von hinten kam der Dürre zurück und packte ihn am Arm.

Der Fettsack ließ die Sichel heruntersausen und verfehlte Raymonds Arm um Haaresbreite.

Linda sah auf und trat dem Fettsack in die Kniekehle, wodurch dieser einknickte.

Der Dürre jaulte auf und schwang die Axt.

Raymond packte ihn am Handgelenk und nutzte den Schwung, um den Deputy außer Sichtweite zu schleudern. Scheppernd ging der in einem Haufen Unrat zu Boden. Der Fettsack wirbelte mit dem Kopf herum. Seine Augen glotzten irre. Er hob die Sichel und schlug abermals zu. Dieses Mal war es der Schraubenschlüssel, der seinen Schlag bremste. Verwirrt taumelte der Kerl zurück, wodurch Raymond zum Gegenangriff überging und ihm den Schraubenschlüssel unter das Kinn rammte. Der Kiefer des Sheriffs brach und er kippte um.

Der Deputy rannte währenddessen wieder auf ihn zu. Linda hob die Sichel auf und schleuderte sie dem Angreifer entgegen. Von der Waffe tödlich getroffen flog der Deputy zurück und blieb am Ende des Schlafsaals am Boden liegen. Die Blutlache unter seinem Leib verriet das Hinscheiden des Mannes.

Raymond bückte sich zum Sheriff hinab, der mit verdrehten Augen und einem letzten Zucken an einer Wand lehnte. Blut quoll ihm aus Nase, Mund und Ohren. Dann sackte der Kopf des Mannes nach vorn und er war tot.

Da trat Tobe aus der Dunkelheit; seine Augen waren finster. Seine Hände glichen scharfen Krallen, sein Mund war weit aufgerissen.

Raymond half Linda, als Tobe ihn packte und zubiss. Raymond schrie, stieß den Clown von sich.

Tobe lächelte und leckte sich das Blut von den Lippen.

Lindas Kopf wirbelte herum, doch es war zu spät.

Tobes mächtige Krallen packten ihren Kopf und drehten diesen hin und her. Linda wand sich mit letzter Kraft.

Raymond warf sich, seine Schmerzen ignorierend, auf den Clown und riss an dessen falschen Haaren. Diese Unachtsamkeit nutzte Linda, um sich zu befreien.

Doch Tobe war zu stark und schüttelte Raymond von sich ab. Er lachte hässlich. Linda stolperte rückwärts, als der Clown sie abermals packte und mit ihr durch das Fenster sprang. Was dann folgte, war das pure Grauen. Sie schrie nicht einmal. Raymond taumelte zum Fenster und hielt sich eine Hand vor den Mund. Linda lag mit offenen Augen und gebrochenem Rückgrat über den Scherben eines Fenstersimses. Eine blutige Glasscherbe ragte aus ihrer Brust. Sie spuckte Blut und röchelte. Raymond war außer sich. Er sah Tobe unter sich und stürzte sich auf den Widersacher, als dieser gerade versuchte, wieder aufzustehen. Raymond landete hart auf seinem Rücken, wodurch der Clown erneut zu Boden ging. Raymond packte ihn, doch Tobe riss sich los und bleckte blutige Zähne. Hinter dem Rücken zog er eine Glasscherbe hervor und grinste böse. Raymonds Augen füllten sich mit Tränen, als er Linda beim Sterben zusah, und er stürzte sich wieder auf den Clown. Dieser wich aus und stach zu.

Raymond schrie. Tobe verstärkte den Griff um die Scherbe. Da trat Sophie aus der Dunkelheit hervor und sprang dem Clown ins Gesicht. Tobe wiegte sich hin und her, ließ die Scherbe los, die in Raymonds Rücken steckte. Sophie war wie in Rage und trieb Tobe ihre Fingernägel ins Gesicht. Verzweifelt versuchte er sich das rasende Mädchen vom Hals zu halten, doch es gelang ihm einfach nicht.

Raymond zog sich unter Schmerzen die Glasscherbe aus dem Fleisch und sackte in sich zusammen. Hinter ihm packte Tobe Sophie und warf sie von sich. Sein Gesicht war eine blutende Fratze, seine Augen die Finsternis.

Genau in diesem Moment war Raymond wieder bei ihm, rammte dem Scheusal die blutige Scherbe der Länge nach in den ihm dargebotenen Hals und zerschnitt die Halsschlagader. Ein Blutschwall spritzte ihm ins Gesicht und er verlor wieder den Halt. Tobes Augen drohten aus den Höhlen zu quellen. Er taumelte, während er Unmengen von Blut verlor. Er röchelte und versuchte verzweifelt, sich von der Scherbe zu befreien. Dann stürzte er von einem Treppenansatz ein Stockwerk in die Tiefe und spießte die Scherbe noch weiter in sich hinein. Mit weit aufgerissenen Augen blieb der schwarze Clown schließlich liegen und starb. Henry La Vance half Raymond auf die Beine. Sophie hielt Lindas Hand. Sie schluchzte und war nicht zu beruhigen.

„Bleiben Sie liegen, Mr. Philips. Wir müssen erst Ihre Wunde versorgen."

Raymond schüttelte den Kopf. „Es ist noch nicht vorbei, Henry."

Er sah zu dem leblosen Körper von Linda.

„Sie ist tot, Mr. Philips." Henry senkte den Kopf in stiller Trauer.

Sophie weinte bitterlich.

„Sie hat sich geopfert", flüsterte Raymond.

Henry nickte und zog Sophie zu sich. Er nahm sie in den Arm.

Raymond zog seinen Mantel aus. Das dicke Kleidungsstück hatte den Angriff mit der Scherbe zum größten Teil abgehalten. Dann folgte eine Umarmung von Henry und Sophie und ein Gefühl von Trauer überkam sie alle. Nach diesem langen Moment machte sich Raymond auf den Weg zum letzten Gefecht, wenn auch mit schmerzerfülltem Gesicht.

La Vance sah ihm nach. „Wo wollen Sie denn jetzt noch hin, Mr. Philips?"

Raymond drehte sich zu ihm um. „Es ist noch nicht vorbei, Henry. Sie beide sollten sich verstecken."

Henrys Gesicht war skeptisch. „Das schaffen Sie nicht allein, nicht in Ihrem Zustand."

Raymond leckte sich über die trockenen Lippen. „Lindas Preis war zu hoch, Henry. Sie und Sophie müssen leben."

Sophie wischte sich die Tränen aus dem verschmutzten Gesicht.

Raymond nahm sie in den Arm und drückte sie fest an sich.

„Bitte gehe nicht!", flüsterte sie und wischte sich die Tränen aus dem Gesicht.

„Erinnerst du dich, was ich dir über die Monster gesagt habe, Sophie?", fragte Raymond.

Sie nickte zaghaft.

„Am Ende der Nacht wird es keine Monster mehr geben, nie mehr!“

## Kapitel 22

*Im Spiel des Todes - Showdown*

Zwei von vier in einer Nacht. Ein überaus zufriedenstellendes Ergebnis. Wären da nicht noch Pan und Grey, vielleicht die Schlimmsten ihrer Art. Faulige Felder, wie sie das FBI nannte. Er, Jack Barnes alias Raymond Philips, hatte für das System geblutet und sein Leben aufs Spiel gesetzt. Aber zum ersten Mal stellte er das alles in Frage. Philipe hatte Verrat angedeutet und das verletzte ihn zutiefst.

„Er war sich der Konsequenzen nicht bewusst gewesen." Dieser Satz hing wie Blei in seinen Gedanken. Spontan dachte er an Chief Rawson und an Mr. Carner. Er kniete im Gras, und Tränen sammelten sich in seinen Augenwinkeln. In seinem Gürtel steckte immer noch der Revolver. Den Schraubenschlüssel hielt er fest in der Hand. Der Kampf war noch nicht vorbei. Heute Nacht würde er diesen Albtraum für immer beenden.

Der Name des langen Lulatsches - das traurige, albtraumhafte Wesen mit der langen Kette und der rostigen Axt - war Caliban. Raymond hatte nach seinen Widersachern gesucht und diese letztendlich auch gefunden. Grey saß auf einem Stuhl im Halbdunkel einer alten Bühne in einem heruntergekommenen Theater und klatschte, als Raymond die Stufen herabkam. Caliban stand etwas abseits und glotzte mit seinen großen, dunklen Augen in das Angesicht der Finsternis. Der Innenraum des ehemaligen Theaters war komplett verwüstet und vom Staub der Zeit bedeckt. Durch ein großes Loch in der Decke tropfte Wasser und sammelte sich in Pfützen zwischen den Zuschauerbänken. Ein Geruch von verfaulendem Holz und Nässe lag in der Luft, wie bei einem Waldspaziergang nach einem Regenschauer. Raymond wankte die Stufen hinab, da ihm die Wunde im Rücken starke Schmerzen bereitete. Sein linker Arm fühlte sich taub an, kribbelte und Grey hörte einfach nicht auf, ihm Applaus zu schenken. Raymond verengte die Augen, als er am unteren Treppenansatz stehenblieb und den langen Lulatsch dabei keine Minute aus den Augen ließ.

Grey nickte ihm zu, wie ein Duellant aus alten Tagen. „Mr. Philips! Schön Sie zu sehen. Sie haben uns also gefunden! Bravo, Bravissimo!"

Raymond verlagerte das Gewicht auf sein rechtes Bein. „Uns?"

Grey grinste. „Caliban und mich!" Er machte eine überraschte Geste. „Ach ja, Sie kennen Caliban ja noch gar nicht, oder?"

Raymond schüttelte den Kopf. „Nein, er ist mir gänzlich neu!", erwiderte er sarkastisch.

Grey amüsierte sich. „Wie sollten Sie auch. Er ist, nun, wie soll ich es ausdrücken ...". Er machte wieder eine Pause und sah den langen Lulatsch an. Dann drehte er sich wieder Raymond zu. „Er ist mein persönlicher Leibwächter, wenn Sie es genau wissen wollen!"

Raymond war zornig. „Noch so ein Ding in Ihrer albtraumhaften Welt?"

Grey bewegte einen Zeigefinger hin und her. „Caliban ist kein Ding, Mr. Philips. Er gehört ebenso hierher nach Awful wie Sie. Nur haben Sie es bisher nicht erkannt."

„Nicht mehr als eine Drogenfantasie, Sie verdammter Bastard." Raymond verzog das Gesicht. Er hatte Schmerzen. „Wo ist eigentlich Ihre treue Freundin Pan, die miese Schlampe?"

Grey verzog keine Miene. „Sie steht hinter Ihnen!"

Raymond wollte reagieren, als er plötzlich von hinten gepackt und brutal zu Boden gedrückt wurde. Sein angeschlagener Gesundheitszustand und seine schwindenden Kräfte machten ihm eine Gegenwehr unmöglich. Der Angreifer schlang einen Kabelbinder um seinen Hals und zog diesen zu. Raymond röchelte und bekam kaum noch Luft.

Anschließend wurde er auf einen Stuhl gepresst und mit Lederriemen fixiert. Er war wie ein Anfänger in ihre Falle getappt und war nun gefangen. Der Kabelbinder um seinen Hals drückte gegen den Kehlkopf und raubte ihm die Luft zum Atmen. Er röchelte und würgte. Die Schmerzen im Rücken übermannten ihn, und für einen kurzen Moment drohte er das Bewusstsein zu verlieren. Als er wieder ganz zu sich kam, saß Pan mit übereinander geschlagenen Beinen vor ihm auf dem Tisch und grinste ihn schief an.

„Hallo, Philipe. Ich freue mich, dich zu sehen." Ihr Gesicht zeigte einen Anflug von falscher Besorgnis. „Ich hoffe, der Kabelbinder drückt dir nicht die Luft ab?"

Raymond ballte die Hände zu Fäusten und sein Gesicht nahm die Farbe einer Tomate an.

Pan sah zu Grey und dieser nickte. Sofort lockerte sie, wenn auch sichtlich widerwillig, den Kabelbinder ein wenig und Raymond spürte, wie das Leben in ihn zurückkehrte. „Ich hätte dir lieber gerne beim Verrecken zugesehen."

Raymond musste sich beruhigen. „Ich werde euch beide umbringen.“ In seiner Stimme lag viel Gewicht. „Ganz Awful wird zum Teufel gehen!“

Pan und Grey lachten lauthals.

„Sie haben ja keine Ahnung, was Awful wirklich ist, Mr. Philips. Sie haben Ihre Chance verpasst, ein Teil davon zu werden. Sie hätten ein Wolf sein können, der unter den Lämmern wandert.“

Pan war aufgestanden. Wie ein Raubtier schlich sie um Raymond herum und legte ihm eine Hand auf die Schulter. „Du hast uns großes Kopfzerbrechen bereitet, Philipe.“

Raymond schüttelte sich, als widerte ihn die Berührung dieser Frau an. „Fass mich nicht an, Miststück!“, fauchte er sie an.

Grey hob eine Hand und Pan sah auf. „Warum nennen wir das Kind nicht beim Namen, Liebes! Ich bin der Art und Weise, wie wir unserem Gast begegnen, ehrlich gesagt überdrüssig.“

Sie fletschte die Zähne und nickte.

Raymond sah auf.

„Wie fanden Sie eigentlich die Idee von der geheimen Botschaft auf dem X-Bay, Agent Barnes?“

Raymond stockte der Atem.

„Da staunst du nicht schlecht, was?“ Pan klatschte in die Hände wie ein kleines Kind, das sich darauf freut, endlich sein Geschenk auspacken zu dürfen.

„Die Idee mit dem Messer war nicht schlecht, aber im Grunde zu fantastisch, als dass ein Psycho wie Raymond Philips das Rätsel hätte lösen können.“

„Das werden wir jetzt wahrscheinlich nicht mehr erfahren, da Sie es ja vorgezogen haben, ihn zu ersetzen!" Grey legte die Fingerspitzen aneinander und fixierte Jack genau. „Haben Sie wirklich gedacht, dass Sie uns mit dieser Scharade täuschen könnten?"

In Raymond meldete sich Jack zu Wort und platzte endlich heraus, lachte laut auf, so dass sich Grey und Pan verwundert ansahen.

„Ich habe mich schon gewundert, wann ihr völlig verblödeten Junkies endlich hinter das Geheimnis kommen würdet. Ihr habt euch echt Zeit gelassen." Er lachte wieder.

Pan verzog das Gesicht und versetzte ihm eine schallende Ohrfeige. Doch Jack lachte weiter, verhöhnte sie. „Wenn ihr es wusstet, warum habt ihr mich nicht gleich getötet?", fragte er und seine Gesichtsmuskeln spannten sich.

„Er verhöhnt uns, Grey, ich will ihn jetzt töten!"

Doch Grey hob eine Hand.

Pan war wieder nah bei Jack. „Sag' schon, die Sache mit dem Bündel und dem Kadaver hast du doch bestimmt genossen." Sie zeigte Zähne, strich sich über ihre Brüste und leckte genüsslich über ihre Lippen. „Tief in dir drin hast du die gleichen animalischen Gelüste wie wir, Jack!"

Jacks Lachen verstummte. „Du verdammtes Miststück!"

Grey lächelte. „Der Verlust Ihrer Frau muss sehr schlimm für Sie gewesen sein, so ganz allein mit Woody in dem großen Haus."

Jack fuhr herum, die Spannung unter den Lederriemen stieg.

„Wie geht es Ihrer Schwester, Ihren Eltern, glauben Sie, sie sind sicher im fernen New York?"

„Wenn Sie sich meiner Familie auch nur nähern ..."

„... ja, was dann? Soll ich deiner Schwester vielleicht einen Besuch abstatten, Jack?", unterbrach ihn Pan.

Jacks Arme und Hände verkrampften sich.

„Niemand ist vor uns sicher, Mr. Barnes. Nicht einmal Ihr Chef, der erfahrene Chief Rawson, hatte mein wahres Ich erkannt." Grey schloss kurz die Augen, als probte er den perfekten Auftritt. „Ich hatte es sehr genossen, ihm das Leben zu nehmen! Eigentlich wollte ich ihn noch ein bisschen leiden lassen, aber ihr konntet ja nicht warten."

Pan genoss das Treiben. Sie wollten Jack offenbar wahnsinnig machen, bevor er starb.

„Leider sind Sie mir beim ersten Mal entkommen, Sie verdammter Bastard. Das wird mir heute Abend nicht noch einmal passieren!", erwiderte Jack.

Grey grinste breit, legte die Hände ineinander und lehnte sich zurück. „Geben Sie sich keine Mühe, Mr. Barnes. Die Riemen werden Sie fesseln, bis wir mit Ihnen fertig sind! Sie sterben in der Gewissheit, dass wir uns auch den Rest Ihrer Freunde und Lieben holen werden. Niemand wird sich je an Sie erinnern!"

Jack lief es eiskalt den Rücken hinunter. Er wusste um sein Schicksal, wusste, dass jegliche Kraftanstrengung im Grunde nutzlos war. Sie wollten ihn quälen und seinen Verstand malträtieren, aber er durfte dieser Versuchung nicht nachgeben, sondern sollte sie weiter aus der Reserve locken und sie dort angreifen, wo es weh tat. Sie mit ihren eigenen Waffen schlagen. „Zwei von euch Scheusalen haben bereits ins Gras gebissen, ach, war das ein Spaß!" Er musste Zeit gewinnen.

Pans Miene verlor an Freude und Grey schüttelte den Kopf.

„Dafür schneide ich dir deine verdammten Eingeweide raus!“, zischte Pan, fletschte die Zähne und neigte sich wieder zu Jack. „Für den Tod an Curn und Tobe wirst du erfahren, was Qualen wirklich sind, du Scheißkerl!“

Jack versuchte sich an einem Lachen, doch Pan schlug ihm die Lippen blutig.

Sie wurde emotional und machte endlich Fehler.

„Ich glaube, Sie haben ihren Hass entfacht, Agent Barnes.“ Grey sah zu Pan.

„Hören wir endlich auf zu quatschen und machen den Drecksack fertig, Grey!“, schrie sie. „Ich will in seinem Blut baden!“

Grey erhob sich. „Überlassen wir doch Caliban das Vergnügen.“

Pan wirbelte herum und ihr Blick sprühte Feuer. „Nein! Er gehört mir, mir ganz allein und dafür brauche ich kein Messer!“

Grey zuckte mit den Schultern. „Ich schenke ihn dir, Liebes.“

„Warum tun Sie es nicht selbst, Sie Feigling! Mit Ihrer Schlampe werde ich schon fertig“, schrie Jack.

Greys Augen waren schmal.

Pan schlug Jack wieder ins Gesicht.

Er funkelte sie an. „Ich bin enttäuscht, Pan. Mehr hast du wohl nicht drauf, als einen Gefesselten zu schlagen?“

Sie schlug wieder zu und Jacks Lippen platzten weiter auf. „Ich schlag dich tot, Scheißkerl.“

Jack sah zu Grey, als sich einer der Lederriemen endlich zu lockern schien.

Er musste beide gegeneinander aufhetzen, doch Grey war eine harte Nuss. Die Zeit lief ihm davon. „Verlassen Sie uns etwa schon?“

Grey drehte sich um. „Mitnichten, Agent Barnes. Ich möchte nur meinen Anzug nicht dreckig machen. Glauben Sie wirklich, ich will das hier verpassen?“ Er grinste Jack an, während Pan erwartungsvoll um ihn herumtänzelte.

Blitzschnell zog Jack einen seiner Hände unter dem Riemen hervor und lockerte den zweiten. Pan holte erneut aus, doch dieses Mal packte Jack sie am Arm und drehte ihr diesen nach hinten. Pan schrie und Greys Muskeln verkrampften sich. Er gab Caliban ein Zeichen und der Riese stampfte los. Jack packte Pan am Hinterkopf und gab ihr einen Kuss auf die Wange, wodurch sie förmlich die Fassung verlor.

Grey warf seine Jacke von sich und zog ein Messer. Das Scheusal war von kräftiger Statur und besaß ein kantiges Gesicht. Pan riss sich los und ging mit ihren zu Krallen gewordenen Händen auf Jacks Gesicht los. Nur mit Mühe konnte er sich ihrer Angriffe erwehren. Grey drückte einen Finger in Jacks Wunde am Rücken und Jack knickte ein. Caliban hob eine Art von Sense und ließ diese auf Jacks Körper niedersausen. Jack blieben nur Bruchteile einer Sekunde, um sich abzurollen und sich damit aus Greys heimtückischem Griff zu befreien.

Greys Gesicht war eine groteske Maske. „Sie sind schwach, Agent Barnes. Glauben Sie wirklich, dass Sie eine Chance gegen uns haben? Wir sind zu dritt!“

Jack lachte heiser und kam langsam wieder auf die Beine. „Ich bin schon aus ganz anderen Situationen rausgekommen, Arschloch."

Pan griff wieder an, und Jack wich ihren Schlägen aus.

Als Grey heranstürmte, warf sich Jack auf den Riesen, und beide Männer gingen zu Boden. Caliban hielt inne und beobachtete den Kampf, als würde er auf den richtigen Moment warten, um Jack den Garaus zu machen. Pan drehte sich auf dem Absatz herum und näherte sich schnell, ihre Krallen weit gespreizt. Jack trat und schlug auf Grey ein, dessen Kräfte unüberwindbar schienen. Pan packte Jacks Kopf und schlug ihm gegen die Schläfe. Als er abermals zu Boden ging, war sie schnell wieder auf ihm und rammte ihm eine Kralle in die Schulter. Er schrie und krümmte sich vor Schmerzen. Pan lächelte grausam und heulte wie ein Wolf.

Grey war außer Atem. „Beende es jetzt endlich!"

Pan leckte sich über die Lippen, als ihr Jack unvermittelt und hart gegen den Kehlkopf boxte. Pan ließ von ihm ab und fiel röchelnd zur Seite. Dabei brach eine ihrer Krallen ab. Jack zog diese aus seiner Schulter, was ihm unbeschreibliche Schmerzen brachte und rammte sie Grey blitzschnell in den Fußrücken. Dem massigen Kerl traten die Augen förmlich aus den Höhlen. Caliban hob den Kopf. Jack rappelte sich ein letztes Mal auf und trat Grey gegen den Kopf. Caliban packte Jack an der Schulter und schleuderte ihn über die Tischplatte. Pan erhob sich wieder; der Bluterguss an ihrem Hals war faustgroß. In ihrem Gesicht loderte das Feuer. Sie röchelte und spuckte Blut. Grey schrie Caliban an, ihm zu helfen, und der Riese zog ihm die Kralle aus dem Fuß. Grey krümmte sich vor Schmerzen, verlagerte aber das Gewicht auf das andere Bein und zog sich an der Tischkante hoch. Unerträgliche Schmerzen waren in seinem Gesicht zu erkennen. Er spuckte Blut.

Pan torkelte auf Jack zu, der sich ebenfalls erhob. Caliban fauchte und seine dunklen traurigen Augen glotzten ihn an. Pan packte Jack erneut, doch ihr Griff war dieses Mal schwächer. Er schubste sie von sich, als Grey ihn am Hals packte und zudrückte. Genau in diesem Moment holte Caliban mit der Sense aus. Jack sah den Schlag rechtzeitig kommen und duckte sich. Grey riss die Augen auf. Die Sense köpfte ihn am Schulteransatz und sein Körper sackte zusammen. Als Caliban sah, was er angerichtet hatte, schrillte er los und ließ die Sense fallen. Pan jaulte und rammte dem Riesen ihre verbliebenen Krallen in die Seite. Calibans Körper knickte in sich zusammen und fiel vornüber auf die Tischplatte, die unter dem Gewicht des Riesen zerbrach. Das Ding war tot.

Pan schluchzte und schrie. „Du hast Grey getötet! Dafür werde ich dich heimsuchen und alles töten, was dir lieb und teuer ist!“ Heulend und verletzt torkelte sie außer Sichtweite, statt es zu beenden.

Jack hatte keine Kraft mehr, ihr zu folgen.

## Kapitel 23

*Im Spiel des Todes*

Henry La Vance und Sophie zogen Jacks zerschundenen Körper nach draußen in die Nacht und in den Regen. Jack spuckte Blut; er hatte schlimme Schmerzen am ganzen Körper. Regentropfen kühlten sein Gesicht. Er röchelte. Als er die Augen öffnete, strich Sophie über seine Wange. Er versuchte zu lächeln, was angesichts der Schmerzen in seinem Körper kläglich misslang.

„Wir bringen Sie erst einmal von hier weg. Die Schlacht ist vorbei, Mr. Philips", sagte Henry.

Jack blickte in den Nachthimmel und schüttelte zaghaft den Kopf. Ein Déjà-vu überkam ihn, wie damals in dem Hinterhof, als er schon einmal um sein Leben gekämpft hatte. „Nein, Pan ist noch am Leben." Er hustete und Henry half ihm hoch. „Lassen Sie es gut sein, Mr. Philips, bitte." Tränen sammelten sich in Sophies Augenwinkeln.

Jack drückte das Mädchen an sich und hob den Kopf, als der Schuss kam.

Henry sackte nach vorne, seine Augen füllten sich mit Blut. Jack fuhr herum. Aus dem brennenden Maisfeld trat Pan hervor, in ihren Händen hielt sie Jacks Revolver. Sie fletschte die Zähne und warf den Kopf in den Nacken. Sophie schrie und ballte ihre Finger zu Fäusten. Jack versuchte sie festzuhalten, doch sie riss sich los und stürmte auf Pan los, die aber auf ihren Angriff gefasst war. Sophie wich einem ersten Schlag von Pan aus und krallte sich an ihrem Rücken fest. Sophies Finger waren wie Krallen, blutig und zerstörerisch. Jack drehte Henry La Vance von sich weg. Der Mann war tot. Mit letzter Kraft stemmte er sich hoch und schleppte sich auf Pan zu, die sich immer noch verzweifelt gegen Sophie zur Wehr setzte. Er hob den Revolver auf und überprüfte das Magazin. Eine Patrone war noch darin. Welch eine Ironie. Pan erkannte die Gefahr und schlug mehrfach gegen Sophies Kopf, bis diese von ihr herunterrollte. Pans Gesicht, Hals und Nacken waren böse malträtiert. Sie drehte den Kopf, fletschte die Zähne. „Heute Nacht endet deine Zeit, Scheißkerl." Sie zischte die Worte wie eine Schlange.

„Niemand entkommt dem Tod!", flüsterte Jack ihr zu.

Pan überhörte die Worte. „Ich mache dich fertig!"

Jack schüttelte den Kopf. Seine Hand mit dem Revolver zitterte. „Tut mir leid, hier ist Endstation!"

Pan spannte merklich ihre Muskeln an. Dann griff sie ihn wieder an. Ihre Augen waren pechschwarz wie die eines Dämons.

Sophie kam wieder zu sich.

Jack hob den Revolver, zielte auf Pans Gesicht und schoss.

Sie stürzte und brach zusammen.

Jack sackte in die Knie und verlor das Bewusstsein ...

*Am Bushäuschen im Nirgendwo*

Vögel zwitscherten, und eine sanfte Brise wehte ihm ums Gesicht. Es war angenehm und mild. Düfte von Butterblumen und wildem Mohn sammelten sich um seine Nase, als Jack die Augen öffnete. Die Lider fühlten sich schwer an und eine Müdigkeit umgab ihn wie nach einem langen Schlaf. Er fühlte sich träge, aber dennoch seltsam ruhig. Er blinzelte, als er die Sonne sah, die ihre endlosen Strahlen durch die Blätter der Bäume schickte. Er drehte den Kopf und sah eine Straße aus grauem Asphalt. Der weiße Mittelstreifen war abgenutzt und die Farbe rissig. Langsam erhob er sich und sofort wurde ihm schwindelig. Sein Mund war trocken und seine Zunge fühlte sich pelzig an. Er war durstig. Behutsam lehnte er sich wieder zurück und stutzte, als er sich in dem einsamen Bushäuschen im Nirgendwo wiederfand. Er fragte sich, ob alles nur ein böser Traum gewesen war.

„Sophie?", flüsterte er und sah sich um, doch er war allein. Neben ihm auf der Bank lag ein rosafarbener Briefumschlag, worauf ein Name stand: *Raymond*.

Da näherte sich ein schweres Motorrad, ein Chopper. Der Mann, der darauf saß, war ein Indianer. Er trug eine Lederkluft und Cowboystiefel. Unter der Lederweste zeichnete sich eine kräftige Statur ab, und seine Oberarme waren tätowiert. Der Fremde hatte ein kantiges Gesicht und trug eine Sonnenbrille. Sein langes Haar war durch ein Lederband am Hinterkopf zusammengebunden und sein Pony fiel ihm über die Stirn. Raymond hatte das Motorrad nicht kommen hören. Der Indianer rollte an das Bushäuschen heran und stellte den Motor ab. Dann nahm er die Brille ab und sah sein Gegenüber ernst an. Es war eines der Motorräder, die er vor dem Diner gesehen hatte.

„Wir sollten gehen, Mr. Barnes."

Er sprach akzentfrei.

Jack verengte die Augen. „Wer sind Sie?"

„Vielleicht der Einzige, der Ihnen helfen kann."

Jack runzelte die Stirn. „Haben Sie hier einen Teenager gesehen?“

Der Indianer sah sich um und zuckte mit den Schultern. „Nein. Gehörten Sie zusammen?“

Jack schüttelte den Kopf. „Ich weiß nicht. Ich kannte sie.“ Er sah wieder auf.

Der Indianer verstand und vergrub die Hände in den Hosentaschen.

„Wo bringen Sie mich hin?“

„Steigen Sie auf, ich erzähle es Ihnen unterwegs.“

Jack zögerte. „Wie haben Sie mich gefunden?“

Der Indianer verzog keine Miene. „Ich tue Ihnen nichts, Mr. Barnes, aber wir haben einen gemeinsamen Freund.“

Jacks Gesicht hellte sich auf. Dann steckte er sich den Briefumschlag in den Hosenbund.

„Wollen Sie den Brief nicht lesen?“, fragte der Indianer.

Jack schüttelte den Kopf. „Vielleicht später.“ Dann nahm er auf dem Motorrad Platz und sofort fiel ihm der Wolfskopf auf dem Benzintank auf.

Der Indianer nickte und drehte den Zündschlüssel. „Halten Sie sich bitte gut fest.“

Jack nickte.

Einen Moment später jagte das Motorrad davon ...

# Epilog

*Club Hellfire*
*Zwei Tage später...*

Heiße Leiber rieben sich im Takt einer teuflisch guten Musik aneinander. Der Club *Hellfire* war randvoll, wenn die feierwütigen Geister durch die Nacht schwärmten. Diese Party-People, wie man sie nannte, waren meist junge Leute im Alter zwischen zwanzig und dreißig Jahren. Die jungen Frauen trugen hautenge Jeans mit leichten Blusen und kurzen Jacken, hatten Piercings und Tattoos als Markenzeichen dieser Szene, die fernab des bürgerlichen Lebens ihr Dasein fristete. Von modernen Drogen gepusht war es möglich, die Nächte durchzutanzen. Das ganze Leben war ein Rausch zwischen Licht und Dunkelheit. Die Getränke waren nicht gepanscht und die Atmosphäre wie in einer Opiumhöhle. Im Technotower war die Luft zum Schneiden und angefüllt mit allerlei Gerüchen. Gewürztabaks von den Shishas und Gras. Diejenigen, die nicht tanzten, saßen oder standen in den Ecken. Einige knutschten miteinander oder fummelten herum. Etwas abseits standen zwei Männer beieinander und unterhielten sich, während einer von ihnen zwei junge Frauen beobachtete, die erst miteinander einen Cocktail schlürften und sich dann näherkamen.

„Hey Alter, glotz da nicht so hin!" Sein Freund bemerkte dessen Voyeurismus und tippte ihm auf die Schulter.

Der junge Mann war erregt und behielt die beiden jungen Frauen gut im Auge, die eifrig damit beschäftigt waren, ihrer Neigung nachzugehen.

Sein Kumpel schnalzte mit der Zunge.

„Halt die Klappe, Rhys." Er leckte sich über die Lippen.

Rhys drehte den Kopf.

Eine der beiden Frauen warf ihnen einen lüsternen Blick zu.

„Oh Mann, hast du das gesehen, Keys?", flüsterte Rhys seinem Freund zu.

Keys lächelte breit und bleckte die Zähne. „Diese geilen Schnecken. Wie gerne würde ich da jetzt mitmachen ..."

Rhys kniff ihn in die Seite und Keys wurde aus seinen Träumen gerissen.

Die beiden Frauen unterbrachen ihr Liebesspiel und flüsterten kichernd miteinander.

„Oh, Kacke, ich glaube, die haben uns bemerkt." Rhys nippte an seinem Bier.

Keys lächelte.

Die Frauen kamen Hand in Hand zu Rhys und Keys herüber. Eine der Frauen flüsterte Keys etwas ins Ohr, der den beiden sofort etwas zu trinken anbot.

„Na, ihr Hübschen, ein Drink gefällig?"

Die beiden Frauen lächelten schamlos und streichelten einander. Dann stellten sie sich den beiden als Helen und Charly vor.

Keys glotzte Helen in den weiten Ausschnitt.

„Was hältst du von Augenkontakt?", fragte sie und sah ihm ins Gesicht.

Keys lächelte immer noch. „Kommt auf die Augen an!"

Helen grinste und flüsterte Charly wieder etwas ins Ohr. Dabei streichelte sie das Ohrläppchen zärtlich mit der Zunge.

Rhys wurde rot.

„Mein Freund hier wird schon ganz unruhig. Treibt es besser nicht zu bunt", sagte Keys.

Die beiden Frauen lächelten.

„Du bist mir ja ein richtiger Voyeur, Keys", schmunzelte Charly.

Keys nickte und küsste ihre Hand.

„Oh, ein richtiger Gentleman."

Helens Augen verengten sich und sie flüsterte Keys etwas ins Ohr.

„Hey, Charly, sag' mal, ist dein Name so etwas wie 'ne Abkürzung?", fragte Keys.

Charly nickte und kicherte. „Natürlich, Dummerchen."

„Verrätst du ihn mir auch?" Keys blieb dran. Er wollte sie.

Charly biss sich auf die Unterlippe.

„Hey Jungs, habt ihr heute noch was vor?", unterbrach sie Helen ungeduldig.

Keys sah zu Rhys und beide zuckten mit den Schultern.

„Schlag mal was vor", meinte Rhys.

„Ich wüsste da was, Mädels." Keys hatte einen Vorschlag, der sicherlich allen gut gefiel.

Helen und Charly kicherten.

Rhys sah Keys fragend an.

Der schnappte sich seinen Freund und erklärte es ihm. „Mensch, Rhys, die Mädels wollen Sex mit uns, was meinst du?"

Rhys sah zu den Mädels zurück, die wieder miteinander rummachten. „Echt? Meinst du wirklich? Das wäre echt super!"

„Super? Nee, mein Freund, das wäre geil. Guck dir doch nur die Ärsche von denen an." Er sah seinem Freund in die Augen und dieser kicherte. „Alles klar, Mädels, gehen wir!"

Sie gingen ein Stück und verirrten sich in den unzähligen kleinen Gassen und Seitenstraßen. Sie liefen Hand in Hand und kicherten albern. Helen und Charly heizten den Jungs richtig ein und nach einer Weile fielen sie über die beiden Jungs her. Keys trieb es mit Helen und später auch mit Charly. Rhys war im Grunde eher ein zurückhaltender Mensch, doch es dauerte nicht lange und auch er mischte mit. Der Sex war durchtrieben, gut, experimentell und hart. Sie taten es untereinander und auch miteinander. Gleichgeschlechtliche Vorbehalte wurden so in einer Nacht förmlich über Bord geworfen, bis Keys zudringlicher wurde. Das gefiel Charly aber nicht und sie wehrte sich vehement. Keys war wie ein Tier und auch Helen wurde zusehends härter. Rhys teilte den Rausch. Als Charly das Spiel beenden wollte, eskalierte die Situation. Die junge Frau schaffte es mit Mühe und Not, sich aus der gemeinsamen Umarmung zu lösen, und raffte ihre Kleidung zusammen.

Helen legte eine Hand an ihre Hüfte. „Hey, Charly, was ist denn los?"

Charly schniefte und wischte sich die Tränen aus dem von Make-up verschmierten Gesicht. „Was ist bloß los mit dir? Ich erkenne dich gar nicht mehr wieder, Helen!"

Helen nahm die Hand ihrer Freundin, als Keys hinzukam. Seine Augen waren wie Feuer. Sie blickte ihm in die Augen.

„Was machen wir jetzt mit ihr, Helen?“, fragte er ungeduldig.

Helens Augen wurden düster.

Charly erblasste. „Du kennst den Kerl?“

Helen schlang ihre Arme um Keys und sie küssten sich. Rhys näherte sich.

Charly wich zurück. Helen verzog die Lippen und nahm ihre Freundin in den Arm. Dabei rammte sie der jungen Frau ein Messer in den Unterleib. Wieder und wieder, bis Charly zuckend am Boden lag. Keys nahm ihr das Messer aus der Hand und stach weiter auf die junge Frau ein. Er genoss den Rausch. Rhys gesellte sich zu ihm und verteilte das Blut über sein Gesicht. Helen schürzte die Lippen, zog Keys zu sich heran und leckte ihm das Blut vom Gesicht. Rhys gesellte sich dazu.

Plötzlich löste sich eine Gestalt aus der Dunkelheit und kam auf die drei zu, die noch in völliger Umarmung und im Blutrausch vereint waren.

„Hallo meine Kinder!“

Die drei drehten sich um und ihre Gesichter erhellten sich.

„Mutter?“, fragte Helen.

Die Gestalt lächelte grausam.

Keys und Rhys taten es ihr gleich.

„Mutter, was tust du hier?“, fragte Keys.

Die Gestalt beugte sich zu der Toten herab, strich mit einem Finger über den blutverschmierten Leib und breitete ihre Arme aus. „Wollt ihr mich nicht willkommen heißen?“

Die drei Teenager nickten und kamen der Umarmung nach.

„Eure Mutter braucht euch. Meine Kinder der Nacht. Kinder von Awful!“

Helen, Keys und Rhys hoben die Hände zum Himmel und schrien in die Nacht hinaus.

Pan lächelte.

Dann verneigten sie sich vor ihr und verschwanden gemeinsam in der Nacht.

Fortsetzung folgt …

# Danksagung

Ich liebe das Schreiben und ich mag, es gute Bücher zu lesen, doch ein Buch zu schreiben war für mich ein spannendes Abenteuer und eine Reise ins Unbekannte, die am Ende länger gedauert hat, als ich anfangs geplant hatte. Erst die Hilfe so vieler wunderbarer Menschen hat mich das Werk vollenden lassen und mich dabei unterstützt, das Buch auch zu veröffentlichen. Abenteuer 2.0.

Besonderer Dank kommt hier meiner Mutter zu, die mir stets Zuversicht gegeben und mich darin bestärkt hat, das Ziel nicht aus den Augen zu verlieren. Ihre tatkräftige Unterstützung als Testleserin und die Hilfe bei der Nachbearbeitung waren unbezahlbar.

Einen wichtigen Beitrag zur Entwicklung und Tiefe der Geschichte geht an Ronny Rindler, bei dem ich in 2018 einen Krimi-Workshop besuchen durfte und dessen unschlagbare Tipps und Feedbacks mich darin bestärkt hatten, auf dem richtigen Weg zu sein.

Das gilt auch für meinen Lektor, Volker Maria Neumann aus Köln, der mir sehr dabei geholfen hat, Fehler auszumerzen und den Weg zu einem tadellosen Stil zu finden. Dessen Unterstützung mir eine große Hilfe war und dessen Abschlussfeedback mich sehr beeindruckt hat.

Des Weiteren geht ein großer Dank an meine Coverdesignerin, Catrin Sommer von rausch-gold, die für mich fantastische Coverdesigns angefertigt hat, wodurch mir erst klar wurde, was alles möglich ist. Ich danke ihr sehr für die Engelsgeduld meiner diversen Änderungswünsche und für die vielen guten Ratschläge.

Ein großer Dank geht auch an Holger Markus und Ricarda Oehlmann, die mir mit Rat und Tat zur Seite standen und deren Vorschläge zum Cover überaus hilfreich waren, Jörn-Thilo Szabados, dessen Ideen, das Cover in schwarzen Einband zu hüllen, entscheidend zum Endergebnis beigetragen haben und Teodora Srol, die den Roman für mich sehr akribisch gelesen und bewertet hat.

Zu guter Letzt geht ein ebenso großer Dank an das gesamte Team von Tredition, die mir sehr bei der Umsetzung und der Veröffentlichung des Romans geholfen haben, die stets gute Ansprechpartner waren und deren Korrektorat dem Endergebnis den letzten Schliff verpasst hat.

Erlebe weitere spannende Thriller:

- Die Fauligen Felder 2

  *Das nervenzerfetzende Finale*
  *einer gigantischen Verschwörung*

Weitere Romane in Vorbereitung …

<u>Folge mir auch auf:</u>

Pinterest
Facebook